HOLLY BLACK

A MENINA MAIS FRIA DE COLDTOWN

Tradução:
Ana Death Duarte

Novo Conceito

Título original: *The coldest girl in Coldtown*

Publicado originalmente nos Estados Unidos. Direitos de tradução cedidos por Barry Goldblatt Literary LLC e Sandra Bruna Agencia Literaria S.L.

1ª Impressão — 2014

Produção editorial:
Equipe Novo Conceito
Impressão e Acabamento Prol 010714

Este livro segue as regras da Nova Ortografia da Língua Portuguesa.

Dados Internacionais de Catalogação na Publicação (CIP)
(Câmara Brasileira do Livro, SP, Brasil)

Black, Holly
A menina mais fria de Coldtown / Holly Black. -- 1. ed. -- Ribeirão Preto, SP : Novo Conceito Editora, 2014.

Título original: The coldest girl in Coldtown.
ISBN 978-85-8163-403-6

1. Ficção norte-americana I. Título.

14-00986 CDD-813

Índices para catálogo sistemático:
1. Ficção : Literatura norte-americana 813

Novo Conceito

Rua Dr. Hugo Fortes, 1885 — Parque Industrial Lagoinha
14095-260 — Ribeirão Preto — SP
www.grupoeditorialnovoconceito.com.br

Para Steve Berman, que inspirou a história que foi a inspiração para este romance.

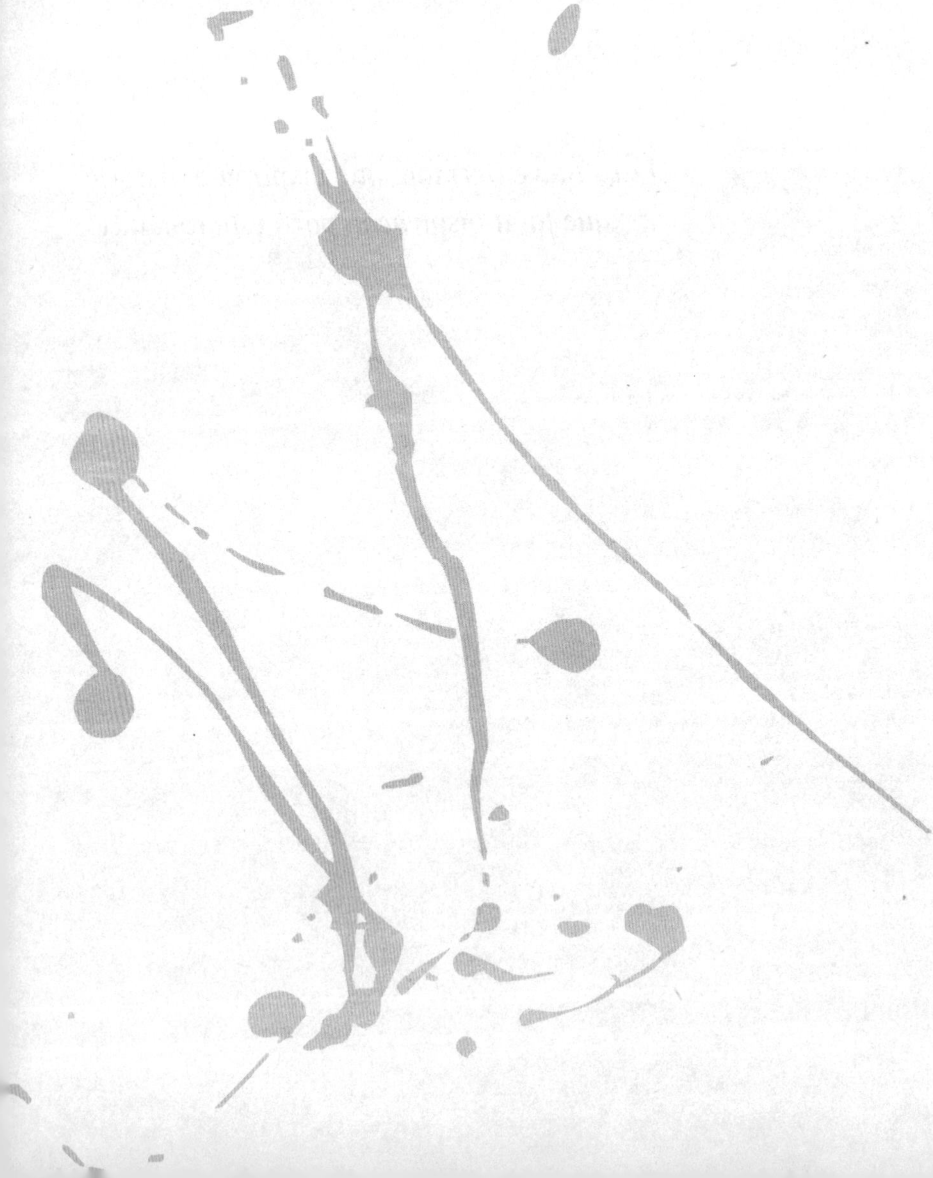

Capítulo 1

Nada pode acontecer
que seja mais belo do que a morte.

— Walt Whitman

Tana acordou deitada em uma banheira. Suas pernas estavam levantadas, a bochecha, pressionada junto ao frio metal da torneira. Um lento gotejar ensopara o tecido sobre seu ombro e umedecera os cachos dos cabelos. O restante do corpo, inclusive as roupas, ainda estava completamente seco, o que era meio que um alívio. O pescoço estava rígido; os ombros doíam. Ela ergueu o olhar, perplexa, para o teto, para as manchas de mofo que formavam padrões como no teste de Rorschach. Por um instante, sentiu-se desorientada por completo. Depois, ficou de joelhos com dificuldade, com a pele deslizando no esmalte da banheira, e puxou para o lado a cortina do chuveiro.

Na pia havia uma pilha de copos plásticos, garrafas de cerveja e toalhas de mão que pendiam para um dos lados. A luz do sol do fim do verão, brilhante e cor de manteiga, fluía vinda de uma pequena janela acima da privada, fluxo este interrompido somente pelas sombras oscilantes formadas pela guirlanda de alho que pendia acima dela.

Uma festa. Certo. Ela estivera em uma festa ao pôr do sol.

— Argh! — disse, com os dedos na cortina para se equilibrar, arrancando três anéis da vara com seu peso. As têmporas latejavam prolongada e indistintamente.

Ela lembrou-se de se arrumar, colocar as pulseiras metálicas que ainda retiniam de encontro umas às outras quando se mexia, e das botas vermelho-escuras com ponteira de aço cujos cadarços ela levava uma eternidade para amarrar e, misteriosamente, não estavam mais em seus pés. Lembrou-se de como havia passado o delineador preto sobre os olhos de um azul indistinto e de ter dado um beijo no espelho para ter sorte. Depois disso, tudo ficara levemente borrado em sua mente.

Apoiando-se para levantar-se, Tana foi cambaleando até a torneira e borrifou água no rosto. A maquiagem estava borrada, o batom manchava a bochecha e o rímel espalhava-se pelo rosto como um borrão. Havia um rasgo na manga do vestido branco estilo babydoll que ela havia pegado emprestado do closet da mãe. Os cabelos negros eram uma bagunça emaranhada que não deu para arrumar muito bem penteando-os com os dedos. Ela parecia uma mímica destroçada.

A verdade era que Tana estava bem certa de haver desmaiado no banheiro enquanto evitava seu ex, Aidan. Antes disso, eles estiveram jogando um pouco de um jogo chamado A Dama ou O Tigre, em que se apostava se, ao jogar uma moeda, daria cara (Dama) ou coroa (Tigre). Se a pessoa fizesse a escolha errada, teria que virar uma dose. Depois disso ela dançara bastante e tomara mais alguns goles de uma garrafa de uísque. Aidan havia provocado Tana a dar uns amassos na nova namorada rabugenta dele, a dos cabelos cor de morango, que usava uma coleira de cachorro que ela encontrara na entrada. Ele dissera que isso seria como um eclipse do sol e da lua no céu, um casamento de todas as coisas da escuridão e da luz. *Você quer dizer um eclipse do sol e da lua em sua calça*, fora o que Tana dissera a ele, mas Aidan fora persistente de um jeito tenaz e enfurecedor.

E, enquanto o uísque cantava por seu sangue e o suor lambia sua pele, uma temeridade perigosamente familiar fora tomando conta de Tana. Com um rosto como o de um querubim iníquo, sempre fora difícil dizer não a Aidan. Pior, ele sabia disso.

Soltando um suspiro, Tana abriu a porta do banheiro — que nem mesmo estava trancada, então as pessoas deviam ter entrado e saído dali a noite toda, com ela *bem ali*, atrás da cortina do chuveiro, e quão humilhante era isso? — e foi saindo de mansinho em direção ao corredor. O cheiro de cerveja espirrada tomava conta do ar, junto com o cheiro de alguma outra coisa, algo metálico e doce como carne. A televisão estava ligada na outra sala e ela podia ouvir a voz baixa do locutor de um noticiário enquanto caminhava em direção à cozinha. Os pais de Lance não se importavam que ele desse festas ao pôr do sol na velha casa de fazenda deles, de modo que havia uma festa lá quase todo fim de semana, trancando as portas ao crepúsculo e mantendo-as trancadas até a aurora. Tana fora a muitas dessas festas, e as manhãs eram sempre repletas de gritaria e chuveiradas, café sendo fervido e tentativas de preparar um café da manhã com alguns ovos e restos de torrada.

Além de longas filas para os dois pequenos banheiros, com pessoas batendo nas portas se alguém demorasse muito tempo por lá. Todo mundo precisava fazer xixi, tomar banho e trocar de roupa. Com certeza isso teria feito com que Tana acordasse.

Mas, se ela *estava* dormindo enquanto tudo isso acontecia e todo mundo já tinha ido para um restaurante, eles estariam rindo muito dela. Estariam fazendo piadas sobre ela, inconsciente na banheira, e fosse lá o que tivessem feito naquele banheiro enquanto ela dormia, e mais, talvez, fotos, todos os tipos de coisas idiotas que ela teria de ouvir repetidas vezes assim que as aulas na escola começassem. Tana simplesmente teve sorte de eles não terem desenhado um bigode nela.

Se Pauline estivesse na festa, nada disso teria acontecido. Quando elas ficavam detonadas pela bebida, geralmente se aninhavam debaixo da mesa da sala de jantar, com braços e pernas jogados por cima uma da outra, como gatinhos em uma cesta, e nenhum garoto no mundo, nem mesmo Aidan, seria atrevido o bastante para encarar a língua afiadíssima de Pauline. Mas Pauline estava no acampamento do grupo de teatro, e Tana sentira-se entediada, então fora sozinha à festa.

A cozinha estava vazia, com cerveja derramada e refrigerante de laranja formando poças nas bancadas e sendo absorvido por um pouco de batatas fritas de saquinho. Tana estava esticando a mão para pegar o bule de café quando, pelo chão de linóleo preto e branco, logo ali do outro lado do batente da porta da sala de estar, ela viu a mão de alguém, com os dedos estirados como se a pessoa estivesse dormindo. Tana relaxou. Ninguém estava acordado ainda, isso era tudo. Talvez ela fosse a primeira que estivesse em pé, embora, quando pensou novamente no sol que entrava pela janela do banheiro, ele parecesse alto no céu.

Quanto mais contemplava aquela mão, porém, mais notava que parecia estranhamente pálida, com a pele azulada em volta das unhas. O coração de Tana começou a espancar o peito, era seu corpo reagindo antes que a mente entendesse o que havia acontecido. Lentamente ela colocou de volta o bule sobre a bancada e forçou-se a cruzar o chão da cozinha, com passos cautelosos, até que estivesse além do limiar da sala de estar.

Então ela teve que se forçar a não gritar.

O carpete marrom-amarelado estava duro e negro com faixas de sangue seco, respingado como em um quadro de Jackson Pollock. Havia faixas de sangue nas paredes, e marcas de mãos com sangue manchavam as encardidas superfícies bege. E os corpos. Dúzias de corpos. Pessoas que ela via todos os dias desde o jardim da infância, pessoas com quem havia brincado de pega-pega, por quem havia chorado e que havia beijado, jaziam em ângulos estranhos, com aqueles olhares fixos como se fossem fileiras de bonecas na vitrine de uma loja.

A mão perto do pé de Tana era de Imogen, uma bonita e gorducha garota de cabelos cor-de-rosa que planejava ir para a escola de artes no ano seguinte. Os lábios dela estavam levemente separados, e seu vestido de verão azul-marinho com estampa de âncoras estava enrolado para cima, deixando as coxas dela à mostra. A garota parecia ter sido pega enquanto tentava se arrastar para escapar. Um dos braços estava estendido e, do outro, sangue gotejava no tapete.

Os corpos de Otta, Ilaina e Jon estavam empilhados, juntos. Eles tinham acabado de voltar do acampamento de líderes de torcida do verão e tinham dado início à festa com uma série de saltos mortais no quintal logo antes do pôr do sol, enquanto mosquitos zumbiam pela brisa cálida. Agora, havia sangue seco incrustado em suas roupas como ferrugem, colorindo seus cabelos, pontilhando suas peles como se fossem sardas. Os olhos estavam abertos, travados, e as pupilas estavam nebulosas.

Tana encontrou Lance em um sofá, com os braços jogados por cima dos ombros de uma garota, de um lado, e de um garoto, do outro, e os três estavam com marcas irregulares de perfuração na garganta. Todos estavam com garrafas de cerveja perto das mãos, como se ainda estivessem na festa. Como se provavelmente os lábios azulados deles fossem dizer o nome de Tana a qualquer momento.

Tana sentiu-se tonta. A sala parecia girar. Ela afundou no tapete coberto de sangue e sentou-se, e o som de algo martelando em sua cabeça ficava cada vez mais alto. Na televisão, alguém estava borrifando um produto de limpeza de laranja em uma bancada de cozinha de granito enquanto uma criança sorridente comia uma fatia de pão com geleia.

Ela notou que uma das janelas estava aberta, e a cortina estava ondeando ao vento. Deveria ter ficado quente demais na festa, com todo mundo suando na pequena casa e ansiando pela fresca brisa logo ali fora. Então, uma vez que a janela estava aberta, seria fácil se esquecer de fechá-la. Afinal, ainda havia o alho, ainda havia a água benta nas vergas das portas e janelas.

Coisas assim aconteciam na Europa, em lugares como a Bélgica, onde as ruas estavam apinhadas de vampiros e as lojas não abriam antes de escurecer. Não aqui. Não na cidade de Tana, onde nem um único ataque sequer havia ocorrido em mais de cinco anos.

E, ainda assim, tinha acontecido. Uma janela fora deixada aberta à noite, e um vampiro entrara sorrateiramente por ali.

Ela deveria pegar seu celular e telefonar... ligar para alguém. Não para seu pai; de jeito nenhum ele seria capaz de lidar com isso. Talvez a polícia. Ou um caçador de vampiros, como Hemlok, da TV, o imenso e careca ex-praticante de luta livre que sempre vestia roupas de couro. Ele saberia o que fazer. Sua irmã mais nova tinha um pôster de Hemlok em seu armário na escola, bem ao lado de fotos de Lucien, seu vampiro de cabelos dourados predileto de Coldtown. Pearl ficaria tão animada se Hemlok viesse... finalmente ela conseguiria o autógrafo dele.

Tana começou a dar risadinhas, o que era péssimo, ela sabia disso, e levou as mãos à boca para abafar o som das risadas. Não era uma boa rir na frente de pessoas mortas. Era como se estivesse rindo em um funeral.

Os olhos de seus amigos a observavam sem piscar.

Na televisão, o locutor estava prevendo chuvas isoladas mais para o fim da semana. A Nasdaq estava em baixa.

Tana lembrou-se novamente de que Pauline não estava na festa. Ficou tão feroz e egoisticamente feliz que não conseguia nem mesmo se sentir mal por causa disso, porque Pauline estava viva até mesmo quando todo o resto do pessoal estava morto.

De longe, no quarto de hóspedes, o telefone de alguém começou a tocar. O toque era um remix metálico de *Tainted Love*. Depois de um tempinho, parou. Em seguida, dois telefones muito próximos um do outro começaram a tocar quase ao mesmo tempo, e seus toques se combinavam em um coro dissonante.

O noticiário deu lugar a um programa sobre três homens que moravam juntos em um apartamento com uma caveira que fazia comentários sarcásticos sobre as coisas. A trilha das risadas rugia a cada vez que a caveira falava. Tana não sabia ao certo se aquilo era um programa de verdade ou fruto de sua imaginação. O tempo ia passando.

Ela passou um sermão a si mesma: tinha que levantar do chão e entrar no quarto de hóspedes, onde estavam as jaquetas empilhadas em cima da cama, fuçar nos arredores até encontrar sua bolsa, as botas e as chaves de seu carro. O celular também estava lá. Precisaria dele se fosse telefonar para alguém.

Tana tinha que fazer a coisa certa, então... chega de ficar sentada.

Ocorreu-lhe que havia um telefone mais perto, enfiado no bolso de um dos cadáveres ou pressionado entre a fria e morta pele e a renda de um sutiã. Mas ela não conseguia suportar a ideia de procurar nos corpos.

Levanta!, disse a si mesma.

Forçando-se a ficar em pé, ela começou a seguir seu caminho pelo chão, tentando ignorar o som das pisadas dos pés descalços no tapete, tentando não pensar no cheiro de decomposição que a sala emanava. Lembrou-se de algo da aula de estudos sociais de seu segundo ano na escola secundária, em que a professora havia contado aos alunos sobre a famosa incursão em Corpus Christi, quando o Texas tentara fechar sua Coldtown e levara tanques cidade adentro durante o dia. Todos os humanos que lá estivessem e pudessem ter sido infectados foram mortos a tiros. Até mesmo a filha do prefeito havia sido morta. Muitos vampiros que dormiam foram mortos também, arrancados dos esconderijos e decapitados ou expostos à luz do sol. Quando a noite caíra, os vampiros remanescentes conseguiram matar os guardas no portão e fugiram, deixando dúzias e mais dúzias de pessoas drenadas e infectadas em seu rastro. Os vampiros do Corpus Christi ainda eram um alvo popular para caçadores de recompensas na televisão.

Todas as crianças tiveram que fazer um projeto diferente para aquela aula. Tana tinha feito um diorama, com uma caixa de sapatos e muita tinta têmpera vermelha, para representar um artigo que ela havia recortado do jornal sobre três vampiros fugitivos da incursão em Corpus Christi que haviam invadido uma casa, matado todo mundo e depois descansado entre os cadáveres até a noite cair novamente.

O que a fez imaginar se ainda poderia haver um vampiro na casa, o vampiro que havia assassinado todas aquelas pessoas. Que, de alguma forma, não a tinha visto, que estivera concentrado demais no sangue e na carnificina para abrir todas as portas de todos os armários de corredor ou banheiros, que não havia puxado para o lado uma cortina de chuveiro. Porém, agora ele a mataria, caso a ouvisse se movendo.

Seu coração ficou acelerado, soando como uma trovoada de encontro às costelas, e todas as batidas do coração pareciam socos dentro do peito. *Idiota,* dizia o coração. *Idiota, idiota, idiota!*

Tana sentiu-se zonza, com a respiração vindo em soluços rasos. Sabia que deveria sentar-se novamente e colocar a cabeça entre as pernas, isso é o que se deve fazer caso a pessoa esteja hiperventilando, mas, se ela se sentasse, poderia nunca vir a se levantar. Forçou-se a inspirar profundamente em vez de se sentar, deixando o ar sair dos pulmões tão lentamente quanto possível.

Tana queria sair correndo porta afora, cruzar o gramado em uma corrida e socar as portas dos vizinhos até que a deixassem entrar.

Porém, sem as botas, nem o celular e nem as chaves, ela enfrentaria problemas se não houvesse ninguém em casa. A casa de fazenda dos pais de Lance ficava bem no interior, e toda aquela terra atrás da propriedade era um parque estadual. Não havia muitos vizinhos ali por perto. E Tana sabia que, assim que pusesse os pés para fora daquela porta, não haveria força alguma na Terra que pudesse fazer com que voltasse.

Estava dividida entre o impulso de sair correndo e a urgência de enrolar-se como um tatu, fechar os olhos, enfiar a cabeça debaixo dos braços e brincar de "já-que-eu-não-posso-ver-os-monstros-eles-não-conseguem-me-ver". Nenhum desses impulsos a salvaria. Tana tinha que *pensar.*

A luz do sol matizava a sala de estar, filtrada pelas folhas das árvores do lado de fora, o sol do fim de tarde, certo, mas ainda era sol. Ela se prendeu a isso. Até mesmo se um ninho de vampiros inteiro estivesse no porão, eles não iriam... não teriam como... subir antes do cair da noite. Ela deveria se ater ao plano: ir até o quarto de hóspedes e pegar as botas, o celular e as chaves do carro. Em seguida, ir para fora e ter o maior e mais terrível surto de sua vida. Ela se permitiria gritar ou até mesmo desmaiar, contanto que fizesse isso dentro do carro, longe dali, com as janelas fechadas e as portas travadas.

Com cuidado, com muito cuidado, tirou cada uma das pulseiras reluzentes de metal, colocando-as sobre o tapete de modo que não fossem tilintar quando ela se movesse.

Desta vez, enquanto cruzava a sala, ela estava ciente de cada rangido do assoalho, de cada respiração rascada. Tana imaginou bocas com presas nas sombras; imaginou mãos frias abrindo caminho pelo linóleo da cozinha, unhas arranhando seus tornozelos enquanto ela se arrastava na escuridão. Pareceu uma eternidade antes de ela chegar até a porta do quarto de hóspedes e girar a maçaneta.

Então, apesar de todas as suas melhores intenções, ficou ofegante.

Aidan estava atado à cama. Seus pulsos e seus tornozelos estavam presos aos postes da cama com cordas de *bungee-jump*, e havia *silver tape* sobre a boca dele, mas estava *vivo*. Por um longo instante, tudo que Tana conseguiu fazer foi ficar com o olhar fixo nele, com o choque de tudo aquilo caindo sobre ela de uma vez. Alguém havia prendido com fita sacos de lixo sobre as janelas, bloqueando a luz solar. E, ao lado da cama, amordaçado e acorrentado, estava outro garoto, de cabelos tão negros quanto tinta nanquim. Ele ergueu o olhar para ela. Seus olhos eram brilhantes como rubis e tão vermelhos quanto.

Capítulo 2

Nós todos nós trabalhamos contra a nossa própria cura, pois a morte é a cura de todas as doenças.

— Sir Thomas Browne

Quando Tana tinha 6 anos, vampiros eram fantoches que nem os Muppets, fazendo cálculos infinitamente, ou vilões de desenhos animados em capas pretas com forros de poliéster vermelho. As crianças se fantasiavam de vampiros no Halloween, usando dentes de plástico que não cabiam direito por cima dos próprios dentes, e sujando os rostos com xarope doce para imitar fios de sangue brilhantes como cereja.

Tudo isso mudara com Caspar Morales. Havia muitos livros e filmes romantizando os vampiros no último século. Era apenas uma questão de tempo até que um vampiro começasse a romantizar a si próprio.

O louco e romântico Caspar decidira que, ao contrário de décadas e mais décadas de vampiros ancestrais e obstinadamente tacanhos e conservadores, ele não *mataria* suas vítimas. Ele as seduziria, beberia um pouco de sangue, e então seguiria em frente, de uma cidade à outra. Quando os velhos vampiros o expuseram e fizeram picadinho dele, Caspar já havia infectado centenas de pessoas. E aqueles novos vampiros, sem nenhuma ideia de como impedir a disseminação, infectaram milhares.

O primeiro surto aconteceu na terra natal de Caspar, a diminuta cidade de Springfield, em Massachusetts, por volta da época em que Tana completou 7 anos. Springfield ficava apenas a pouco mais de 80 km da casa dela, de modo que isso surgiu no noticiário local antes de se tornar de conhecimento nacional. A princípio, parecia uma pegadinha de jornalista. Em seguida, outro surto aconteceu em Chicago, outro em São Francisco e mais um em Las Vegas. Uma garota, pega tentando morder um carteador de blackjack, irrompeu em chamas quando os policiais a arrastaram para fora de um cassino até a viatura. Um homem de negócios foi encontrado escondido e à espera de algo em seu apartamento na cobertura, cercado por corpos mordidos. Uma criança estava parada no Fisherman's Wharf em uma noite brumosa, esticando os braços para cima para qualquer adulto que se oferecesse para ajudá-la a encontrar seu pai, apenas um pouco antes de ela afundar os dentes na garganta deles. Uma dançarina burlesca introduziu o fetiche de beber sangue em sua apresentação e exigia que as pessoas assinassem um documento declarando que estavam cientes disso antes de assistirem às suas performances. Quando iam embora, saíam com fome.

Os militares ergueram barricadas em volta das áreas das cidades em que as infecções irromperam. Foi assim que as primeiras Coldtowns foram fundadas.

O vampirismo é um problema americano, declarou a BBC, mas o próximo surto foi em Hong Kong, seguido de Yokohama, Marselha, Brecht e Liverpool. Depois disso, o vampirismo espalhou-se pela Europa como fogo selvagem.

Aos 10 anos de idade, Tana observava sua mãe sentada em frente à penteadeira espelhada, aprontando-se para ir à festa de um comprador de arte que pretendia emprestar algumas obras para sua galeria. Ela estava com uma saia lápis e uma blusinha de primavera de seda na cor esmeralda, com os cabelos curtos e negros bem puxados para trás com gel. Estava colocando nas orelhas um par de brincos de gotas de pérola.

— Você não tem medo de vampiros? — Tana havia perguntado a ela, apoiando-se toda molenga na perna da mãe, sentindo o raspar da meia-calça na bochecha e inalando o perfume dela. Geralmente, tanto seu pai quanto sua mãe estavam em casa antes de escurecer.

A mãe de Tana apenas rira disso, mas voltara doente da festa. *Resfriado*, era como chamavam, o que a princípio soava inofensivo, como o tipo de resfriado que deixa a gente fungando e com a garganta inflamada. Mas esse era outro tipo de Resfriado, em que as temperaturas corporais caíam, os sentidos ficavam aguçadíssimos e a ânsia por sangue se tornava quase sobrepujante.

Se uma pessoa que tivesse ficado Resfriada bebesse sangue humano, a infecção sofria uma mutação. Matava o hospedeiro e então o erguia novamente dos mortos, Mais Frio do que antes. Completamente Frio, para sempre e eternamente.

Segundo os Centros para Controle e Prevenção de Doenças, havia uma única cura. Era necessário evitar que a vítima bebesse sangue humano até que a infecção fosse eliminada de seu organismo, o que poderia levar até oitenta e oito dias. Nenhuma clínica oferecia tal serviço. No início, os hospitais fizeram uso de sedação pesada com pacientes Resfriados, até que uma mulher de meia-idade e muito saudável saiu do coma medicamente induzido e atacou um médico. Algumas pessoas conseguiam aliviar a ânsia por sangue com álcool ou drogas; para outras, nada funcionava. Porém, se a polícia ficasse sabendo de um caso de infecção em potencial, a pessoa seria colocada em quarentena e realocada para uma Coldtown. A mãe de Tana ficou aterrorizada. E então, depois de dois dias, assim que as tremedeiras haviam ficado ruins o bastante e a fome chegara, ela concordou em ficar trancafiada na única parte da casa que a seguraria.

Tana lembrava-se dos gritos que emanavam do porão uma semana depois, gritos estes que continuavam o dia inteiro, enquanto seu pai estava no trabalho, e depois, a noite toda, quando o pai aumentava o volume da televisão até que abafasse todos os outros sons e ele bebia até dormir. Nas tardes depois da escola, entre acessos de gritaria, a mãe de Tana chamava por ela, implorando que a deixasse sair. Explicando que estava melhor agora, que não estava mais doente.

Tana, por favor. Você sabe que eu nunca machucaria você, minha bela garotinha. Sabe que eu amo você mais do que tudo, mais do que a minha própria vida. Seu pai, ele não entende que estou melhor. Ele não acredita em mim, e eu tenho medo dele, Tana. Ele vai me manter aprisionada aqui para sempre. Ele nunca vai me deixar sair daqui. Ele sempre quis me controlar, sempre teve medo do quão independente eu era. Por favor, Tana, por favor. É frio aqui em-

baixo e há coisas que rastejam em cima de mim no escuro e você sabe como eu odeio aranhas. Você é a minha bebê, minha bebezinha doce, minha querida, e eu preciso da sua ajuda. Você sente medo, mas, se me deixar sair, vamos ficar juntas para sempre, Tana, você, eu e a Pearl. Nós vamos ao parque tomar sorvete e alimentar os esquilos. Vamos cavar o jardim em busca de minhocas. Vamos ser felizes de novo. Você vai pegar a chave, não vai? Pegue a chave. Por favor, pegue a chave. Por favor, Tana, por favor. Pegue a chave. Pegue a chave.

Tana costumava sentar-se perto da porta que dava para o porão com os dedos nos ouvidos, lágrimas e meleca de nariz escorrendo pelo rosto enquanto ela chorava, chorava e chorava. E a pequena Pearl acordava cambaleando, chorando também. Elas choravam enquanto comiam o cereal matinal, choravam enquanto assistiam a desenhos animados e choravam à noite, até dormirem, aninhadas, juntas, na pequena cama de Tana. *Faça a mamãe parar,* dizia Pearl, mas Tana não conseguia.

E, quando o pai delas colocava luvas de malha, daquelas que os chefs usam para abrir ostras, e grandes botinas para levar comida à mãe delas à noite, era quando Pearl e Tana choravam mais ainda. Ficavam aterrorizadas com a possibilidade de que ele ficasse doente também. Ele explicava que apenas um vampiro poderia infectar alguém e que a mãe delas ainda era humana, então não poderia passar a doença adiante. Explicava que a ânsia dela por sangue não era muito diferente de como alguém com alotriofagia poderia ansiar por comer giz ou terra adubada ou lascas de metal. Explicava que tudo ficaria bem, contanto que a mãe delas não conseguisse o que queria, contanto que Tana e Pearl agissem com normalidade e não contassem a ninguém o que havia de errado com a mãe, nem para seus professores, nem para seus amigos, nem para seus avós, que não entenderiam.

Ele soava calmo, razoável. Então, entrava no outro aposento e se afogava em meia garrafa de Jack Daniel's. E os gritos dela prosseguiam sem parar.

Foram necessários trinta e quatro dias para que Tana cedesse e prometesse à mãe que a ajudaria a se libertar. Foram precisos trinta e sete dias até que ela conseguisse roubar o molho de chaves do bolso de trás da calça marrom-amarelada do pai. Assim que ele saiu para trabalhar, Tana abriu as trancas, uma por uma.

Enquanto começou a descer as rangentes escadas de madeira, ela sentiu o cheiro de umidade do porão, como um cheiro de mofo e de minerais. Sua mãe parou de gritar no momento em que a porta se abriu. Tudo estava muito silencioso enquanto ela descia, e o raspar dos sapatos na madeira soava alto em seus ouvidos. Os pés hesitaram no último degrau.

Então algo a nocauteou.

Tana lembrava-se da sensação, do ardor infinito dos dentes na pele. Mesmo não estando completamente transformados, os caninos ainda a mordiam como se fossem espinhos gêmeos ou os ferrões de alguma aranha gigante. Ela sentiu a suave pressão de uma boca, e dor, e também outra sensação, como se tudo fosse sair dela de uma vez.

Havia lutado, gritando e chorando, dando chutes com as gorduchas pernas de criancinha e arranhando com as unhas dos dedos cor-de-rosa de criança. Tudo isso fizera com que sua mãe a apertasse com mais força, havia rasgado a carne da parte interna de seu braço e havia feito com que o sangue jorrasse como esguichos de uma pistola de água.

Isso acontecera fazia sete anos. Os médicos disseram ao pai dela que a lembrança haveria de esvanecer-se, assim como a grande e irregular cicatriz no braço dela, mas nenhuma das duas jamais desapareceu.

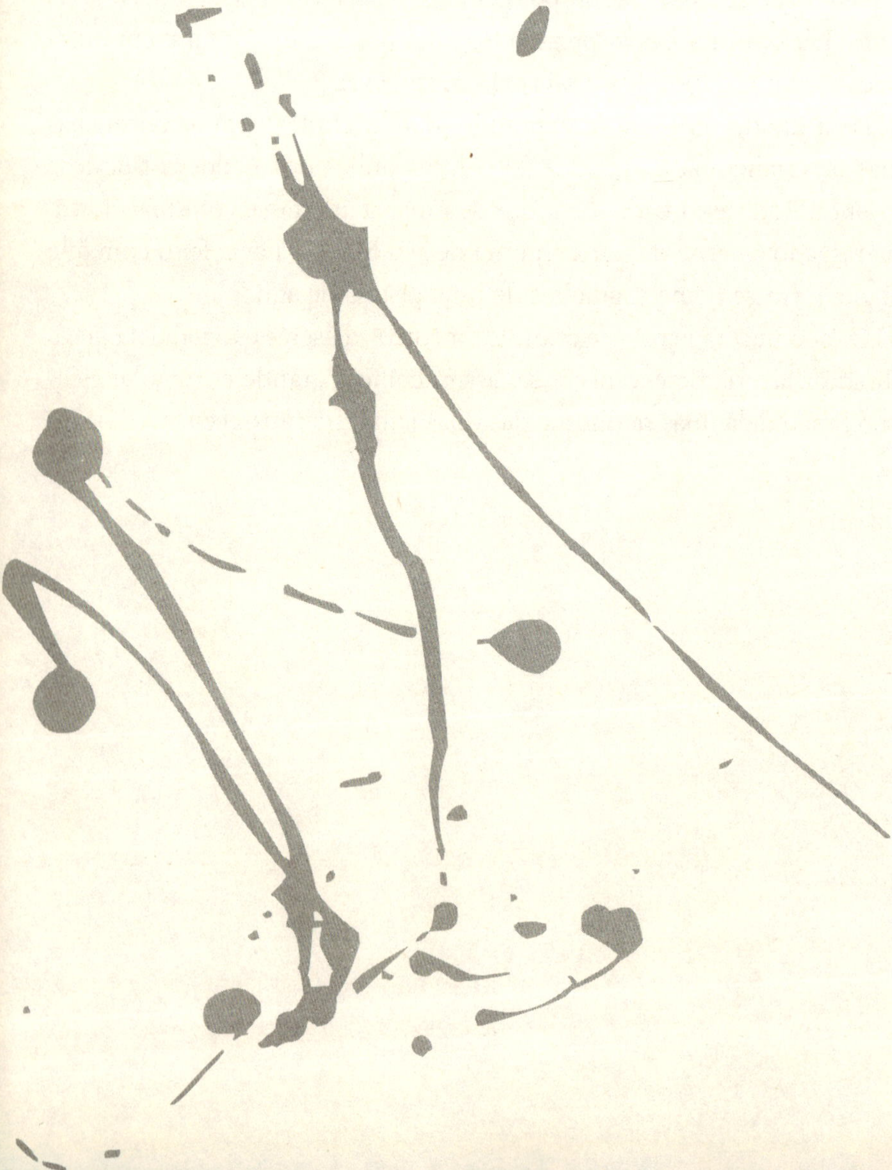

Capítulo 3

A morte é a queda da flor,
para que o fruto possa avolumar-se.
— Henry Ward Beecher

Aidan estava com os olhos arregalados e cheios de terror. Ele forçava as cordas de ***bungee-jump*** e tentava falar através da fita que lhe cobria a boca. Tana não conseguia discernir as palavras que ele dizia, mas estava bem certa, pelo tom que usava, de que Aidan estava implorando que ela o desamarrasse, suplicando que não o deixasse. Tana apostava que ele estava se arrependendo daquela vez em que havia esquecido seu aniversário e também da forma como a havia largado com uma D.M. no Twitter e, quase com certeza, ele deveria estar arrependido de tudo que lhe dissera na noite passada. Ela quase começou a dar risadinhas novamente, a histeria subindo em sua garganta, mas conseguiu engolir o riso.

Deslizando a unha por sob a borda da ***silver tape***, ela começou a removê-la com o máximo de gentileza possível. Aidan encolheu-se, piscando rapidamente os olhos caramelados. Do outro lado do quarto, o clangor de correntes fez com que ela parasse o que estava fazendo e erguesse o olhar.

Era o garoto-vampiro. Ele estava puxando a coleira, balançando a cabeça e encarando-a com grande intensidade, como se estivesse tentando comunicar algo importante. Deveria ter sido bonito quando vivo, e ainda era belo, embora houvesse se tornado monstruoso por sua palidez e porque Tana tinha consciência do que ele era. A boca parecia macia, as maçãs do rosto eram afiadas como lâminas e o maxilar era curvado, o que lhe conferia uma beleza excêntrica. Os cabelos negros eram uma insana floresta de cachos sujos. Enquanto ela o encarava, ele chutou com um dos pés uma das pernas da cama, fazendo com que a armação desta emitisse um som que parecia um gemido, e balançou a cabeça mais uma vez.

Ah, sim, como se ela fosse deixar que Aidan morresse porque o belo vampiro não queria que tirassem seu lanchinho dali!

— Para com isso! — disse ela, mais alto do que pretendia, porque estava com medo.

Tana deveria subir na cama, ir até as janelas e puxar para baixo os sacos de lixo. O vampiro entraria em combustão ao sol, ficando preto e se despedaçando em brasas como uma estrela agonizante. Porém, ela nunca vira isso acontecer na vida real, só nos vídeos do YouTube, como todo mundo, e a ideia de matar alguém com a vítima atada, amordaçada e *observando* dava-lhe náuseas. Não tinha certeza de que conseguiria fazer isso.

Idiota. Idiota. Idiota!, dizia o coração.

Tana voltou-se para Aidan novamente, e agora suas mãos tremiam.

— Fique quieto, ok?

Com ele assentindo, ela puxou a fita da boca dele com um movimento rápido.

— Ai! — disse Aidan, e, em seguida, a primeira coisa que fez foi lançar-se para cima dela com os dentes prontos para mordê-la.

Quando isso aconteceu, Tana estava esticando a mão para lidar com a corda de *bungee-jump* que prendia o pulso dele. O movimento súbito de Aidan deixou-a tão alarmada que ela foi cambaleando para trás, perdendo o equilíbrio e soltando um grito agudo enquanto caía sobre a pilha de casacos. Os caninos não afiados passaram de raspão no braço dela, não longe de onde ficava a cicatriz.

Aidan havia tentado mordê-la.

Aidan estava infectado.

Tana emitira um ruído alto o bastante para talvez acordar um ninho de vampiros adormecidos.

— Seu babaca! — disse, sendo a raiva a única coisa que a separava do pânico descomunal. Forçando-se a ficar de pé, deu um soco no ombro de Aidan com o máximo de força que pôde.

Ele soltou um sibilar de dor e então abriu aquele sorriso torto e encabulado ao qual sempre recorria quando era pego fazendo algo ruim.

— Sinto muito. Eu... eu não pretendia fazer isso. Eu só... estou deitado aqui há horas, pensando em sangue.

Ela estremeceu. A extensão lisa do pescoço dele parecia não ter marcas, mas havia muitos outros lugares em que poderia ter sido mordido.

Por favor, Tana, por favor.

Ela nunca havia contado a Aidan sobre sua mãe, mas ele sabia. Todo mundo na escola sabia. E ele tinha visto a cicatriz, uma coisa irregular de pele reluzente saltada, pálida, com uns toques púrpura nas bordas. Tana dissera a Aidan como era a sensação daquilo algumas vezes, como se houvesse uma lasca de gelo embutida no osso debaixo da cicatriz.

— Se você me desse só um pouquinho de sangue, então... — começou a dizer Aidan.

— Então você morreria, idiota. Você viraria um vampiro. — Ela queria bater nele de novo, mas, em vez disso, forçou-se a se abaixar e fuçar em meio aos casacos até que tivesse encontrado a bolsa com as chaves. — Quando sairmos dessa, você vai sofrer como nunca na vida.

O garoto-vampiro chutou a cama de novo, causando um clangor com as correntes. Ela olhou de relance para ele, que olhou para ela, depois, para a porta, e para ela outra vez. Ele arregalou os olhos, sinistro e impaciente.

Desta vez ela entendeu. Havia algo a caminho. Algo que provavelmente ouvira quando ela caíra. Ela arrastou-se com dificuldade entre as jaquetas espalhadas até uma penteadeira e empurrou-a de encontro à porta, com a esperança de bloquear a entrada. Suor frio começou a escorrer entre as omoplatas. Seus braços e suas pernas pareciam feitos de chumbo, e ela não sabia ao certo mais quanto tempo se passaria antes que não conseguisse mais aguentar, antes que fosse acometida pelo desejo de se enrolar e se esconder.

Olhou para o garoto de olhos vermelhos e se perguntou se umas poucas horas antes ele teria sido um dos garotos que bebiam cerveja, dançavam e riam. Não se lembrava de tê-lo visto, mas isso não queria dizer nada. Havia na festa alguns garotos que ela não conhecia, e provavelmente não teria se lembrado deles, gente de Conway ou Meredith. Ontem, ele podia ter sido humano. Ou talvez fizesse uma centena de anos que não era humano. De uma forma ou de outra, agora era um monstro.

Tana pegou um troféu de hóquei da penteadeira. Sentiu-o pesado na mão enquanto cruzava o chão até onde o vampiro estava acorrentado, com o coração batendo como uma persiana em uma tempestade com trovoada.

— Eu vou tirar a sua mordaça. E, se você tentar me morder, ou me agarrar, ou se tentar fazer qualquer coisa comigo, vou acertar você com esta coisa aqui com o máximo de força que eu conseguir e quantas vezes for capaz. Entendido?

Ele assentiu, com os olhos vermelhos fixos nela.

Ela sentiu que a pele branca como cera dele era fria ao toque quando roçou-lhe o pescoço para achar o nó do tecido da mordaça. Nunca estivera assim tão perto de um vampiro, nunca se dera conta de como seria estar tão perto de alguém que não respirava, que poderia ficar imóvel como uma estátua. O peito dele não subia nem descia com sua respiração. As mãos dela tremiam.

Achou ter ouvido algo em algum lugar nas entranhas da casa, um rangido, como de uma porta se abrindo. Ela se forçou a concentrar-se em desfazer o nó do tecido com mais rapidez, mesmo tendo que fazê-lo apenas com uma das mãos. Desejou desesperadamente uma faca, desejou que tivesse sido esperta o bastante para pegar uma quando estivera na cozinha, desejou ter algo melhor do que um troféu de metal barato coberto de tinta dourada.

— Olha, eu sinto muito por antes — dizia-lhe Aidan da cama. — Estou meio fora de mim, ok? Mas não vou fazer isso de novo... eu nunca machucaria você.

— Você não é exatamente muito bom em resistir à tentação — disse Tana.

Ele riu um pouco, antes de a risada dar lugar a uma tosse.

— Eu sou mais do tipo que corre até a tentação com os braços abertos, não sou? Mas é verdade, por favor, acredite em mim, eu também fiquei assustado com o que fiz. Não vou fazer nada assim de novo.

Pessoas infectadas soltavam-se das amarras e atacavam seus familiares o tempo todo. Esses tipos de histórias não eram nem mesmo mais manchetes nos noticiários.

Porém, os cientistas continuavam insistindo que os vampiros não eram monstros por completo. *Em teoria, com a fome saciada, eles são as mesmas pessoas que eram antes, e com a mesma capacidade de fazer escolhas morais.*

Em teoria.

Por fim, o nó se soltou na mão de Tana. Ela foi correndo para trás, afastando-se do garoto de olhos vermelhos, mas ele não fez nada mais do que cuspir a mordaça de tecido.

— Pela janela — disse ele, cuja voz tinha um leve traço de um sotaque que ela não conseguia identificar, mas isso deu-lhe plena certeza de que não se tratava de nenhum garoto local que fora infectado na noite passada. — Vá. Eles são rápidos como as sombras. Se passarem pela porta, você não terá tempo.

— Mas você...

— Cubra-me com um cobertor pesado, dois cobertores, e ficarei enfurnado aqui, protegido o bastante do sol.

Apesar de parecer apenas um pouco mais velho do que Aidan, o comando calmo em sua voz falava de uma experiência de longa data. Tana sentiu-se momentaneamente aliviada. Pelo menos alguém parecia saber o que fazer, até mesmo se esse alguém não fosse ela. Até mesmo se esse alguém não fosse humano.

Agora que estava fora do alcance dele, ela colocou o troféu com cuidado de volta sobre a penteadeira, de volta ao lugar dele, de volta ao lugar onde seria encontrado pelos pais de Lance e... Tana interrompeu o fluxo de pensamentos e forçou-se a concentrar-se no impossível aqui e agora.

— Como foi que você ficou acorrentado? — perguntou ao vampiro.

— Eu me envolvi com más companhias — disse ele, impassível, e, por um instante, ela não teve certeza se estaria brincando. A ideia de que ele pudesse ter um senso de humor a perturbava.

— Tome cuidado — disse Aidan da cama. — Você não sabe o que ele poderia fazer.

— Mas todos nós sabemos o que você faria, não é? — o vampiro acusou Aidan com sua voz sedosa.

Do lado de fora, o sol estava descendo em direção à linha do horizonte. Ela não tinha tempo para tomar boas decisões.

Tana tinha que se arriscar.

Havia um edredom na cama, debaixo de Aidan, e ela começou a puxá-lo.

— Eu vou buscar o meu carro — disse aos dois. — Vou estacioná-lo perto da janela, e então vocês dois podem entrar no porta-malas. Eu tenho uma chave de roda. Espero conseguir soltar os elos da corrente com aquilo.

O vampiro olhou perplexo para ela. Em seguida, olhou de relance em direção à porta e sua expressão ganhou um ar astuto.

— Se você me libertasse, eu poderia repeli-los.

Tana balançou a cabeça em negativa. Vampiros eram mais fortes do que as pessoas, mas não tanto assim a ponto de não serem presos com o ferro.

— Eu acho que é melhor para todos nós que você fique acorrentado... só que não aqui.

— Você tem certeza? — perguntou-lhe Aidan. — O Gavriel ainda é um vampiro.

— Ele me avisou sobre você e sobre eles. Ele não tinha que fazer isso. Não vou retribuir essas informações ao... — Ela hesitou e então franziu a testa. — Do que você o chamou?

— Esse é o nome dele. — Aidan soltou um suspiro. — Gavriel. Enquanto os outros vampiros me prendiam à cama, disseram o nome dele.

— Ah.

Com um puxão final ela soltou o cobertor e jogou-o para *Gavriel.*

Seu coração batia como trovoadas no peito, mas, junto com o medo, havia a emoção impulsiva da adrenalina. Tana salvaria os dois.

Seguiu-se uma repentina raspagem na porta e a maçaneta começou a ser girada. Tana soltou um grito agudo, subindo na cama e pulando por cima de Aidan para chegar até a janela. Com um puxão, rasgou e soltou o saco de lixo da janela, deixando entrar a luz dourada do fim de tarde.

Gavriel ofegou, com dor, puxando o cobertor mais apertado em volta do corpo, virando-se o máximo que conseguia para trás de outra penteadeira.

— Muito sol ainda! — ela gritou entre respirações. — É melhor não entrar.

O movimento do lado de fora da porta parou.

— Você não pode me deixar aqui — disse Aidan enquanto Tana tentava abrir a velha janela da casa de fazenda, inchada pelos anos de chuva. A janela estava emperrada.

Seus músculos ardiam, mas ela empurrou a janela novamente. Com um rangido alto, a peça deslizou para cima um pouquinho, e Tana esperava que fosse o bastante para que ela conseguisse passar por ali. A fresca e doce brisa trouxe consigo o aroma de madressilva e grama recém-capinada.

Olhando para o montinho de edredom, casacos e sombras onde Gavriel estava se escondendo, ela inspirou fundo.

— Eu não vou deixar você — disse a Aidan. — Juro.

Ninguém mais seria morto hoje, não se ela pudesse salvá-los. Certamente não alguém que ela uma vez pensara amar, mesmo ele sendo um babaca. Não um garoto morto cheio de bons conselhos. E ela esperava não morrer também.

Inclinando-se para a frente, abaixou a cabeça sob o batente da janela, ignorando as farpas de madeira cinza desgastada pelo tempo e a tinta velha. Jogou sua bolsa para fora. Em seguida, tentou se mexer um pouco para conseguir fazer com que os seios passassem pelo peitoril da janela e virou os quadris para conseguir se segurar nos apoios de madeira e se puxar para a frente, o suficiente para cair de cabeça em meio aos arbustos. Foi uma queda curta, que a machucou um pouco. Por um bom tempo, a luz do sol estava brilhante demais e a grama, verde demais. Tana rolou com a barriga para cima e sorveu o dia.

Ela estava em segurança. As nuvens espalhavam-se pelo céu, macias e estiradas como algodão doce. Elas se mexiam e assumiam as formas de montanhas, cidades muradas, bocas abertas com fileiras e mais fileiras de dentes afiados, braços estirados para baixo vindos do céu, em chamas e...

Uma súbita rajada de vento fez tremerem os galhos das árvores, provocando uma chuva de poucas e brilhantes folhas verdes. Uma mosca zunia próxima ao ombro dela, fazendo com que, de repente, ela pensasse nos corpos lá dentro da casa, em como as moscas estariam pousando neles, nos vermes opalescentes que eclodiriam e cavariam túneis nos cadáveres, que se multiplicariam infinitamente, espalhando-se como uma infecção, até que moscas negras cobrissem a sala com um carpete em movimento. Até que tudo que alguém pudesse ouvir fosse o tatalar de suas asas vítreas.

Tana começou a tremer como as árvores, os braços e pernas tremiam, e foi sobrepujada por uma onda de náusea tão grande que mal conseguiu se pôr de joelhos antes de vomitar na grama.

Você disse que poderia surtar, uma parte dela lembrou-a.

Ainda não, ainda não, disse a si mesma, embora o simples fato de que estava renegociando barganhas com o próprio cérebro sugerisse que as coisas já haviam ficado bem ruins. Forçando-se a ficar em pé, Tana tentou se lembrar de onde o carro estava estacionado. Foi caminhando pelo gramado em declive, em direção a uma fileira de carros, e depois passou por eles, pondo a mão no capô de cada um, sentindo como se fosse vomitar de novo toda vez que notava coisas dentro deles, como livros, suéteres, contas penduradas nos espelhos retrovisores, as pequenas lembranças das vidas das pessoas, as coisas que elas nunca mais veriam.

Por fim, Tana chegou até seu próprio Crown Vic, abriu a porta com um rangido e entrou de fininho no carro, sorvendo o cheiro familiar de gasolina e óleo.

Ela havia comprado aquele carro por mil dólares no dia em que completara 17 anos, e pintara a superfície escovada com uma lata de tinta spray Rust-Oleum verde-limão, fazendo com que parecesse mais um carro de polícia vandalizado do que qualquer outra coisa. Tana e seu pai haviam remontado o motor juntos, em um dos poucos períodos em que ele saía de sua névoa de infortúnio por tempo o bastante para se lembrar de que tinha duas filhas.

O carro era grande e firme, e tinha uma sede insaciável por gasolina. Quando bateu a porta para fechá-la, pela primeira vez desde que saíra do banheiro, talvez pela primeira vez desde que chegara à festa, Tana sentiu-se no controle.

Perguntou-se quanto tempo se passaria antes que até mesmo isso lhe escapasse por entre os dedos.

Capítulo 4

Por que temer a morte?
Essa é a mais bela aventura da vida.
— Charles Frohman

O segredo de Tana, segredo este que nunca contara a ninguém, era que tinha um sonho recorrente. Às vezes, passavam-se meses sem que ele viesse; às vezes, ela o sonhava noite após noite por uma semana. No sonho, ela e sua mãe estavam juntas, mortas-vivas, trajando vestidos brancos plissados com babados nas golas e nas bainhas das saias. Elas corriam pela noite juntas em um cenário escuro de contos de fadas de sangue, florestas e neve, de garotas com cabelos da cor das asas dos corvos, lábios vermelhos como rosas e dentes afiados tão brancos quanto o leite.

A forma como elas eram infectadas era levemente diferente a cada sonho, mas, geralmente, era assim: Tana era a primeira a contrair o Resfriado. Os detalhes dessa parte sempre eram omitidos; nunca se perguntava e nem respondia como e por que fora atacada. O sonho geralmente começava com seu pai arrastando-a até a porta do porão e dizendo-lhe que nunca a deixaria sair de novo, nunca, nunca mais, jamais. Tana poderia uivar, chorar e suplicar em uma orgia de pesar, poderia banhá-lo com suas lágrimas, mas o coração dele era duro como pedra. Por fim, ele se cansava da choradeira dela e a empurrava escada abaixo.

Ela batia a cabeça nas ripas de madeira e esticava a mão para se segurar no corrimão, de modo a diminuir o impacto da queda. Porém, embora suas unhas arranhassem o corrimão, ela não conseguia se segurar nele. Terminava caindo lá embaixo da escada, sem ar.

Ficava lá sentada, no chão frio do porão, enquanto as aranhas rastejavam por cima de suas mãos e besouros faziam ruídos, enquanto ratos saíam das sombras, guinchavam e roubavam mechas de seus cabelos para os ninhos deles, enquanto ouvia sua mãe defendendo que fosse solta e sua irmã chorava. Porém, todas as vezes que a mãe chamava o pai de cruel, ele colocava outra tranca na porta, até que houvesse trinta trancas com trinta chaves de latão. Dia após dia, ele tinha que abrir cada uma das trancas para deixar uma tigela de água e uma de mingau para Tana no degrau lá de cima. Depois, tinha que trancá-la, tudo de novo.

Por fim, Tana aprendia a música das trancas e subia sorrateiramente as escadas enquanto as chaves começavam a ser giradas. Lá ela ficava esperando por ele, que havia sido cuidadoso, mas não o suficiente. Quando a porta se abria, ela dava um pulo e o mordia. Eles rolavam pelas escadas juntos, em um borrão. E, quando ela acordava, era uma vampira, e seu pai estava inconsciente a seu lado.

Então sua mãe descia e envolvia Tana em seus braços macios e dizia a ela que tudo ficaria bem. Elas sairiam dali muito em breve, mas, em primeiro lugar, Tana teria que morder a mãe, que era muito insistente, dizendo que não poderia suportar se preocupar com ela sozinha no mundo e que queria estar sempre com a filha. Às vezes, a mãe de Tana até mesmo imploraria que ela a mordesse.

Por favor, Tana, por favor.

Tana sempre mordia a mãe. Quando era mais nova, em seus sonhos o sangue tinha gosto de refrigerante de morango ou *sorbet*. Caso bebesse o sangue rápido demais, ficaria com o cérebro congelado. Quando ficou mais velha, depois de ter lambido um corte em seu dedo, aquele gosto se tornara o que ela sentia nos sonhos: sabor de cobre e lágrimas.

Depois que a mãe de Tana era infectada, ela mordia o pai enquanto ele estava inconsciente, porque precisava de sangue humano para completar a própria transformação, e não havia problema em mordê-lo porque uma pessoa não poderia ficar Resfriada ao ser mordida por pessoas infectadas.

Depois disso, elas o colocavam na cama; era bem provável que ele estivesse cansado.

Ele dormia em paz enquanto Tana e sua mãe diziam a Pearl que voltariam para buscá-la quando fosse mais velha. Então elas trajariam vestidos longos e sairiam na noite, mãe e filha vampiras, para caçar e assombrar as ruas juntas.

Seriam do tipo de vampiras boas, como os devotados cientistas que haviam infectado a si mesmos para estudar melhor a doença; como os caçadores de recompensas vampiros, que caçavam outros vampiros; como a mulher vampira na Grécia que ainda vivia com o marido, preparando todas as refeições dele à noite e deixando-as para que ele as requentasse enquanto ela dormia durante o dia em um túmulo de terra recém-revolvida sob o celeiro. Tana e a mãe seriam assim e nunca matariam ninguém, nem mesmo por acidente.

No sonho, tudo era conveniente, tudo era perfeito, tudo ficaria bem para sempre.

No sonho, a mãe de Tana a amava mais do que qualquer um ou qualquer coisa. Mais do que a morte.

Eu não quero ser uma vampira, dizia a si mesma, repetidas vezes. Porém, em seus sonhos, ela meio que queria, sim.

Capítulo 5

Morre jovem aquele que os deuses amam.

— Menandro

Dirigindo pelo gramado de Lance, Tana passou por cima da extensão espiralada de uma mangueira e esmagou a trilha de narcisos que a mãe dele havia plantado ali. Então, colocou o Crown Vic em marcha à ré e estacionou-o perto da janela, o mais próximo dela que pôde. Assim que o para-choque bateu na parede, ela saiu do carro, subiu nele e tentou, contorcendo-se, passar de volta janela adentro, desta vez segurando uma chave de roda.

Foram necessárias três tentativas e muitos pulos, muito esforço e muitos chutes. Quando finalmente conseguiu entrar, com as panturrilhas e as mãos arranhadas, ela se deu conta de que o quarto estava mais escuro do que antes. As sombras estavam ficando mais longas conforme a tarde inexoravelmente ia dando lugar ao início da noite. Provavelmente já passava das seis horas, talvez até mesmo das sete. O cheiro de morte pendia pesado no ar.

— Tana — disse Aidan tão logo a viu. — Tana, eles vão entrar assim que estiver escuro. Eles nos disseram isso. — Estava pálido e frenético, com uma aparência pior do que ela se lembrava quando saíra. — Nós vamos morrer, Tana.

— *Condamné à mort*[1] — disse uma voz rascada do outro lado da porta.

Ela podia ouvir as criaturas falando umas com as outras em sussurros no corredor, mexendo-se com fome, esperando pelo pôr do sol.

1. Condenados à morte — em francês. (N.T.)

Suas mãos tremiam.

Ela virou-se para Gavriel, que a observava com aqueles estranhos olhos cor de granada, contraído em um canto como um corvo preto.

— O que isso quer dizer?

— Aqui dentro está cheio de muitas faixas irregulares de luz do sol — ele disse aos que estavam do outro lado da porta, de sua pilha de cobertores e casacos, ignorando-a. — Entrem. Eu anseio por ver a pele de vocês criando bolhas. Eu anseio por...

— Não diga isso! — Tana o cortou, em pânico. Se os vampiros forçassem a entrada, não fazia a mínima ideia do que faria.

Provavelmente sairia correndo. Abandonaria os dois ali.

Aidan puxava as amarras.

— Eles ficam falando com ele em um bocado de idiomas diferentes. Bastante em francês. Alguma coisa sobre o Espinho de Istra. Acho que ele está encrencado.

— Está? — quis saber Tana.

— Não exatamente — foi a resposta de Gavriel.

Tana estremeceu e olhou para trás, na direção da janela e do carro, com lembranças nostálgicas. O *Espinho de Istra?* Certa vez ela havia visto um especial tarde da noite chamado *Perfurando o Véu: Segredos dos vampiros antes do mundo resfriado.* Na tela, dois caras vestindo casacos de *tweed* falavam de suas pesquisas sobre como os vampiros tinham ficado escondidos por tanto tempo. Aparentemente, nos velhos tempos, uns poucos vampiros anciões dominavam grandes faixas de território, como sinistros potentados, com mais vampiros que eram basicamente seus servos. Os vampiros pegavam vítimas cuja falta não seria sentida, matando-as depois de cada vez que se alimentavam. Porém, se um erro fosse cometido e uma vítima sobrevivesse por tempo suficiente para beber sangue, seria o trabalho de um "Espinho" caçar o vampiro recém-transformado e matar qualquer um que a vítima mordesse durante sua curta e selvagem vida. Para um dos antigos vampiros, ser um Espinho parecia tanto uma punição quanto uma honra.

No programa, os homens vestidos com casacos de *tweed* tinham dado risada de quão desesperados aqueles Espinhos deveriam ter ficado uma vez que Caspar Morales começara sua turnê mundial, todos eles lutando para suprimir uma infecção que já havia se alastrado e fugido ao controle.

Ao que parecia, o Espinho de Istra ficara ensandecido por causa disso. O especial mostrava um vídeo granulado sobre um encontro debaixo do Cemitério Père-Lachaise, em Paris. E, enquanto vampiros vestidos com elegância conduziam negócios a seu redor, o Espinho estivera em uma jaula, trancafiado, com rosto e corpo marcados por faixas de sangue, e ele ria. Rira ainda mais quando eles encontraram o cinegrafista e o arrastaram até a jaula, uivando de um jeito selvagem logo antes de o Espinho morder a garganta do homem. Tana vira as expressões nas faces pálidas dos outros vampiros. O Espinho de Istra aterrorizara até mesmo eles.

— Você está sendo *caçado* pelo Espinho de Istra? — quis saber Tana. Só de pensar no Espinho fora da jaula, ela sentia calafrios. — Mas isso não é problema nenhum?

Gavriel ficou em silêncio.

Talvez ela devesse deixá-lo. Desamarrar Aidan e cair fora dali, mesmo se isso quisesse dizer que deixaria um vampiro acorrentado para se defender de sabe-se lá quantos que estavam do outro lado da porta. Até mesmo se isso fosse injusto.

Tana inspirou fundo.

— Última chance. Você precisa ser resgatado?

A expressão dele ficou muito estranha, quase como se ela tivesse batido nele.

— Sim — disse ele por fim.

Talvez fosse porque quase todo mundo estava morto e ela se sentia um pouquinho morta também, mas pensou que até mesmo um vampiro merecia ser salvo. Talvez devesse deixá-lo ali, contudo não faria isso.

Ela foi andando até Gavriel, traçando com o olhar a configuração das pesadas correntes. Uma delas estava presa em volta do pé da cama. Os pulsos dele haviam sido acorrentados juntos na frente do corpo, com espessas algemas de ferro que se conectavam com as correntes presas a um outro par de algemas em seus tornozelos.

A maneira mais fácil de libertá-lo seria erguendo a cama, algo que ele provavelmente poderia ter feito se seus braços não estivessem presos, mas ela não sabia se conseguiria fazer isso. Tana tinha certeza de que não poderia fazer isso com Aidan ainda deitado no colchão, forçando a cama para baixo com o peso do corpo.

— Você acha que consegue não me morder? — ela perguntou a Aidan, que ficou em silêncio por um bom tempo.

— Eu não sei.

Bem, pelo menos ele estava sendo honesto. Tana apanhou a mordaça de Gavriel de uma pilha de coisas que estavam no chão e subiu na beirada da cama.

— A infecção não está tão avançada assim em você. Tente — disse ela a Aidan.

Curvando-se para baixo, prendeu a mordaça em volta da boca do garoto o mais rápido que pôde, dando um nó duplo nela, na nuca dele, de forma que demoraria um tempinho para que ele conseguisse tirá-la. Pelo menos Tana tinha esperanças de que aquilo aguentasse um pouco.

Ele ficou imóvel e deixou que ela colocasse a mordaça. Quando ela terminou de fazê-lo, começou a soltar as cordas de *bungee-jump* que prendiam as pernas dele. O que foi rápido; não havia nós. Para fazer isso, ela teve que subir na cama por cima dele, e, apesar de ter contraído o Resfriado, apesar de eles ainda estarem em perigo, Aidan ainda conseguiu erguer uma sobrancelha para ela.

Tana estava prestes a dizer alguma coisa para reprimi-lo quando, no tornozelo esquerdo dele, deparou-se com marcas gêmeas de perfuração com um leve machucado em volta delas, e o próprio sangue ali adquirindo uma coloração azulada. Ela inspirou com pungência, mas não disse nada e não tocou o local. Parecia algo horrivelmente particular.

Em seguida, porque não tinha jeito, soltou os braços de Aidan, que se sentou, ereto, empurrou-se para trás, de encontro à cabeceira da cama, e esfregou os pulsos. Os cabelos castanhos pendiam sobre o rosto, desgrenhados, como se ele tivesse acabado de acordar.

Coloque-os no carro, ela disse a si mesma. *Tranque-os no porta-malas, caia fora daqui e, então, pense no que fazer.*

— Se tentar tirar a mordaça, eu vou bater em você com esta chave de roda — avisou-o, pegando a peça de ferro do chão e acenando com ela no ar, de um jeito que esperava ser ameaçador.

Visto que Aidan não tinha como falar, ele emitiu um som que Tana esperava indicar concordância.

— Ok, agora você vai me ajudar a soltar as correntes do Gavriel da cama — disse ela.

Aidan balançou a cabeça em negativa, com vigor.

— Nós não temos tempo para discutir — ela avisou a ele.

Aidan abaixou os ombros e soltou um suspiro pelo nariz. Ela o olhou por um bom tempo e então ele se moveu com relutância para escorar o suporte no pé da cama com as mãos. Tana ajoelhou-se de forma que, quando Aidan ergueu a cama, ela conseguiu puxar e soltar a pesada corrente. A garota saiu rapidamente dali e Aidan soltou a cama, cuja estrutura caiu de novo no chão, fazendo tremerem as tábuas do assoalho.

O vampiro se mexeu, puxando as correntes, e todo aquele clangor era um som esquisito que fazia com que Tana se lembrasse de masmorras medievais nos filmes que passavam na TV tarde da noite.

Ele ergueu os braços, com as algemas ainda presas a eles.

Aidan tentou dizer alguma coisa, mas as palavras foram abafadas pela mordaça. Tana achava que o que ele teria a dizer seria algo sarcástico.

— Há um rolo desses sacos de lixo que foram presos com fita nas janelas — ela disse, apalpando o chão entre as coisas abandonadas pelos vampiros. — Talvez, se envolvermos você com alguns desses sacos, então, até mesmo se o cobertor escorregar, você não pegue fogo. Juntos, eu e o Aidan podemos prendê-los com fita em você. Contanto que você não se incomode de ficar com uma aparência ridícula.

O vampiro sorriu, um sorriso de boca fechada.

Tana passou os sacos pretos e a fita para Aidan. Agachando-se nas sombras, o garoto começou a formar uma armadura improvisada com os sacos plásticos para Gavriel, que parecia tão ridícula quanto Tana havia lhe dito que seria, até mesmo antes dos cobertores.

— Se eu me machucar — disse Gavriel enquanto Aidan preparava sua armadura improvisada —, vocês devem tomar muito cuidado.

— Vamos tomar cuidado — ela disse a ele. — Não se preocupe.

— Não, Tana, você tem que me ouvir — disse ele. — Você deve tomar cuidado comigo.

Essa era a primeira vez que ele a chamava pelo nome, e o som de seu nome na boca do vampiro, pronunciado com o estranho sotaque dele, tornava-o estranho.

— Não vamos deixar você pegar fogo — disse ela, virando-se para abrir bolsas de mão e enfiar os dedos nos bolsos dos casacos, na esperança de que algum de seus amigos carregasse uma faca. — Mesmo que você seja um vampiro e provavelmente mereça isso.

Eu sinto muito, disse ela a cada um dos mortos enquanto abria os zíperes e desafivelava as coisas deles. *Eu sinto muito, Courtney. Sinto muito, Marcus. Sinto muito, Rachel. Sinto muito, Jon. Sinto muito por eu estar viva e vocês estarem mortos. Sinto muito porque eu estava dormindo. Sinto muito por não ter salvado vocês e por agora estar pegando suas coisas. Eu sinto muito. Sinto muito.* Não havia nenhuma faca e nem estacas ali. As únicas coisas que ela encontrou foram uma extensão de corda com diversos símbolos religiosos do mundo todo presos com nós nela, inclusive um grande amuleto contra mau-olhado que reluzia com cristais, e um pequeno frasco fechado com uma rolha, contendo água de rosas com um pedaço de vinha cheia de espinhos flutuando no líquido.

Tana poderia fazer uso de toda a proteção que pudesse obter. Pegou a água e a corda e enfiou-as na bolsa. Em seguida, pegou o celular de Rachel Meltzer, ligou para a emergência e jogou o telefone na cama.

Do lado de fora da porta, uma tábua do assoalho rangeu.

— Ratinho — disse uma voz por meio do buraco da fechadura. — Você não sabe que, quanto mais se contorcer, maior será o deleite do gato?

Aidan lamentou-se baixinho por trás da mordaça. Tana sentiu uma onda de terror passar por cima dela. Era um medo animal que consumia a tudo, vasto e incompreensível. Havia coisas que podiam pensar e falar ali, e elas *ainda* queriam matá-la e comê-la. Por um bom tempo, não conseguiu se mexer.

Depois, empurrando o peso de seu terror, Tana olhou em direção à janela, onde as primeiras faixas cor de laranja do pôr do sol matizavam de dourado as árvores. A escuridão estava a caminho.

— Nós temos que ir — disse a Aidan. Ele não havia terminado de cobrir Gavriel tanto quanto ela gostaria que tivesse feito, mas estavam ficando sem tempo. Ela ergueu a chave de roda e girou-a em direção à janela, esmagando a vidraça, os trilhos de madeira e os caixilhos.

O vidro caiu em volta dela em uma pilha reluzente.

— Estamos indo agora! — gritou. — Agora! Aidan, vamos. Traga o Gavriel até aqui.

A operadora estava chamando do celular em cima da cama, com a vozinha metálica soando muito distante. *Qual é sua emergência? Alô, aqui é do 911. Qual é sua emergência?*

— Vampiros! — gritou Tana, jogando no chão suas botas e depois, a chave de roda.

Aidan ajudou Gavriel a levantar-se, forçando-o a ficar em pé. Ele estava todo enrolado, como algum tipo de múmia moderna, com tiras brilhantes de *silver tape* unindo e mantendo no lugar sacos de lixo e cobertores, e se lançava em direção à janela. Tana não fazia a mínima ideia se isso seria o suficiente para evitar que ele pegasse fogo, mas teria que servir. Ela já estava tremendo com a premência de abandonar todos os planos e simplesmente fugir, arrastar-se como uma cobra janela afora e cair no gramado e sair correndo...

— Aidan, você passa pela janela primeiro — disse Tana, cortando seu próprio fio de pensamento, afastando o medo. — Alguém tem que estar lá embaixo para segurar nos pés do Gavriel.

Aidan assentiu e passou a perna por cima do peitoril da janela. Ele olhou para trás por um instante, como se estivesse tentando tomar uma decisão. Então, deu um pulo, mal aterrissando em cima do capô do Crown Vic.

Atrás de Tana ouvia-se o som de madeira sendo partida, como se algo muito grande tivesse atingido a porta.

— Não — disse ela baixinho. — Ah, não. Não!

— Deixe-me aqui — disse Gavriel.

Algo atingiu a porta mais uma vez e a penteadeira caiu, colidindo com a cama. Forçando-se a não se virar, ela empurrou o corpo embrulhado de Gavriel para junto da janela.

— Cala a boca ou eu posso fazer isso mesmo — disse ao vampiro. — Agora é só você se sentar, girar as pernas e descer.

Ele mexeu o corpo e Tana apoiou-se para agir como um contrapeso e para impedir que ele caísse antes de estar na posição certa. Aidan estava em pé debaixo da janela, segurando os pés de Gavriel. Inspirando fundo e com esperança de que a *silver tape* e os cobertores fossem aguentar, ela o soltou.

Aidan soltou Gavriel em cima da tampa do porta-malas.

A porta do quarto abriu-se atrás de Tana.

Continue, ela disse a si mesma. *Não olhe para trás*. Mas olhou mesmo assim. Havia duas criaturas ali, em pé, emolduradas pela entrada, um vampiro e uma vampira, cujos rostos estavam inchados e cor-de-rosa, empanturrados que estavam com todo o sangue que haviam consumido. As bocas e os dentes afiados estavam vermelhos, os olhos, fundos, as roupas, endurecidas e com manchas escuras. Não eram os refinados vampiros da televisão; eram pesadelos e estavam indo até ela, arrastando-se em meio aos casacos, esquivando-se de evanescentes poças de luz.

Tana correu em direção ao peitoril da janela, com o corpo tremendo, e as mãos também tremiam com tamanha ferocidade que ela quase não conseguiu firmar sua pegada no batente de madeira da janela. Subindo ali de joelhos, ela se jogou para a frente, errando o carro por completo e caindo em cima do gramado.

Dedos firmaram-se em sua panturrilha, puxando-a para trás. Ela chutou com força, arrastando-se para a frente com os braços. Dentes roçaram a parte de trás de seu joelho tão logo ela conseguiu se soltar e cair para longe da janela. Atrás dela ouviu-se um grito alto e lamurioso de dor. Ela caiu na terra, de costas, sem ar nenhum. Perplexa, virou para um lado, deparando-se com um gramado reluzente de vidro estilhaçado, como se alguém tivesse jogado no ar punhados de diamantes depois de um roubo.

— Meu Deus! — gritou Aidan, com as mãos no ar. — Você deveria ter visto como o braço daquela coisa ficou tostado. Ele quase conseguiu pegar você!

Cambaleando, Tana pôs-se de pé. O arranhão fresco na parte de trás da perna ardia e ela começou a tremer novamente.

— Eu acho que ele conseguiu me acertar.

— O quê? — Aidan deu um passo em direção a ela e Tana balançou a cabeça em negativa.

— Agora não — disse. O carro estava logo ali. Eles estavam quase livres. — Ajude-me com o porta-malas!

Enrolado no cobertor, Gavriel parecia um corpo que uma dupla de assassinos planejava desovar em algum lugar. Estava deitado de lado, com o corpo inclinado de forma que suas costas estavam viradas para o sol. Juntos, Aidan e Tana ergueram-no e o tiraram de cima do carro. Porém, enquanto tentavam carregar Gavriel, Tana tropeçou e puxou-o pelo lado errado. Os sacos de lixo foram rasgados e o tecido se abriu. Ela escorregou, tombando na grama. Por um instante, viu a lateral do corpo e a mão dele ficando pretas ao sol, com a luz parecendo corroer a carne. Antes que ela pudesse pensar no que fazer, Gavriel rolou com o corpo no chão, virando-o de forma que a parte descoberta ficasse pressionada na terra, oculta da luz.

— Gavriel? — disse Tana, levantando-se com dificuldade, envolvendo os cobertores de volta em torno do corpo dele.

Ele tentou ficar em pé.

Aos tropeços, exaustos e não tomando muito cuidado, conseguiram abrir o porta-malas e, desajeitados, jogaram Gavriel ali dentro. Aidan bateu a tampa com tudo, fechando-a e exibindo seu largo sorriso de ***bad boy*** que estava prestes a fazer algo ruim.

— *Aidan* — disse Tana, recuando um passo, e sua voz soou meio como se ele a tivesse deixado irritada e meio como se ela estivesse com medo, o que estava. — Aidan, nós não temos tempo. Você tem que entrar lá com ele. Eu não posso dirigir com você querendo me atacar.

— Você olhou para si mesma? — ele lhe perguntou, com a voz estranha, quase onírica. — Você está coberta de sangue.

Ela olhou para baixo de relance e viu que ele estava certo. A pele estava matizada de cortes leves, de onde o sangue escorria e marcava com faixas vermelhas seus braços e suas pernas. Havia uma mancha no dorso da mão, onde ela limpara o rosto. Devia ter sido obra dos fragmentos de vidro da janela.

— Nós temos que ir, Aidan.

— Eu não vou entrar no porta-malas junto com um vampiro — disse ele, olhando-a com fome, os olhos negros cheios de desejo, as pupilas estouradas. — Veja, eu estou me controlando. Você está sangrando e eu estou me controlando.

— Ok — disse ela, fingindo acreditar nele. — Entre.

Enquanto ele caminhava em direção ao lado do passageiro, ela pegou a chave de roda e as botas. Sabia o que tinha que fazer — atingi-lo na nuca com o ferro e esperar que isso o nocauteasse —, mas não conseguia fazer isso. Não com uma casa cheia de adolescentes mortos atrás deles. Não quando não sabia ao certo se ele sobreviveria ao golpe. Não quando ela estava tremendo tanto que estava prestes a desmoronar, de tanto que tremia.

Inspirou fundo e tomou sua decisão.

— Não, do outro lado — disse a Aidan. — Você dirige. — Ele virou-se para ela, com as sobrancelhas unidas pela confusão que sentia. — Isso vai lhe dar algo em que se concentrar que não seja me morder. E eu posso ficar de olho em você. — Ela ergueu a chave de roda. — E vamos aonde eu disser... entendido?

— Eu estou me comportando — reclamou Aidan.

— Entre! — gritou Tana e, de alguma forma, aquilo, de todas as coisas que fizera, pareceu funcionar. Soltando um suspiro, ele deu a volta na frente do carro. Ela entrou pelo outro lado e passou as chaves a ele, erguendo a barra de metal com a outra mão para mostrar-lhe que a usaria se tivesse que fazer isso. O ferro era sólido, tinha um fraco cheiro de óleo e pesava confortavelmente na pegada dela.

Aidan deu uma olhada rápida no rosto de Tana e virou a chave na ignição.

— Vai — disse ela baixinho, como se fosse uma prece. — Vai, vai, vai, vai.

Ele conduziu o carro pelo gramado em direção à estrada. No espelho retrovisor, a casa parecia uma casa comum de madeira numa fazenda, exceto pela janela quebrada e pelo pouquinho de cortina que ondeava pela janela, um único e solitário fantasma.

Capítulo 6

Do lado positivo, a morte é uma das poucas coisas que podem ser feitas com facilidade e tão somente se deitando.

— Woody Allen

Aidan fora o pior namorado do mundo. Eles haviam se conhecido na aula de artes, que Tana frequentava só porque sua amiga Pauline havia lhe prometido que seria fácil e que estaria cheia de outras pessoas preguiçosas. Pauline estava mais ou menos certa. O professor delas passava o tempo pintando em ***trompe l'oeil*** janelas arqueadas que davam para salas banhadas em escuridão ou natureza morta um tanto pavorosa, com frutas apodrecendo, moscas e mel derramado. Ele vendia as pinturas em uma galeria a três cidades de distância dali, e comentou com a classe, por fim, o quanto precisava do dinheiro, visto que os salários dos professores eram uma droga, especialmente nestes tempos trevosos.

Basicamente, contanto que todo mundo trabalhasse em algum tipo de projeto mais ou menos em silêncio, o professor não incomodava nenhum deles.

Pauline decidiu que recortaria anuários e colaria minúsculos pedacinhos deles em tecido branco de modo que pudesse fazer um sutiã com as cabeças dos meninos na sala de aula. Ela planejava colocar isso em uma moldura tipo caixa com vidro e deixá-la sorrateiramente dentro do armário de prêmios uma vez que estivesse pronta.

Na maior parte do tempo, Tana ficava sem fazer nada, desenhando ociosamente com carvão vegetal e conversando com Aidan.

Naquela época, ele era apenas um garoto bonitinho na sala de aula, com cabelos castanhos soltos que caíam na frente dos olhos quando ele falava, que vestia camisetas limpas de bandas com casacos de capuz fechados com zíper por cima delas, tênis All Star Chucks vermelhos e um cinto xadrez preto e branco. Ele sorria muito, ria das próprias piadas e contava a Tana muitas histórias sobre as inconcebíveis garotas que ele parecia achar que estava namorando. Ele parecia azarado e amável. Estava sempre apaixonado. Cheirava a sabonete Ivory.

Pauline provocava Tana em relação a Aidan e Tana apenas ria. Ela entendia o motivo pelo qual as garotas se apaixonavam por ele. Ele era *charmoso,* mas era tão aberto em relação a tentar encantá-la, tão óbvio, que Tana tinha certeza de que era imune ao charme dele.

O projeto de Aidan era uma versão de si mesmo em tamanho real feita com papel machê, posando como se estivesse dormindo na sala de aula. Ficou incomodando Tana para que tirasse as medidas dele para seu projeto, e ela revirava os olhos enquanto enrolava a fita métrica em volta das partes superiores dos braços e pela extensão do peito do garoto.

Quando ele abriu seu largo sorriso para ela, erguendo as sobrancelhas como se os dois estivessem compartilhando uma piada, Tana se deu conta de que não era nem um pouco imune ao charme dele.

Aidan chamou-a para sair logo depois disso, não em um encontro de verdade ou algo do gênero, apenas sair com alguns amigos. E ela foi e tomou algumas cervejas. Quando ele a beijou, ela deixou.

— Você não é como as outras garotas — disse Aidan, pressionando as costas dela junto às almofadas do sofá. — Você é legal.

Tana tentava ficar numa boa, tentava agir como se não ficasse incomodada quando ele flertava com qualquer coisa que se movesse — e, daquela vez, quando estava realmente bêbado, ele flertara com um cabideiro. Ela ouvira todas as histórias dele sobre a garota possessiva que lhe enviava seguidas mensagens de texto quando ele só havia saído com o primo, ou da garota extremamente dramática que lhe enviava cartas de dez páginas, com a escrita borrada por lágrimas. Ela não queria ser a estrela de mais uma história de "garota doida".

E isso não a incomodava, não mesmo, não da forma como Aidan parecia esperar que a incomodasse. É claro que às vezes doía vê-lo com outra, mas algo que ela realmente notara era que ele sempre parecia estar monitorando-a para captar sinais de que ela lhe daria uma bronca. Tana se lembrava de ir a festas, onde travava conversas sem graça, bebia muito e fingia que todos não estavam esperando que ela arrumasse uma briga gigantesca com Aidan. E lembrava-se de não conhecer as regras, porque sempre que perguntava a ele sobre elas, o garoto apenas gaguejava elaboradas desculpas que punham um fim à conversa.

Quando ela sugeria que ele fosse às festas sozinho, Aidan fazia uma cara exageradamente triste.

— Não, Tana — dizia. — Você tem que estar lá. Eu odeio ir a essas coisas sozinho.

— Você poderia ir com amigos — ela sugeria, dando risada. Porque não era como se em algum momento ele ficasse sozinho. Conhecia todo mundo. Tinha muitos amigos.

— Eu quero ir com *você* — ele dizia, com os grandes e suplicantes olhos, com a boca curvada em um meio sorriso, como se estivesse reconhecendo quão ridículo estava sendo. E funcionava. Sempre funcionava, aquela combinação de bajulação e tolice de garotinho e, por sob isso tudo, aquele medo que Tana tinha de não ser tão legal quanto ele achava que ela era.

Então ela ia às festas e fingia que nada a incomodava. E, quanto mais Tana não dizia nada, mais atroz se tornava o comportamento dele. Ele dava uns amassos em garotas na frente dela. Fazia o mesmo com garotos na frente dela. Piscava para ela de outra sala, desafiando-a a criticá-lo.

Foi então que as coisas ficaram meio divertidas.

Ela se tornou especialista em demonstrar até mesmo uma indiferença maior ainda. Caminhava até onde Aidan estava, depois que ele parecia ter terminado de beijar alguém, colocava um dos braços em volta do pescoço dele e pedia para ser apresentada. Atribuía pontos por estilo e tirava pontos quando ele fosse atingido. Não importava o que ele fizesse, ela nunca o deixava ver que aquilo a incomodava.

— Você está jogando uma espécie de jogo de *sex chicken*[2] com ele — disse Pauline a Tana, empurrando para trás uma massa de minúsculas tranças. — Quem se importa com qual de vocês dois vai ser o primeiro a dizer chega?

— *Sex chicken* — disse Tana, rindo baixinho. — Uma pena que não conheçamos ninguém de uma banda, esse seria um bom nome para uma.

Pauline bateu na amiga com a revista que estava lendo.

— Estou falando sério. Você sabe o que eu quero dizer.

Tana não sabia explicar por que continuava fazendo isso, não conseguia colocar em palavras a emoção niilista que vinha de sofrer um pouco, ou a satisfação de jogar o jogo arrombado de Aidan, seguindo suas regras igualmente arrombadas, e ainda assim sair ganhando. Ela era *legal* e não deixaria de ser, não importava o quanto ele a provocasse. Embora Aidan às vezes parecesse irritado porque Tana não brigava com ele, havia outras vezes que ele lhe dizia que não havia nenhuma outra garota como ela. Nenhuma outra garota no mundo.

— Você não pode vencer quando é outra pessoa que cria todas as regras — Pauline avisou-a, mas Tana não lhe deu ouvidos.

Então, certa noite, em uma outra festa, Aidan levou-a até o garoto esparramado no sofá a seu lado e apresentou-a a ele. A boca do garoto estava cor-de-rosa, e ele parecia um pouco bêbado por causa da garrafa de tequila que tinha à sua frente e dos beijos lentos que tinha dado em Aidan.

— Esta é a minha namorada, Tana — disse Aidan. — Você quer beijá-la?

— Sua *namorada?* — O garoto pareceu momentaneamente ferido, mas escondeu isso bem. — Claro — disse ele. — Por que não?

— E você? — perguntou Aidan a ela, desafiando-a. — Está dentro?

— Claro — respondeu Tana, com a ousadia tão entranhada em sua determinação que não sabia ao certo qual das duas havia feito com que concordasse. O coração martelava-lhe o peito. A sensação era assustadora, como se estivesse cruzando algum limite invisível, como se pudesse não se conhecer depois disso. Como se estivesse se tornando o "eu" que sempre achara que vivia à espreita sob sua pele. Seu eu mais legal possível!

2. Sex chicken — é uma gíria que se refere a ir aumentando o nível das preliminares, ou bases, com o resultado final sendo sexo, até que alguém — o perdedor — diga *chega*! (N.T.)

Os lábios do garoto eram muito macios.

Quando ela ergueu o olhar para Aidan, o choque estampado no rosto dele subiu à cabeça dela como uma dose de bebida forte. Ela estava exultante com o poder. E, quando o garoto retribuiu seu beijo, faminto, ela ficou exultante com aquilo também.

Aidan inclinou-se para a frente, e a expressão no rosto dele havia mudado, havia um sorriso ali, como se os dois estivessem partilhando uma piada, só os dois, como se ele entendesse que todas aquelas festas eram jogos de xeque e xeque-mate, como se Aidan soubesse que os dois estavam fazendo isso na esperança de que a adrenalina pudesse apagar todas as coisas de merda que já haviam acontecido com ambos, e ele estava feliz porque ela estava com ele, porque estavam juntos.

Isso fez com que ela pensasse em um ano antes, quando estivera parada, em pé e sozinha nos trilhos de um trem, esperando até que o trem estivesse se movendo em alta velocidade em sua direção, até que pudesse sentir o calor do trem, até seu sangue cantar de medo, antes de pular e sair da frente.

Isso fez com que pensasse em um outro dia, quando havia pisado com tudo no acelerador do carro e saído derrapando pelas ruas à noite, cortando a chuva glacial.

Aidan sorriu para Tana como se acreditasse mesmo que ela era especial. Como se apenas ela tivesse realmente entendido na vida o que era atrever-se a fazer algo simplesmente pelo fato de ser audaz.

Porém, nada daquilo acabou sendo verdade, porque Aidan a largou três semanas e meia dúzia de festas depois, com uma mensagem que dizia somente: *Acho que estamos sérios demais & quero dar um tempo.*

Depois disso, ela não sabia ao certo qual era o jogo ou se havia imaginado tudo aquilo. Tudo que Tana sabia era que havia perdido.

Capítulo 7

A morte é uma sombra que
sempre segue o corpo.

— Provérbio inglês

Tana instruiu Aidan a estacionar o carro em um posto de gasolina cerca de uma hora depois que eles saíram da casa de Lance. Não havia mais nenhum carro à vista e, hoje em dia, todos os supermercados 24 horas tinham caixas eletrônicos com cabines à prova de balas, então ela achou que seria seguro parar ali. A escuridão plena tinha caído, e o braço de Tana estava começando a doer de segurar a chave de roda, e ela estava plenamente certa de que não seria capaz de manter o equilíbrio mental por muito mais tempo. A exaustão estava começando a tomar conta dela, os cortes ardiam e a cabeça latejava. Não havia comido nada desde que acordara, nem tinha pensado em comer, e, a cada vez que seu estômago roncava, Aidan olhava para ela como se a fome dela lhe servisse como um lembrete da sua própria.

Era difícil permanecer alerta, era difícil não se deixar distrair pelas imagens da casa da fazenda, dos corpos, imagens que surgiam por trás de suas pestanas quando ela piscava, tudo banhado de vermelho. E, junto com isso, a lembrança dos dentes do vampiro raspando a parte de trás de sua perna, a mão dele firme em sua panturrilha.

Ela assistira a programas nas aulas de saúde que falavam sobre a disseminação da infecção. Havia uma ilustração da boca humana e da boca de um vampiro, lado a lado. Pensou nelas, ilustradas em azul e amarelo, cor-de-rosa e vermelho. Os caninos dos vampiros cresciam mais longos do que os de suas contrapartes humanas, com finos canais que permitiam que a criatura puxasse o sangue para cima por entre os dentes e para o fundo da garganta. Quando um vampiro mordia alguém, um pouco de seu próprio sangue sujo entrava no fluxo sanguíneo humano, causando a infecção. Houvera casos como o dela antes, casos em que os dentes não penetraram por completo. Às vezes as pessoas ficavam bem; às vezes, não. Se ela não ficasse Resfriada dentro de quarenta e oito horas, saberia que continuara com sorte.

Aidan estacionou perto de uma das bombas de gasolina.

— Nós não podemos continuar dirigindo sem um plano. Temos que chegar a *algum lugar*.

— Eu sei — disse ela, cuja mente obscurecida pelo pânico girava sem parar, e todos os movimentos possíveis pareciam piores do que o último. Não fazia a mínima ideia do que fazer em seguida. Tudo que sabia era que se sentia pronta para soltar-se da própria pele.

Enquanto Aidan abria a porta do carro, um cacho de cabelo caiu em seus olhos. Ele empurrou o cacho para trás, como sempre tinha feito. Parecia um gesto tão normal, quando todo o restante era tão anormal, quando ele não era normal, que Tana teve que engolir o nó que havia se formado na garganta.

Ele pôs a mão na bomba de gasolina, selecionando gasolina comum, sem chumbo.

Tana sentiu como se tudo estivesse acontecendo devagar demais e rápido demais, tudo de uma só vez. Durante a viagem, sentira medo de falar, porque, se começasse, não seria capaz de conter o que sentia por dentro. Não conseguiria fazer com que Aidan acreditasse que ela estava no controle.

— Vamos pegar um mapa e elaborar um plano — declarou ela, na esperança de que ele não visse quão cansada estava. Se parecesse fraca, poderia parecer mais uma presa. Tana fez com que sua voz soasse tão estável quanto possível. — Mas primeiro eu vou até o banheiro para me limpar. Encontro você no supermercado depois que tiver acabado de colocar a gasolina no tanque.

Ela ouviu um som oco e baixo vindo do porta-malas. Gavriel estava lá atrás, esperando para ser libertado. Mas o que ele faria então? Será que eles deveriam simplesmente largá-lo no acostamento da estrada e esperar pelo melhor?

— Nós já voltamos — disse Tana e, embora tentasse controlar a voz, ela saiu meio tremida.

Jogando a bolsa de mão por cima do ombro e apanhando as botas, ela foi se afastando aos poucos de Aidan e do carro até que chegou à esquina do supermercado. Então, foi correndo no restante do caminho até o banheiro, batendo a porta atrás de si e trancando-a. Antes que pudesse evitar, Tana começou a chorar e a soluçar. Ela chorou e chorou até engasgar com as lágrimas. Deslizou parede abaixo, chorando tanto que mal conseguia respirar. Bateu com os punhos cerrados, com força, no piso solto de linóleo, na esperança de que o choque da dor a acalmasse.

Choque, pensou Tana. *Eu estou em choque.* Mas não sabia realmente o que isso queria dizer, apenas que era ruim e que acontecia nos filmes. Nos filmes, as pessoas também saíam rápido do estado de choque, geralmente com um tapa no rosto.

Levantando-se, deu um tapa na própria bochecha e ficou olhando enquanto ela ficava rosada no espelho acima da pia suja do banheiro. Não se sentiu nem um pouco diferente.

Depois de longos momentos ali parada, em pé, encarando o próprio reflexo, Tana se lembrou de que havia dito a Aidan que se limparia. Ela lavou os braços na pia e borrifou água nas pernas para limpar o sangue dali. Não conseguia ver muito bem os arranhões na parte de trás do joelho, mas, do que conseguia ver, não pareciam muito diferentes dos outros arranhões e cortes. Não pareciam inchados ou descoloridos. Não pareciam profundos. Não se pareciam com nada, muito menos com algo que pudesse transformá-la em um monstro. Ela os limpou usando o sabonete antibacteriano que havia ali com dedos trêmulos, esperando assim conseguir matar qualquer infecção antes que se espalhasse. Em seguida, levantou-se, apoiando-se junto à porta trancada, e começou a amarrar os cadarços das botas, puxando-os bem apertados.

Quando terminou, Tana ligou para Pauline.

Discar o número foi automático, cedendo à tentação do escapismo momentâneo. Ela não conseguia pensar enquanto o telefone chamava; sua mente parecia desprovida de tudo que não fosse a sensação de que, se Pauline atendesse, então Tana ficaria bem por um tempinho. Não sabia o que diria, nem mesmo como juntar as palavras para explicar onde estava ou o que havia acontecido. Na casa de fazenda de Lance, estivera operando com base no instinto e na impulsividade — tirar todo mundo de lá de dentro e se preocupar com as consequências depois. No entanto, o depois havia chegado. Estava esperando por ela do lado de fora da porta. Ela poderia apenas enrolar, mas teria que enfrentar aquilo.

— Alô? — A voz de Pauline soou alta e ao fundo. Tana pôde ouvir o som de música tocando.

— Ei — disse Tana, como se tudo estivesse normal. Era boa a sensação de fingir. Os músculos ao longo dos ombros relaxaram por completo. — O que você está fazendo?

— Aguenta aí, eu tenho que ir até o outro quarto. Tem muita coisa acontecendo.

Uma porta se fechou do outro lado da linha e a música ficou mais baixa. Então Pauline começou a contar a Tana as novidades sobre David, seu meio que namorado do acampamento do clube de teatro. Ele tinha uma namorada lá na cidade dele, uma garota com quem estivera desde o ensino médio, mas vinha dando sinais confusos a Pauline o verão todo. Intensas conversas e desculpas inventadas para encostarem um no outro durante as improvisações, seguidas de mãos torcidas em agonia. A namorada dele viria visitá-lo na terça-feira, mas justo esta noite David havia beijado Pauline. Ela estava surtando.

Tana sentiu-se lavada em alívio junto com o drama familiar. Ela caiu de encontro ao batente da porta, inclinando a cabeça para trás e cerrando os olhos. Poderia ter interrompido Pauline, poderia ter contado a ela sobre a viagem de pesadelo em meio ao escuro com a chave de roda na mão, poderia ter lhe contado sobre os vampiros e a carnificina e os arranhões dos dentes. Porém, se fizesse isso, teria que pensar nessas coisas de novo.

Então, ficou ouvindo Pauline contar sua história, e em seguida elas reprocessaram o que ela havia lhe contado, e, quando Pauline perguntou à amiga como ela estava, Tana disse que estava bem.

Ela estava bem, e a festa tinha sido ótima e tudo estava bem, bem, bem!

— Você está soando estranha — disse Pauline. — Andou chorando?

Tana pensou em pedir que a amiga achasse um lugar abandonado com uma porta que pudesse ser trancada com barras e que a trancafiasse lá dentro com alguns galões de água e barras de granola. Pauline faria isso por ela; Tana sabia que ela faria... E, uma semana depois, quando ela implorasse e gritasse, pedindo que a deixasse sair, talvez Pauline fizesse isso também. Era um risco grande demais...

Por isso, Tana insistiu que estava bem, que estava bem mesmo. Então Pauline teve que ir, porque tinha um toque de recolher às nove horas e estava saindo da sala comunitária para voltar a seu dormitório.

Durante longos minutos depois que Tana desligou o celular e colocou-o de lado, ela tentou se prender ao sentimento de normalidade. No entanto, quanto mais ficava ali parada, mais seu estômago sentia cãibras de medo, mais tinha ciência de como sua pele parecia quente e fria ao mesmo tempo.

Tana tinha que não estar infectada, isso era tudo. Tinha que não estar infectada de forma que ela e Pauline pudessem se mudar para a Califórnia depois de se formarem, como haviam planejado. Elas alugariam um apartamento minúsculo e Tana arrumaria um emprego fixo e chato, por exemplo, como garçonete ou balconista em um estúdio de tatuagens ou em uma copiadora, onde teriam descontos em retratos, enquanto Pauline faria testes para papéis no teatro. Elas maquiariam uma à outra, como as garotas pinups dos anos de 1950, e usariam as roupas uma da outra. E nadariam no oceano Pacífico e ficariam sentadas debaixo de palmeiras enquanto a cálida brisa vinda da água despentearia seus cabelos incrustados de sal.

Por fim, Tana deu-se conta de que não poderia continuar por mais tempo no banheiro. Ela abriu a porta, preparou-se para um ataque, preparou-se para que um dos vampiros da casa a tivesse seguido de alguma forma, mas não havia nada nem ninguém ali, apenas um lote de concreto e um bosque, iluminados pelos holofotes sobre as bombas de gasolina.

A noite estava morna, pegajosa, e Tana podia ouvir cigarras cantando ao longe. Não se importando se odiar o escuro fazia dela uma covarde, voltou correndo ao supermercado com sua iluminação brilhante, diminuindo o ritmo dos passos somente quando estava à porta, que abriu, desajeitada, desejando não ter deixado a chave de roda no carro, mesmo tendo certeza de que as pessoas não poderiam andar com aquele tipo de coisa em estabelecimentos comerciais normais.

Detrás do vidro à prova de balas, um funcionário abriu um largo sorriso para ela, como um homem que não estava muito preocupado com a própria segurança. Ele tinha uma massa de cabelos vermelhos espetados na cabeça, com *spikes* feitos em gel.

Havia uma pequena televisão, instalada no topo de uma das paredes, mostrando uma transmissão de dentro da Coldtown de Springfield, em que Demonia estava apresentando aos telespectadores os mais recentes convidados do Baile Eterno, uma festa que havia tido início em 2004 e era um furor desde então.

No plano de fundo, garotas e garotos usando arneses de borracha balançavam-se no ar. A câmera fez uma varredura na pista de dança, mostrando a multidão, e alguns poucos dentre eles tinham tubos de hospital presos às partes internas dos braços. A câmera permaneceu por um tempo mostrando um garoto que não deveria ter mais de 9 anos segurando um copo de papel para uma magra garota loira. Ela parou um pouco e então, inclinando-se para baixo, girou uma maçaneta em seu tubo, fazendo com que um fino fluxo de sangue jorrasse dentro do copo, vermelho como os olhos do garoto e a língua que ele pôs rapidamente para fora para lamber a beirada do copo. Em seguida, o ângulo da câmera mudou mais uma vez, desviando-se para cima para mostrar ao telespectador toda a altura e majestade do edifício. No ponto realmente mais alto, várias vidraças haviam sido substituídas por vidro negro, reluzente, mas projetado para conter o tipo de luz que poderia escaldar certos festeiros.

A cicatriz de Tana latejava e ela esfregou-a sem pensar.

— Ei — disse Aidan, levando a mão ao ombro dela e fazendo com que desse um pulo. Ele carregava uma garrafa de água, mas estava com o olhar fixo na tela como se tivesse se esquecido de todo o resto. — Olhe para aquilo!

— É como o Hotel California — disse Tana. — Ou uma armadilha para baratas. As baratas entram, mas não saem.

Todas as pessoas infectadas e os vampiros capturados eram enviados a Coldtowns, e humanos doentes, tristes ou iludidos iam para as Coldtowns voluntariamente. Esses lugares supostamente deveriam ser uma festa constante, de livre acesso pelo preço do sangue. Porém, uma vez que as pessoas estivessem lá dentro, humanos — até mesmo crianças, até mesmo bebês nascidos em uma Coldtown — não tinham permissão para sair de lá. A Guarda Nacional patrulhava os muros cheios de arame farpado e incrustados de símbolos sagrados para certificarem-se de que as Coldtowns permanecessem contidas.

Springfield era a mais conhecida e a maior das Coldtowns, com mais transmissões ao vivo, vídeos e blogs vindos de lá do que de Coldtowns em cidades muito maiores. Isso se devia parcialmente ao fato de que essa era a primeira das Coldtowns, e em parte porque o governo de Massachusetts certificou-se de que as pessoas presas lá dentro tivessem poder e comunicações antes das pessoas em outras Coldtowns. O surto em Chicago tinha sido contido tão rápido que a área em quarentena nunca tivera uma chance de evoluir e se tornar uma cidade fechada por muros dentro de outra cidade. Las Vegas era a rival de Springfield em termos de transmissões ao vivo de entretenimento vampírico, mas os blecautes eram comuns, interrompendo transmissões e tornando-as inseguras para serem acompanhadas regularmente. As Coldtowns de Nova Orleans e de Las Cruces eram pequenas, e a de São Francisco tinha ficado às escuras um ano depois de ter sido fundada, sem ninguém transmitindo nada dali. Havia pessoas lá dentro; satélites podiam rastrear suas assinaturas térmicas à noite. Isso era tudo o que se sabia. Porém, Springfield não era apenas a mais conhecida e a maior, pensou Tana, olhando para a tela. Também era a mais próxima.

— Seria um bom lugar para se esconder — disse Aidan, voltando um olhar malicioso para o carro e para o porta-malas com o vampiro lá dentro.

— Você quer entregar o Gavriel em troca de um *sinalizador?* — perguntou-lhe Tana.

Havia uma exceção a todo aquele lance de não ter permissão para sair de uma Coldtown, uma forma de sair se você ainda fosse humano: sua família tinha que ser rica o bastante para contratar um caçador de vampiros, que entregaria um vampiro em troca de você. Caçadores de vampiros recebiam uma recompensa do governo para cada vampiro que colocassem em uma Coldtown, mas poderiam abrir mão da recompensa em dinheiro em favor de um sinalizador para a soltura de um único humano. Um vampiro entra, um humano sai.

Até mesmo caçadores amadores que entregassem um vampiro poderiam obter um sinalizador. Se Aidan conseguisse um, então poderia entrar em Coldtown e, se continuasse humano, se vencesse a infecção, poderia sair de lá novamente.

— Não por um *sinalizador* — disse ele, com os olhos ainda na tela. — Pelo *dinheiro*! Nós poderíamos conseguir uma bela grana como recompensa por um vampiro. O bastante para eu me entocar em um buraco por alguns meses, em algum hotel fuleiro, e sobreviver com segurança.

— Eu acho que fui... não exatamente mordida. — Ela soltou sem pensar as palavras que não conseguira dizer a Pauline, aquelas que tivera medo de dizer em voz alta. Ele precisava saber disso se fossem fazer planos de verdade. — Arranhada. Com dentes.

Isso fez com que Aidan olhasse para ela, com as sobrancelhas juntas, preocupado de verdade.

— E você não sabe se vai ficar Resfriada.

— Eu preciso supor que vou. — Tentou não deixar que ele visse quão amedrontada estava, como seu coração rugia como uma trovoada ao dizer aquelas palavras. — *Nós* temos que presumir que sim.

Ele assentiu.

— Seria dinheiro suficiente para nos enfiarmos em algum buraco por um tempo. Dois quartos, duas chaves. Nós poderíamos passá-las por debaixo das portas um para o outro depois de termos terminado. Mas temos que fazer alguma coisa. Eu estou com fome, Tana.

— O Gavriel nos ajudou... — Parou de falar, incerta. Quanto mais longe eles estavam da casa da fazenda, mais Gavriel parecia um monstro por si só. Ela pensou nos olhos dele, vermelhos como granadas, vermelhos como papoulas, vermelhos como as brasas brilhantes de uma fogueira. Pensou no que eles ensinavam na escola: *mãos frias, coração morto*. Muitos vampiros haviam se esquecido de como era sentir alguma coisa que não fosse a fome. Gavriel a havia ajudado, com certeza, mas isso não queria dizer que Tana poderia confiar que ele não se viraria contra ela agora que estavam fora de perigo. Vampiros eram imprevisíveis. — Pelo menos isso nos dá uma direção para onde ir. Eu vou pegar um pouco de comida. Você deveria tentar comer também, para ver se corta um pouco a ânsia.

Esperou que Aidan fizesse algum comentário, mas ele se virou para ver mais imagens de Coldtown na minúscula televisão, com os lábios levemente separados e as bochechas ruborizadas.

Se ela fosse uma boa pessoa, levaria Aidan até lá. Para o caso de ele ceder à fome. Ele poderia ceder à fome. E, se isso acontecesse, ele seria imortal, eterno. Encantaria as garotas com seus cabelos esvoaçantes até que a Terra colidisse com o sol.

Se ela fosse realmente uma boa pessoa, também levaria a si mesma até lá.

Tana deu a volta na loja, pegando um mapa com os dedos amortecidos. Havia anúncios presos com tachinhas a um quadro perto dos refrigeradores: retratos de adolescentes com a palavra DESAPARECIDO(A) embaixo da foto e números de telefones, propagandas de remédios homeopáticos com garantia de afastarem vampiros, gatinhos à espera de um bom lar e um anúncio que dizia apenas LIGUE PARA MATILDA EM TEMPOS RUINS.

Tana apanhou uma *root beer* e depois uma garrafa de água para tomar mais tarde. Na parte da delicatéssen, escolheu o sanduíche com a aparência menos assustadora, de peru e queijo amarelo em pão branco, e pegou dois deles junto com uma dúzia de pacotes de mostarda marrom, uma maçã e um frasco de ibuprofeno. Em seguida, preparou para si um café de tamanho jumbo, esvaziando-o em um recipiente junto com chocolate quente, para ter certeza de que era o bastante.

Largando seu banquete na frente do cara que estava atrás do vidro à prova de balas, ela pagou por aquilo e pela gasolina. Tana ainda tinha cerca de quarenta dólares, o restante do último pagamento de seu emprego de meio-período no quiosque de lanches do cinema. Quarenta dólares e um plano muito superficial.

Não tinha certeza do quanto Aidan sabia sobre como realmente era ficar Resfriado, mas se ele estivesse se visualizando em um quarto de hotel, assistindo à televisão e suando enquanto isso, como se estivesse passando por uma espécie de abstinência de drogas, então estava visualizando tudo errado. Assim que caísse nas garras da fome, se pudesse, ele quebraria a porta. Eles atacariam um ao outro. E depois atacariam outras pessoas, talvez até mesmo as matassem. Espalhariam ainda mais a infecção.

Porém, se não iriam para Coldtown e nem se enfiariam em algum buraco que fosse, a única escolha que tinham era dar a volta e ir para casa. Levar Aidan de carro de volta para a casa dele. Conversar com a mãe dele, uma mulher pequena e calada que vestia roupas simples e confortáveis em casa e que havia preparado xícaras de chá para Tana quando ela fora lá e que nunca fizera nenhum comentário sobre as roupas que ela ou Aidan usavam. Tana teria que explicar a ela que seu filho havia contraído o Resfriado. Conversaria com o pai dele, que Tana nunca tinha sequer chegado a conhecer. Estariam eles realmente preparados para confinar o filho de alguma forma e ignorar os gritos dele, sabendo que, se ele se soltasse, alguém ficaria ferido e eles seriam presos? Ou será que o mandariam para Coldtown de qualquer forma e fingiriam que nunca houvera nenhuma outra opção?

E quanto a ela? Onde ficaria para livrar seu corpo da infecção? Não no porão, onde seus gritos ecoariam pelas paredes, como acontecera com os gritos de sua mãe. Não no porão, onde Pearl poderia ouvi-la.

— Ok — disse a si mesma com um suspiro, sorvendo um grande gole do mocaccino. — Hora de ir embora.

Do lado de fora da loja, a brisa fresca soprou em seus cabelos negros e os jogou para trás, e o saco com a comida balançou em sua mão. Ela não via a hora de sentar-se e comer. Então, depois de se sentir um pouco menos zonza, decidiria que rota tomar.

Enquanto atravessava o posto de gasolina para chegar até o carro, notou que o porta-malas do Crown Vic estava aberto.

— Aidan — disse ela, com a voz abafada.

Lentamente, com o temor nos passos, Tana cruzou o asfalto.

O mecanismo de trava havia sido despedaçado e uma das dobradiças parecia solta, como se tivesse sido entortada. As correntes estavam enroladas em uma pilha onde deveria estar Gavriel, junto com os restos dos cobertores e dos sacos de lixo pretos.

— Como foi que ele...? — começou a dizer Aidan. Depois, parou de falar.

— Ele os despedaçou — disse Tana, apontando para um elo de metal, entortado, esticado e quebrado em uma das pontas. — Se ele fez isso, então poderia... ele sempre pôde se soltar. Lá na casa. Ele nos enganou.

— Talvez eles fiquem mais fracos durante o dia — sugeriu Aidan. — Que nem uma vez que encontrei um morcego simplesmente pousado no banco da cidade no meio da tarde. Era minúsculo e parecia muito infeliz, então eu o enfiei no meu sapato e o levei para casa. Achei que seria legal ter um morcego como bicho de estimação, então eu o mantive numa velha gaiola de passarinho, e ele ficou lá assim, numa boa. Até a noite. Daí ele não ficou mais dócil. Conseguiu sair da gaiola de alguma forma e ficou voando pelo quarto de um jeito insano. Quando esticava as asas, ele parecia gigantesco, enorme...

— Aidan — disse Tana. — Gavriel não é um morcego.

Ela ficou com o olhar fixo no metal surrado do porta-malas, na forma como as correntes estavam despedaçadas como se fossem feitas de papel alumínio em vez de aço.

Ele não deveria ter sido capaz de fazer aquilo. Vampiros eram mais fortes do que os humanos, mas não fortes *assim*.

— Há um motivo pelo qual as pessoas costumavam dizer que eles se transformavam em morcegos — disse Aidan em um tom enigmático.

Ela soltou um suspiro. Talvez ele estivesse certo... de alguma forma. Talvez, como o morcego na gaiola, Gavriel tivesse ficado esperando pela escuridão, esperando para soltar-se das correntes, beber o sangue de Aidan e fugir. Porém, quando ela aparecera, ele achara que poderia usar os dois para pegar uma carona durante a luz do dia, contanto que parecesse inofensivo o bastante a ponto de precisar ser salvo. Ela sentiu um frio na espinha.

— Bem, ele se foi agora. Somos só eu e você. — Aidan abriu um largo e preguiçoso sorriso para ela. Essa era a expressão exata que sempre assumia quando estava prestes a convencê-la de alguma coisa.

— É — disse Tana. Ele continuou encarando-a e sua expressão ficou diferente. Ela não achava que ele a estava vendo. Não mais. Aidan via pele, ossos e sangue. Ela deu um passo para trás. A chave de roda estava no banco do lado do passageiro, onde ela a havia deixado. Nunca a alcançaria a tempo. — Então vamos voltar para o carro e seguir em frente. Talvez encontremos um hotel, como você disse. — Estava apenas falando, tentando dizer alguma coisa que fosse distraí-lo. — A gente se enfia em algum buraco, como você disse.

— Ou poderíamos ceder à tentação. — Ele balançou a cabeça lentamente, chegando mais perto dela. — Pense nisso.

— Você não está falando sério — ela disse a ele.

— Por que não? — perguntou ele, avançando. — Poderia ser divertido. Há pessoas por aí que matariam para ter o que nós temos.

— Eu não quero ser um monstro — anunciou ela, afastando-se dele aos tropeções. Com o canto do olho, notou o brilho de uma câmera de segurança montada no trilho de alumínio do supermercado acima da porta. — Vamos entrar no carro. Você pode tentar me convencer. Eu prometo que vou considerar seriamente a possibilidade.

— Ah, que bom — disse Aidan, e lançou-se para cima dela.

Tana estivera meio que esperando por isso, devido ao jeito como ele estava falando, mas, ainda assim, o ataque a pegou de surpresa. Aidan era seu amigo, e não importava o quanto ela soubesse que ele não era confiável, todos os seus instintos a levavam a confiar nele. Ela jogou o mocaccino que estivera segurando em cima dele, na esperança de que o café quente fosse escaldá-lo, e saiu correndo. Porém, as pernas dele eram mais longas e ele era mais rápido. O garoto a levou ao chão, e o peso do corpo dele a manteve no asfalto. Ela sentiu a respiração fresca de Aidan no pescoço, e seus joelhos e as palmas de suas mãos ardiam onde ela os havia arranhado ao cair. O saco de comida caiu ao lado dela, a garrafa rachada de *root beer* espumando enquanto a maré de líquido se espalhava e ensopava a saia do vestido estilo babydoll, misturando-se com gasolina que havia vazado, arrastando as bitucas de cigarros.

É isso, pensou ela, *é aqui que eu vou morrer*. E sua morte seria filmada, seria vista pelo funcionário atrás da parede de vidro, gravada na câmera e talvez televisionada mais tarde para seu pai e sua irmã.

Aidan emitiu um som como o de um grito mesclado com gorgolejo, e Tana encolheu-se, esperando pela inevitável dor. No entanto, em vez da ardência embotada dos dentes, ela sentiu que ele a soltava e ouviu-o gritar. Ela rolou de costas no chão, esticando uma das mãos para pegar a garrafa quebrada, a única arma disponível. Seus dedos se fecharam na garrafa e ela girou-a em um amplo arco, esperando atingir a pele dele.

Então ela arfou.

Gavriel estava parado na frente dela, com os braços em volta do peito de Aidan, a boca no pescoço dele, os olhos cerrados. Havia uma terrível paz em seu rosto enquanto ele levantava Aidan do chão, um terrível prazer enquanto sua garganta se movia, bebendo goles e mais goles de sangue. Os olhos de Aidan estavam semiabertos, com as pálpebras pesadas, e focados no nada. Ele não estava mais lutando. A boca pendia aberta em um enlevo sensual e o corpo estremecia com a sensação.

Por um bom tempo, Tana não conseguiu se mexer. Era mais do que o medo de chamar a atenção para si mesma, mais do que o medo de ser ferida. Deveria estar horrorizada, mas se encontrava, em vez disso, encantada.

Aidan gemia, o som baixo na garganta. Os dedos de Gavriel o apertavam, puxando o corpo de Aidan para junto do seu.

Lenta e dolorosamente, Tana forçou-se a ficar em pé. Havia sangue e cascalhos grudados em seus joelhos e nas palmas das mãos. O vestido, que já fora branco, estava imundo.

— Gavriel — disse ela, com o máximo de firmeza que conseguia, e rezou para que sua voz não saísse tremida. Pensou no jeito como as pessoas supostamente deveriam falar com animais selvagens, como não poderiam deixá-los saber que estavam com medo. — Gavriel! Solte-o!

Ele não se mexeu, nem mesmo pareceu notar o que ela estava falando.

Ela agarrou-o pelo braço, meio que esperando que ele se virasse na sua direção.

— Por favor, solte Aidan. Ele vai morrer!

O vampiro puxou a cabeça para trás, com os olhos cerrados, as presas vermelhas e a boca aberta em um largo sorriso. Então, seus olhos realmente se abriram, brilhantes como tochas, e ela foi cambaleando para trás, aterrorizada. O corpo de Aidan caiu dos braços dele no chão.

Pela forma como Gavriel estava olhando para ela, Tana se perguntou se ele estaria pensando no sangue que subia às suas bochechas, na forma como o sangue pulsava com seu coração acelerado, no fluxo do sangue em sua pele e a forma como ele coloria seus lábios.

De repente, vieram até ela as palavras que ele havia lhe dito na casa de Lance.

Se eu me machucar, vocês devem tomar muito cuidado. Não, Tana, você tem que me ouvir. Você deve tomar cuidado comigo.

Ele não estivera preocupado em se ferir. Estivera preocupado em ferir outro alguém.

— Não — disse ela, encolhendo-se para trás, com a garrafa quebrada que ainda tinha apertada na mão parecendo inutilmente inadequada, um brilhante pedaço de vidro e nada mais. — Por favor.

Gavriel limpou o sangue da boca com o dorso de uma das mãos.

— Venha, Tana. A noite é uma criança e seu amigo está muito cansado. Nós deveríamos preparar uma cama para ele... *uma coroa de flores e um vestido, tudo em folhas de murta envolvido*[3].

A voz dele soava estranha, abstraída.

Tana curvou-se para baixo, onde Aidan estava deitado, e pôs a mão no peito dele, que se erguia e descia como se estivesse, de fato, apenas dormindo.

— Ele vai... ele vai viver?

— Não — respondeu Gavriel. — Sem chance de isso acontecer. Ele quer morrer, então morrerá. Mas não esta noite e nem por minha causa.

— Ah — disse Tana. — Então ele está bem?

Sob os holofotes, a pele de Gavriel parecia quase branca. A boca estava manchada de vermelho, apesar de ele esfregá-la. Era a primeira vez que

3. Trecho do poema *The Passionate Shepherd to his Love*, de Christopher Marlowe (1564-1593). (N.P.)

ela o via em pé e, novamente, foi atingida pela incongruência dele: alto, descalço, vestindo uma calça jeans e uma camiseta preta do avesso, cabelos bagunçados, sem as correntes, parecendo a sombra de um garoto comum, um garoto da idade dela, que não era um garoto, de jeito nenhum.

E havia um corpo caído aos pés dele.

— Sim — disse ele, esticando uma das mãos para ela. — Mas você está machucada.

Ela baixou o olhar para si mesma, para a bagunça do vestido e dos joelhos e de tudo.

— Eu não tive um dia muito bom. Acho que ainda posso estar de ressaca, e todo mundo está morto e minha ***root beer*** já era.

De forma horripilante, ela sentiu os olhos arderem com lágrimas repentinas.

Ele curvou-se para baixo e pegou Aidan, jogando-o por cima de um dos ombros.

— Vamos arrumar um outro dia para você — disse Gavriel, com uma sinceridade tão estranha que ela teve que sorrir.

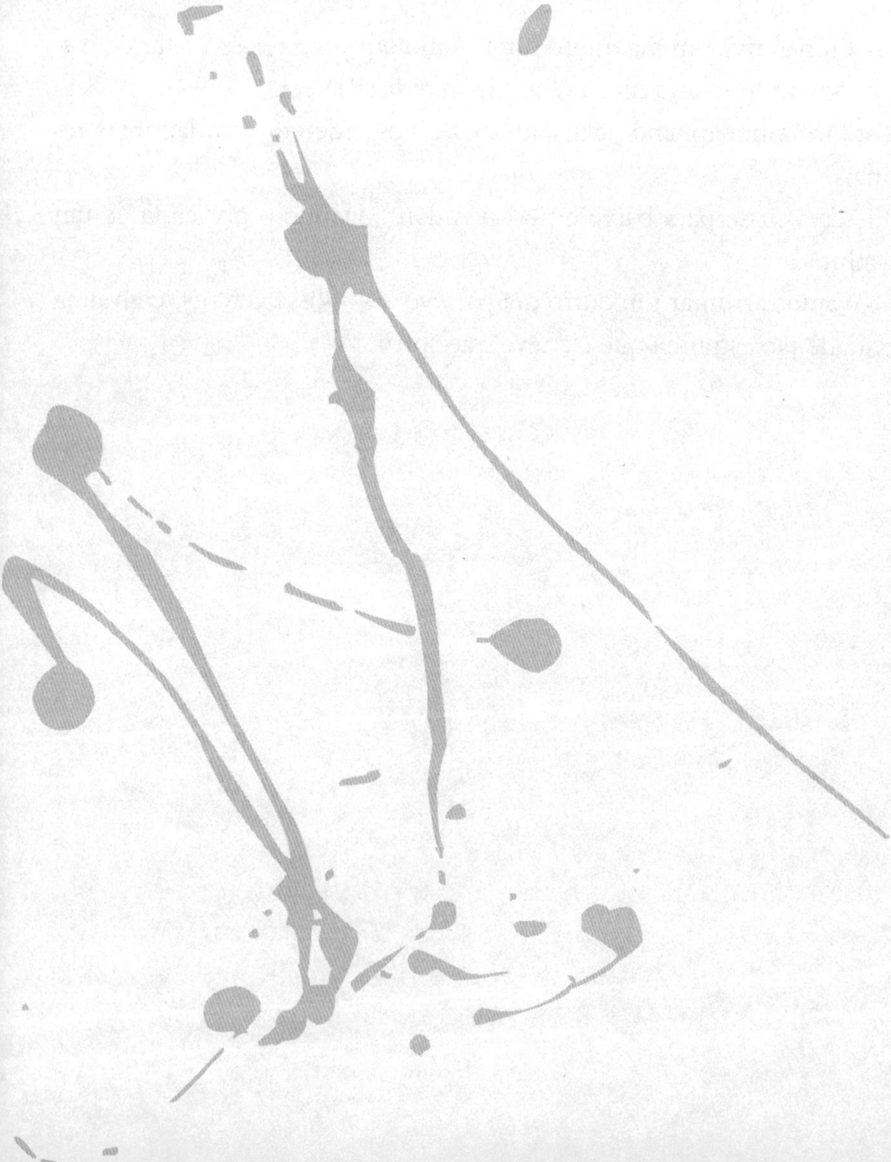

Capítulo 8

Os nossos mortos nunca estão mortos para nós, até que tenhamos nos esquecido deles.

— George Eliot

Às vezes há histórias nos noticiários sobre crianças pequenas que fazem maldades por não saberem das coisas. Como brincar com armas de fogo carregadas que disparam e matam irmãos, ou acender fósforos que, por acidente, colocam fogo em uma casa inteira.

Não é culpa da criança.

Só que é sim, de verdade, mas ninguém quer dizer isso. De quem mais seria a culpa? Foi a criança quem desobedeceu, foi ela quem roubou as chaves e destrancou todas as travas e quase deixou a coisa ruim sair.

O que realmente aconteceu no porão da casa de Tana não era como nenhum dos sonhos felizes em que ela e a mãe bailavam juntas. Depois que descera as escadas, um monstro a havia atacado, ensandecido de fome, os dentes mascando com tamanha ferocidade que a veia em seu braço fora rasgada e talhos de carne deslizaram pela garganta do monstro.

Ela havia gritado, gritos agudos, chamando a mãe, contudo a mãe já estava lá. A mãe era o monstro.

Quando Tana acordou, descobriu que fora seu pai quem a salvara. Ele tinha usado uma pá para decapitar a esposa. Em seguida, havia feito um torniquete de uma tira da camisa e levado a filha desobediente ao hospital, onde os médicos costuraram o braço dela.

Ninguém disse que era culpa dela. Ninguém disse que a odiava. Ninguém disse que era por causa dela que sua mãe estava morta.

Ninguém precisava dizer nada disso.

Capítulo 9

E aquilo que os mortos não falavam quando vivos,
eles podem lhe dizer, estando mortos:
a comunicação dos mortos tem uma língua de fogo
além da linguagem dos vivos.

— T. S. Eliot

Tana mal podia manter os olhos abertos. Gavriel estava ao volante, tendo pegado as chaves dos bolsos de Aidan depois de colocá-lo no banco traseiro do carro. Tana deveria ter protestado, mas deixara que ele entrasse pelo lado do motorista e que girasse a chave na ignição. Ela havia pegado a garrafa de água e os dois sanduíches, ainda embrulhados no plástico, limpara a areia deles e os comera enquanto eles seguiam em alta velocidade pela estrada, com os faróis tornando distintas as formas escuras de árvores e casas. As janelas estavam abaixadas e os cabelos de Gavriel esvoaçavam em volta do rosto como fitas pretas desfiadas.

Ela não sabia aonde estavam indo, apenas que estavam dirigindo para longe de sua antiga vida e entrando em uma versão distorcida desta gerada em um salão de espelhos.

Depois de comer, Tana sentiu-se sonolenta, como se tivesse sido drogada. Era a adrenalina sendo drenada, ela estava bem certa disso, o terror retrocedendo. Tentou se convencer de que não estava em segurança, de que estava em um carro com um vampiro que, além de ser um *vampiro,* estava falando como se fosse doido, mas seu corpo não parecia ter muito mais forças para lutar.

Tana piscou umas poucas vezes, tentando permanecer acordada.

— O que estava acontecendo lá na casa? Aquelas correntes... por que você não se livrou delas antes, se sempre foi capaz de fazer isso?

— Eu matei alguém, um vampiro, e estava exausto e... — Ele parou e olhou para a estrada por um bom tempo. Ela analisou as feições dele, a beleza andrógina e exagerada da boca larga e dos cílios tão pesados que faziam parecer que ele estava usando delineador. — A minha mente não é... não é o que era antes. Há uma loucura que toma conta de nós quando estamos famintos e feridos, uma loucura que só pode ser curada por meio da alimentação... mas as coisas que eles fizeram comigo... seria necessário um rio de sangue para lavar todas as minhas feridas. Eu luto pelos meus momentos mais racionais. Eu poderia ter me livrado das correntes, sim, mas teria pagado um preço por isso.

O que queria dizer que tinha lhe custado, mais tarde, no porta-malas do carro, quando ele já estava queimado.

— Você não parece louco — disse ela. — Bem, não parece *tão* louco *assim*.

A lateral da boca de Gavriel ergueu-se em um meio sorriso.

— Em uma parte do tempo, não sou, mas o restante do tempo é a maior parte do tempo. E, quando estou louco, infelizmente, sou todo apetite. Eles me deixaram lá com o garoto amarrado, salvo para a noite seguinte, como um doce em cima do travesseiro. Eu ainda estava esperando a escuridão se aproximar quando você entrou.

Tana ficou observando as sombras se mexerem no rosto dele junto com as luzes vindas da estrada. Ela se perguntava se ele poderia sentir o aroma de seu sangue, sendo levado pelos poros junto com o suor.

Achava que Gavriel havia planejado drenar o sangue de Aidan antes de fugir, embora ele não tivesse dito isso por sentir que seria algo ruim de se dizer.

Imaginou se Gavriel pensava em mordê-la; o rosto dele, ainda virado para a estrada, estava tão calmo quanto a estátua de um santo em uma catedral, mas ela o tinha visto com Aidan. Tinha visto a forma como ele afundara os dedos na pele do garoto e como os músculos no pescoço dele ficaram tensos, e, quando havia olhado para ela, com a boca pintada de sangue, o olhar contemplativo dele não seguira os movimentos dela. Ela se perguntava como seria ser infectada e ceder, deixar-se transformar, ser imortal e congelada no tempo e mágica e monstruosa.

Havia tantas garotas e tantos garotos fugindo para Coldtown que dariam qualquer coisa para terem a infecção correndo em suas veias como ardia nas de Aidan. Os vampiros lá dentro eram incrivelmente circunspectos em relação a morderem as pessoas, e era por isso que todas as fotos deles se alimentando dentro de Coldtown os mostravam se alimentando de tubos que gotejavam. Mais vampiros acabariam por exaurir a cadeia alimentar. Aquilo que Aidan tinha, e o que ela (talvez) também tinha, era raro e desejável. Havia uma garota que Tana tinha conhecido, uma amiga da Pauline, que cortava linhas finas nas próprias coxas com lâminas de barbear antes de ir aos clubes, de modo que um vampiro pudesse se sentir atraído por ela.

Quando olhou para a boca de Gavriel nesse momento, ela ainda estava manchada de carmim ao longo da extensão do lábio inferior. Talvez porque ele a tivesse salvo lá no posto de gasolina e ela estivesse se sentindo grata por isso, ou porque estivesse tão cansada, Tana ficou fascinada com a boca dele, pela forma como ela se curvava em um sorriso de pecador. Sabia que o estava olhando como se ele fosse um garoto, como um belíssimo garoto cujo sorriso poderia ser admirado, e que isso era algo perigoso e idiota de se fazer. Ela nem mesmo sabia se ele sequer pensava nela como uma garota.

Precisava parar de pensar nele desse jeito. O ideal seria que parasse de pensar totalmente nele, exceto como algo perigoso.

— Por que eles estavam atrás de você... aqueles homens e o Espinho? Foi ruim o que você fez?

— Muito ruim — concordou ele. — Um ato de misericórdia do qual me arrependo, do qual vou me arrepender eternamente. Eu tive um tutor uma vez que queria que eu acreditasse que a misericórdia é uma espécie de tristeza e que, visto que o mal é o motivo da tristeza, o mal também é o motivo da misericórdia. Eu achava que o meu tutor era velho e cruel, e talvez ele fosse mesmo... mas agora acho que ele também estava certo.

— Isso não faz sentido — disse Tana, recostando-se no apoio de cabeça almofadado. — A misericórdia não pode ser um mal. É uma virtude... como a bondade ou a coragem ou... — A voz dela falhou.

Gavriel virou-se para olhar para ela.

— Este é o mundo que eu refiz com a minha terrível misericórdia.

Ela balançou a cabeça em negativa.

— Isso também não faz sentido.

Em seguida, não pôde evitar e soltou um bocejo.

Ele deu risada, soando como qualquer garoto da escola. Ela se perguntou de que cor teriam sido os olhos dele havia muito tempo.

— Vá dormir, Tana. Recline-se no assento. Se você permitir que eu pegue seu carro emprestado esta noite, prometo que a compensarei por isso.

— Ah, é? — perguntou ela, olhando para ele, com os pés descalços e roupas simples e pretas. — Com o quê?

O sorriso permaneceu nos lábios dele.

— Joias, mentiras, tiras de papel, flores secas, lembranças de coisas que se passaram há muito tempo, citações inúteis, mãos ociosas, botões e travessuras.

Ela tinha quase certeza de que ele estava brincando.

— Ok. Então, aonde estamos indo? — quis saber, indicando a janela com a cabeça.

A voz dele foi suave:

— Coldtown.

— Ah — disse ela, piscando para acordar novamente.

— Eu devo ir. Mas, se Aidan cruzar os portões comigo, ele estará mais seguro, e você estará mais segura sem ele. Eles vão caçá-lo pelo mundo. E é bem provável que ele comece a caçar também.

— Mas e se ele não quiser ser um vampiro? — perguntou-lhe Tana. Assim que as palavras saíram de sua boca, ela se deu conta de que ele desejaria isso, era *óbvio* que Aidan desejaria isso! Não era exatamente o que ele tinha dito antes de atacá-la? Ser um vampiro faria com que tivesse toda a glória que pudesse imaginar. Não seria apenas conhecido como o cara em uma festa que muito provavelmente seduziria a namorada de alguém ou como o garoto de cidade pequena que ansiava pela cidade grande. Em Coldtown, ele ficaria afogado em atenção, e o massacre na casa da fazenda apenas tornaria sua história mais trágica. Mais romântica.

Além do mais, Aidan estava com fome.

Tana era a única que não queria ser uma vampira. E estava com medo de que, conforme o tempo passasse, passasse a ter cada vez menos certeza disso.

— A febre está no sangue dele — disse Gavriel. — Ele não busca nenhuma outra cura. Eu acho que ele tomou a decisão em seu coração, mas quem pode confessar ter tomado tal decisão?

— É difícil lutar contra a infecção — disse Tana, e a voz saiu mais rouca e mais desesperada do que ela pretendia. Não queria falar sobre a mãe. Não queria dizer a ele que a febre poderia estar no sangue dela também. Dentro de umas poucas horas, poderia estar tão mal quanto Aidan. — Eles *não conseguem*. Você não entende. A febre toma conta deles e eles não conseguem pensar direito.

Ele não disse nada em resposta. Naquele silêncio, ela percebeu quão idiota estava sendo. Ele deveria ter sido infectado uma vez, deveria ter cedido à infecção, deveria saber melhor do que ela como era a sensação.

— Se você for a Coldtown — disse Tana, na esperança de mudar de assunto —, não vai poder sair de lá. Tem certeza de que, seja lá por que você esteja indo até lá, é algo que valha a pena?

— O que é isso? — ele perguntou repentinamente, tirando uma das mãos do volante para encostar no braço dela.

— Isso o quê? — perguntou ela, olhando para baixo.

Os longos dedos dele tracejaram o contorno da cicatriz logo abaixo da curva do cotovelo dela, mas não dava para decifrar a expressão dele. A pele de Tana parecia cálida demais em comparação com o frescor do toque dele, como se ela estivesse febril.

— Estas são marcas antigas — disse ele por fim. — Você era só uma criança.

— Isso deveria importar? — quis saber Tana. Geralmente ela tomava cuidado, mas deveria ter puxado as mangas do vestido.

— Por que a morte deveria discriminar entre velhice e juventude, você quer dizer? — perguntou ele, com calma. — A morte tem seus prediletos, como qualquer um. Aqueles que são queridos da morte não haverão de morrer.

Ela ficou aliviada porque ele não lhe havia feito nenhuma daquelas perguntas horríveis e idiotas com as quais já estava acostumada: *Quem mordeu você? Ouvi dizer que não dói quando se é mordido... dói? Você gostou de ser mordida? Ah, vamos lá! Você está mentindo, você gostou, não gostou?* Mas então, ele deveria saber a maioria das respostas.

— Parece que a Morte voltou para me buscar.

Ele abriu um sorriso, um sorriso largo e sutilmente estranho que, de alguma forma, fez com que ela sorrisse em resposta.

— Você a afastou novamente. Durma, Tana. Eu protegerei você da Morte, pois não tenho medo dela. Somos adversários há tanto tempo que somos mais chegados do que amigos.

— Eu só vou fechar os olhos por um minuto — disse ela. — Não é nem tão tarde assim.

Havia outra coisa que ela queria dizer, algo que estava prestes a dizer, mas as palavras foram engolidas pela noite.

Tana acordou ao som de vozes. Estava sozinha no carro, estirada no banco da frente, usando o braço como travesseiro para apoiar a cabeça, um dos pés com a bota de encontro ao vidro da janela do lado do motorista. O agradável aroma de café no ar, misturado com gás queimado do carro. E ela sentiu um calafrio, como se tivesse chutado para longe um cobertor bem no meio do inverno.

Por um instante, acordar pareceu uma coisa boa de se fazer. Ela se lembrava de uma festa e de ter ficado preocupada em ir à festa sozinha, onde estava certa de que trombaria com Aidan. Ouviu a voz dele do lado de fora do carro, então tudo devia ter dado certo. Exceto que as lembranças pareciam fazer parte de um pesadelo, coisas que não poderiam ser reais. Sangue, olhos vazios e uma chuva reluzente de vidro estilhaçado.

Então tudo voltou à sua mente de uma vez só, e todos os seus músculos se retesaram com uma sensação instintiva de alerta. A cabeça estava a mil e ela se mexeu no assento, chutando o volante na ânsia de ficar ereta.

Seu Crown Vic estava parado em um estacionamento, longe do aglomerado central de carros e caminhões. Ao longe, ela viu um grande e irregular edifício, lâmpadas que piscavam e holofotes reluzentes anunciando o lugar como sendo "DEAD LAST REST STOP — ABERTO 24 HORAS". O brilho puro e espalhafatoso disso tornava os limites mais distantes do estacionamento ainda mais escuros em comparação.

Ela nunca estivera ali antes, mas conhecia o lugar, da mesma forma como conhecia o Sul da Fronteira. As crianças na escola usavam camisetas adornadas com o logo do lugar ou colavam adesivos de para-choques do lugar em seus carros. O ***Dead Last Rest Stop*** era tão ostentoso e famoso assim por causa de sua proximidade da primeira Coldtown.

Eles haviam avançado muitos quilômetros enquanto ela dormia.

Gavriel estava sentado no capô do carro, com um saco de papel e um copo fumegante ao lado. Estava com a cabeça baixa e, sombreado como estava seu rosto, parecia um pálido garoto humano e não um monstro, de jeito nenhum. Aidan estava em pé, parado com as mãos nos bolsos, conversando com duas pessoas que Tana não conhecia. Ele deveria estar atordoado pela infecção, mas parecia estar escondendo-a bem, e sua voz estava só um pouco irregular. A dupla era formada por uma garota e um garoto, cujos cabelos estavam tingidos do vibrante azul-celeste das asas da borboleta e de bolas de chiclete. Eram tão parecidos que Tana achava que deveriam ser gêmeos.

— Você tem certeza de que pode dar uma carona pra gente? Quero dizer, obrigado, claro, mas eu só quero ter certeza de que você está falando sério — o garoto estava dizendo. Os cabelos dele estavam navalhados atrás, e o restante estava penteado para a frente, desordenado, com partes mais longas de cabelo emoldurando franjas pontudas. Os olhos estavam delineados com kajal, e um único piercing de prata reluzia logo acima do lado direito do lábio, como uma dessas pintas charmosas. — Aqui fora, no mundo sem graça, nós somos só duas crianças sem dinheiro nenhum, mas lá dentro tudo gira em torno de trocas de mercadorias e serviços, e favores, e de quem você conhece. A Midnight é íntima de muita gente por causa do blog dela, então nós temos onde ficar quando chegarmos à cidade. Nós trouxemos muita coisa para trocar e temos um plano. Então, podemos ajudar vocês, se vocês nos ajudarem.

Aidan sorriu.

— Definitivamente.

Ele olhou para trás, para o carro, em direção a Tana. Ela não sabia ao certo se deveria sair dali. Já era bem ruim que ele estivesse prometendo carona às pessoas.

— Ir para Coldtown foi meio que um impulso para nós — disse ele. — Então, um guia seria útil.

A garota, Midnight, pôs a mão no ombro de Aidan.

— Impulsivo — disse ela, como se não houvesse um elogio melhor do que este. Seus cabelos eram muito mais longos do que os do irmão, divididos em um dos lados e caindo na frente do rosto, cobrindo por completo um dos olhos. Ela vestia uma calça jeans skinny e um top azul de veludo, e sapatilhas de balé sujas, tingidas em casa em um matiz de azul. Havia duas argolas de piercings passando por seu lábio inferior, e o piercing que tinha na língua batia de encontro aos dentes quando ela falava. — Nós fazemos parte de uma rede on-line para pessoas que estejam planejando ir a Coldtown. Costumávamos postar o tempo todo sobre encontrarmos o nosso destino. Clamando todas as coisas que as pessoas normais não querem. A gente falava, falava e falava, mas quantos de nós realmente faziam alguma coisa? Nós dizemos que a pessoa tem que estar disposta a morrer para ser diferente. Eu aposto que você também acredita nisso.

O garoto apontou uma unha pintada para Aidan.

— Você nem mesmo o conhece, Midnight. Pode ser que ele esteja fazendo isso totalmente por capricho. Pode ser que ele não esteja falando sério. Ele pode estar meio chapado. Olhe para ele... há algo errado com os olhos dele e ele está suando.

Midnight revirou os olhos, e sua voz estava repleta de sarcasmo.

— Essa é uma coisa legal a dizer de alguém que está nos oferecendo uma carona. — Ela olhou para Aidan. — Não ligue para o Winter. Ele é superprotetor.

— Então vocês *estão* dispostos a morrer para serem diferentes? — Aidan perguntou a eles, e Tana ouviu a fome na voz dele.

— Com certeza — disse ela. — Eu queria ir a Coldtown no ano passado, mas Winter não queria ficar eternamente com dezesseis anos e eu tive que admitir que seria meio tosco mesmo. Então, chegamos a um meio termo. Dentro de um mês, nós vamos fazer dezoito anos e achamos que somos velhos o bastante para ir.

Midnight e Winter[4], pensou Tana. Sabia que os nomes tinham que ser falsos e que a aparência dos dois era um artifício elaborado, mas eles usavam sua estranha beleza como pintura de guerra. Formavam uma dupla intimidante.

Winter olhou para suas botas na altura do meio da perna, na extensão das quais havia fivelas de um lado ao outro, e franziu o cenho como se quisesse que Midnight desse uma resposta diferente a Aidan. Uma longa corrente de metal corria do gancho em seu cinto até o bolso traseiro; ele a girava em torno de um dos dedos, ocioso, do mesmo modo inquieto como a irmã mordia os piercings no lábio.

— Eu vou postar a coisa toda no blog — disse Midnight. — É assim que vamos pagar pelas coisas depois que nossas mercadorias de troca acabarem. Tenho um lance para doações no site, e temos os anúncios e tal... meus leitores já eram um bom número antes, mas chegaram às alturas depois que fugimos. Cem mil visitantes únicos estão assistindo à nossa aventura. Fizemos uma promessa um ao outro... e a eles.

— Chega de aniversários — recitaram eles mais ou menos ao mesmo tempo. Depois, ficaram ruborizados e riram um pouco. Era um voto, uma parte de um cântico, a escritura deles, algo que ambos levavam tão a sério que dizer isso em voz alta os deixava envergonhados.

— Por que vocês estão planejando morrer e se erguer novamente? — perguntou Gavriel de cima do capô do carro. Eles olharam de relance para ele, surpresos, como se tivessem se esquecido de que ele estava ali. O rosto de Gavriel estava sombreado o bastante para ocultar os olhos, mas sua imobilidade antinatural deveria ter deixado os dois enervados.

— Eu acabei de postar sobre a nossa Última Ceia — disse Midnight, pegando o celular e estendendo-o para Aidan, inclinando-se mais para perto dele do que era necessário. — É meio que uma tradição. Antes de passar pelos portões, a gente come uma última refeição. Todas as nossas comidas prediletas. Veja, Winter comeu pizza com azeitonas, batatas fritas com ketchup e ***boba tea***. E aqui está uma foto da minha última refeição, bife e ovos com uma fatia de torta de maçã. Eu estava tão animada que só dei uma mordida em cada. Sabe, que nem quando a pessoa

4. Meia-noite e Inverno. (N.T.)

ganha uma última refeição especial que ela pode escolher antes de ir para a cadeira elétrica.

Última Ceia. Tana se deu conta de que isso se devia ao fato de que eles esperavam morrer.

Ela viu como o olhar contemplativo de Aidan passava pela pele de Midnight. Ela era realmente bela, com grandes olhos negros e todo aquele cabelo azul, com brincos em forma de adagas pendendo dos lóbulos das orelhas. Ele abriu um largo sorriso, como se o que ela havia acabado de dizer fosse muito engraçado.

Ele ia mordê-la.

Tana saiu do carro, batendo a porta com tudo atrás de si. Todos olharam na direção dela, e Midnight franziu a testa ao ter sua conversa interrompida.

— Aidan — disse Tana em tom de aviso. — Está tudo bem?

Ele se virou na direção dela, com um sorriso forçado relaxando e dando lugar a um sorriso de verdade conforme ela se aproximava. Deu de ombros e jogou, despreocupado, um dos braços por cima do ombro dela.

— Midnight, Winter, esta é a minha namorada, Tana.

Midnight recuou um passo, assim afastando-se um pouco de Aidan. Winter olhou para Tana de um jeito que lhe dizia quão péssima deveria estar sua aparência, com o vestido rasgado e imundo, os cabelos todos bagunçados.

— Eu não sou... — Tana começou a dizer, afastando-se de Aidan.

Ele ainda estava sorrindo.

— E ela está preocupada porque estou doente. Estou Resfriado. Ela está preocupada que eu vá morder você, e deveria ficar preocupada mesmo, porque eu quero morder você. Quero muito.

Com isso, Gavriel ergueu o olhar novamente, e ele e Tana se entreolharam. Ela não conseguiu ler a expressão dele, mas pôde ver que não estava satisfeito. Midnight cobriu voando a boca com uma das mãos; havia esmalte prateado lascado em suas unhas e anéis de ônix nos dedos.

Winter analisou o rosto de Aidan.

— Você está doente mesmo, não está?

— Ele foi mordido ontem à noite — disse Gavriel, inclinando-se para a frente, com os cabelos negros caindo no rosto. — Ele consegue controlar a fome agora, por curtos períodos, mais ou menos, mas vai piorar. Talvez ele tenha mais um ou dois dias antes de ter que ser contido.

Tana esperava que Aidan apresentasse alguma resposta a isso, no entanto ele estava calado. Talvez não tivesse se dado conta de que ficaria pior. Tana pensou na mãe gritando lá do porão e estremeceu.

Pensou na forma como sua pele parecera resfriada quando acordara. Não sabia ao certo por que Aidan não havia dito nada sobre a possibilidade de ela estar Resfriada, fosse porque estava sendo legal ou por ter se ligado de que eles ficariam menos impressionados se o perigoso não fosse só ele. Mas, de uma forma ou de outra, ela estava grata por isso.

— Posso entrevistar você? — perguntou Midnight a Aidan, sacando o celular e mexendo nele, abrindo algum aplicativo. — Para o blog? Você pode descrever como é a sensação... da fome?

— Cuidado — disse Winter, colocando a mão no braço da irmã.

Tana pôde ver que Midnight não estava ouvindo o irmão. Sua boca estava levemente aberta, fascinada, um rato apaixonado por uma cobra.

— Vamos! — disse Midnight a Aidan, perdendo a compostura por completo. Ela dava pulinhos em suas sapatilhas sujas de balé. — Por favor! Eu nunca conversei com alguém que estivesse vivenciando o que está acontecendo com você. Estou tão curiosa... e os meus leitores ficariam supercuriosos também. Deve ser incrível ter todo esse poder correndo em suas veias.

— É como se você fosse oco — disse Aidan, olhando para a câmera como se estivesse pronto para devorar todos os telespectadores, parecendo um dublê de uma daquelas celebridades vampíricas da internet. — Oco e vazio, e só uma coisa importa.

— Eu não consigo acreditar que isso esteja acontecendo — disse Tana, andando em direção a Gavriel.

Ele estendeu um copo para ela, aquele que ela havia visto ao lado dele no capô quando acordara. A camiseta preta dele estava estirada e apertada no peito, e havia um saco de papel amassado ao lado dele.

— Dizem que um sono longo é a melhor cura para todas as doenças.

Ela tomou um bom gole do café. Estava doce demais e muito cheio de creme, como se tivesse sido misturado por alguém que não fazia a mínima ideia de como deveria ser o gosto do café, alguém que não sentia o sabor da comida fazia muito tempo. Ela esticou a mão em direção ao saco.

— O que tem aqui dentro? Donuts?

Ele desviou o olhar, como se não quisesse vê-la abrindo o saco.

— Pegue. É para você também.

O saco acabou contendo um colar de granadas da Boêmia agrupadas como se fossem sementes de romã, com um medalhão incrustrado com uma imensa granada, do tamanho de um figo, pendendo do ponto central. O fecho dourado atrás estava quebrado, como se tivesse sido arrancado do pescoço de alguém, e o medalhão em si estava vazio. O colar repousava em uma espécie de cama de notas de dinheiro soltas, algumas manchadas de tinta, algumas com manchas marrom-avermelhadas, algumas notas de um dólar e algumas de vinte misturadas a uns poucos euros, tudo comprimido, junto, em uma pilha bagunçada.

— Onde você arrumou tudo isso? — perguntou ela.

Naquele instante, Midnight soltou um grito. Tana virou-se em direção a eles e sentiu as mãos frias de Gavriel se fecharem em volta dela. Dedos gélidos afundavam em sua pele logo abaixo das costelas. A pegada dele era tão firme que ela sentiu como se estivesse sendo segurada por uma estátua de bronze.

Midnight estava no chão, o celular jogado para um lado, e as mãos lutavam para empurrar Aidan para longe. Ele estava agachado sobre ela, tirando sua blusa de veludo por cima. Winter tinha segurado um dos braços de Aidan e estava tentando puxá-lo para trás.

Tana chutou inutilmente o para-choque do carro enquanto era arrastada para cima no ar. Sentiu o peito de Gavriel em suas costas, liso e gelado como pedra. Sentiu a gélida curva do maxilar dele, onde ele o descansava, apoiado no topo da cabeça dela.

— Shhh, Tana — disse o vampiro, deslizando a bochecha para baixo pelos cabelos dela, de modo que pudesse murmurar encostado na garganta da garota. O terror sobrepujou-a, imenso e animal. Seu corpo assumiu o controle, remexendo-se, contorcendo-se, tentando arranhar. Era como se estivesse naquele porão escuro mais uma vez, com os lábios frios da mãe dando-lhe um beijo final.

— Shhh — disse ele. — Está quase terminando.

— Não! — gritou Tana, lutando inutilmente. — Não, não, não. Eu tenho que ajudá-lo. Me solta!

Então, de repente, ele fez o que ela mandou, deslizando as mãos para libertá-la. Ela saiu cambaleando e quase caiu de joelhos no chão.

Winter havia soltado o braço de Aidan, preferindo puxá-lo para longe de Midnight pelos cabelos. A cabeça de Aidan ia para trás e para a frente, e Midnight estava com a mão debaixo do maxilar dele, empurrando-o para longe dela. Mas ele estava perto, perto o bastante para que seus dentes partissem a pele exposta do braço dela. As unhas dele rasparam o ombro dela, criando pequenos riachos de sangue.

Os gritos da garota subiam em espiral no céu da noite.

Por um instante, a mente de Tana ficou em branco. Então, ela apressou-se a ir até lá, agachou-se de modo a poder enfiar as mãos sob as axilas de Midnight e erguê-la.

Aidan olhou para Tana e, por um instante, ficou claro que ele achava que ela o ajudaria. Então ela correu para longe dele, puxando Midnight com o máximo de força de que era capaz, e ele rosnou, compreendendo.

Aidan foi em direção às pernas de Midnight, porém ela foi rápida o bastante para chutá-lo com força no peito. Mesmo que ela estivesse usando apenas sapatilhas, ele caiu, tropeçando e apoiando-se em um joelho, ofegante, com uma das mãos estiradas como se para afastar mais violência.

Winter travou o braço em volta do pescoço de Aidan e manteve-o assim. Por um instante, o corpo de Aidan ficou mole, e então ele elevou os dedos que tremiam, manchados de vermelho. Ele estava prestes a lambê-los. Tana deu um pulo à frente, limpando as mãos dele no vestido. Ela não sabia ao certo quanto de sangue humano o transformaria, mas não queria se arriscar de modo algum.

Aidan começou a rir, um som abafado pelo braço de Winter em sua garganta.

Midnight soluçava e chorava baixinho, com o vermelho ensopando sua blusa rasgada, transformando o veludo azul em preto.

Tana olhou para Gavriel. Ele estava observando-a com olhos semicerrados de um escarlate reluzente, um olhar fixo, determinado e libidinoso.

— Você não fez nada! — ela acusou-o, apontando para ele um dedo trêmulo.

Ele inclinou-se em direção ao cenário da carnificina, como uma árvore se curvando ao vento, como se ela tivesse feito um sinal chamando-o.

— Você poderia tê-lo feito parar e simplesmente deixou que isso acontecesse.

— É perigoso ir até Coldtown infectado, mas não transformado ainda. — A voz dele soou distante, mas algo na forma como moveu a boca, um pouco de languidez, mostrava como o sangue no ar e a sensação da luta dela contra ele tinham atiçado sua fome. — Teria sido mais seguro se você simplesmente tivesse deixado acontecer. Todos os vampiros novos nascidos em Coldtown comprometem o suprimento de sangue. Há apenas um número X de doadores.

— É perigoso estar infectado em qualquer lugar — disse Tana. — Eu só não quero que ele morra.

— De uma forma ou de outra, todos nós acabamos mortos — disse Gavriel, de olho em Aidan.

Então ele se curvou e pegou o copo de café do chão, trazendo o líquido remanescente para lavar os dedos de Aidan. Tana ajoelhou-se no asfalto fresco do estacionamento, cuidadosamente raspando a pele de Midnight de sob as unhas de Aidan com as próprias unhas.

— Corta-tesão! — disse Aidan, em voz baixa. Um suor frio umedecia a franja dos cabelos sobre sua testa. Ele ergueu um largo sorriso para Gavriel, com a cabeça pendendo no braço de Winter agora, como se não tivesse mais forças para lutar.

— Você me deve uma — disse Tana a Aidan. — Eu espero que você saiba exatamente quanto me deve.

Inclinando-se sobre eles, o rosto de Gavriel não ficava mais oculto pelas sombras. Seus olhos captavam as luzes piscantes da placa da loja, e a pele era pálida demais para pertencer a um ser humano.

Winter ficou em pé abruptamente, libertando Aidan e recuando, afastando-se do vampiro.

— Algum problema? — perguntou Gavriel a ele.

Aidan alongou-se, erguendo o olhar para as estrelas. Midnight forçou-se a ficar em pé, não com muita firmeza, limpando lágrimas do rosto e borrando o rímel preto. Viu Gavriel e ficou paralisada, tal como seu irmão havia ficado.

— Rosas são vermelhas... sim, estes são meus olhos de verdade. Eu não sou aquilo que vocês estão procurando? — O sorriso de Gavriel era só dentes. — Estive aqui o tempo todo esperando que vocês notassem isso. Eu posso dar o que vocês desejam. Posso dar a vocês o esquecimento eterno.

— Para com isso — disse Tana, batendo no ombro dele, continuando a fingir que ele era uma pessoa comum, fingindo que não estava com medo, com a esperança de que ele esquecesse também, fingindo que tinha algum poder que fosse em toda essa situação. — Para com isso *agora mesmo!* Pra mim já chega de todo mundo atacando todo mundo.

Suas palavras pareciam quebrar o encanto que ele tinha sobre Winter, que colocou a mão no ombro não ferido da irmã.

— Nós deveríamos levar você a um pronto-socorro.

— Nada de hospital — disse Midnight, grogue. — Eu só preciso de curativos... nós podemos conseguir uns curativos lá dentro.

— *Jenny* — disse Winter. — Por favor, vamos para casa.

A garota olhou para ele com olhos arregalados, negros e furiosos.

— Nós temos tudo de que precisamos bem aqui. E nunca mais me chame desse nome de novo. Nunca. Mais!

Tana olhou na direção de Aidan, que ainda fitava embasbacado as estrelas. Ele estava respirando com mais rapidez, como se não conseguisse inspirar o ar por completo. Pressionava uma das mãos junto ao coração. Mal pareceu notar quando ela chamou seu nome baixinho.

— Vá com eles — disse Gavriel a Tana, sentando-se ao lado de Aidan e empurrando para cima a manga da própria camiseta. — Já que é o seu desejo, eu não vou deixar que ele se alimente dos vivos, mas não há nenhum motivo pelo qual ele não possa beber dos mortos. Isso vai aliviar a fome dele. Vá, Tana. Nós estaremos aqui quando vocês voltarem.

Ela foi.

Capítulo 10

Quando a vida é uma tragédia,
E a esperança é uma tolice,
O Mundo diz: "Vá!",
E o Túmulo diz: "Venha!"

— Arthur Guiterman

No inverno antes da festa ao pôr do sol — antes de Tana desaparecer e talvez, ser infectada, antes de Pearl ter ficado assustada e com medo conforme os dias se passavam e Tana não telefonava para eles para contar *nada que fosse* — uma assembleia tinha sido realizada na escola secundária para discutir o vampirismo. Mesmo com os alunos do sétimo e do oitavo ano ficando em prédios diferentes, todos eles foram, inclusive Pearl, marchando e seguindo como um rebanho até a frente do auditório.

Enquanto descia os degraus, Pearl ergueu a cabeça, procurando por sua irmã. Os alunos do oitavo ano pareciam tão mais velhos do que ela, falavam alto e eram intimidantes. Alguns dos garotos mais velhos tinham barbas ralas e as garotas se vestiam como se estivessem na faculdade. Com a saia de brim e um legging por baixo, com os tênis Converse All-Star novinhos em folha, cor-de-rosa e brilhantes, e os cabelos presos em um rabo de cavalo de lado, Pearl sentira estar com uma aparência fofinha quando se vestira pela manhã. Agora, sentia-se como uma criancinha.

— *Pearl*! — chamou uma voz acima do clamor feito pelos alunos que procuravam lugares para se sentar e gritavam com os amigos. Virando-se, ela avistou Tana e Pauline acenando para ela mais ou menos lá no meio do auditório.

Tana colocou as mãos em concha em volta da boca para fazer com que a voz soasse mais alta.

— Vem sentar aqui com a gente!

Pearl olhou para o restante de sua classe, que marchava obediente, em grupo, para a frente. Então, olhou para a irmã que acenava para ela. Por fim, tomou uma decisão e seguiu seu caminho, passando pelas crianças mais velhas e dirigindo-se ao assento que Tana havia reservado para ela.

— Eu deveria estar lá — disse Pearl, apontando para sua professora.

— Mas nós vamos nos divertir mais *aqui* — prometeu-lhe Pauline, abrindo um grande sorriso que dizia "nós três vamos nos meter em encrenca juntas". Ela estava usando um vestido listrado em preto e branco, botas de um laranja berrante e um chapéu vintage cor-de-rosa com um véu. Era estranho ver Pauline e Tana juntas na escola; era como se estivesse vendo uma parte da irmã dela que geralmente ficava escondida.

Em casa, era Tana quem preparava o jantar quando o pai delas esquecia (o que acontecia com muita frequência); era ela quem conhecia apenas três receitas (espaguete, salada com um filé de frango em cima e burritos); era ela que era boa em trançar cabelos sem puxá-los com muita força (exceto quando fazia tranças francesas); e ela era quem conseguia consertar quase qualquer coisa (pias, privadas, canecas prediletas). Na escola, obviamente ela era uma outra pessoa. Alguém que andava com arrogância por aí em suas grandes botas e sua jaqueta de couro preta, fazia aulas de oficina mecânica junto com os meninos e olhava com ódio para todo mundo que não fosse Pearl ou Pauline, como se quisesse nocauteá-los.

Bem naquele instante, ela e Pauline estavam reclinadas em suas cadeiras, com largos sorrisos voltados uma para a outra por cima da cabeça de Pearl. Era esquisito.

— Nós temos uma conferencista especial hoje — anunciou a diretora Wong a eles naquela sua voz sensata, que dizia sem dizer: "envergonhem a escola e vou fazer com que vocês lamentem por isso", com os cabelos curtos penteados para um dos lados e presos com gel para ficarem no lugar. — Nós vamos ouvir o relato de alguém que ficou presa dentro de Springfield quando os muros foram erguidos. Obrigada por ter concordado em vir até aqui e contar sua história, Yashira Baez. Vamos dar grandes boas-vindas da Astell Regional a ela!

Todo mundo aplaudiu ruidosamente, com alguns dos garotos nos fundos gritando "uhu!". Pearl inclinou-se para baixo para pegar uma caneta com cheiro de morango e um caderno de sua bolsa, caso tivesse que anotar alguma coisa.

Uma pequena mulher latina subiu no palco, vestindo uma calça jeans e um cardigã amarelo-claro. Parecia velha o bastante para ser avó de alguém.

— Eu vou contar essa história a vocês exatamente como aconteceu. Eu estava indo para Springfield para tirar a minha tia-avó de lá quando os militares bloquearam a área. Ela estava em um complexo de apartamentos de moradia assistida e era velha demais para dirigir. Então, quando ouvi o rumor de que a cidade estava sendo fechada, achei que conseguiria tirá-la de lá a tempo. Infelizmente, fiquei presa lá junto com ela. Eu morei na primeira Coldtown durante dois longos anos até que dei um jeito de conseguir dinheiro o bastante para comprar para mim um sinalizador de um caçador de recompensas. Eu nunca teria conseguido isso sem as doações da minha igreja, de modo que agora eu vou às escolas para tentar retribuir à comunidade o que eles fizeram por mim.

"As pessoas perguntam o tempo todo se os vampiros são como nós. Eu sempre digo que, nos meus dois anos presa lá dentro, joguei damas com vampiros. Eu fiquei sentada em varandas com vampiros. E eles eram muito parecidos com as pessoas que foram antes. Mas não são *os mesmos*. Vampiros são predadores, e nós somos as presas. Isso é algo que vocês nunca podem esquecer."

Ela olhou muito séria para o público.

— Circos domam tigres. Fazem com que eles pulem por entre aros em chamas. Eu aposto que aqueles tigres são realmente legais com seus treinadores. Batem neles com suas grandes cabeças, de brincadeira. Rolam de costas no chão como gatos domésticos. Mas, se estiverem com fome o bastante, os tigres vão comer aqueles mesmos treinadores com quem eles foram tão legais.

Algumas pessoas em meio ao público ali reunido deram risadas nervosas. Tana não riu. Pauline olhou para ela, um pouco preocupada.

— Agora, eu nunca presumo que todo mundo tenha conhecimento do básico, então nós vamos repassá-lo novamente. Pessoas infectadas, pessoas que têm sangue de vampiro nas veias, pessoas que pegaram o Resfriado, bem, elas não podem espalhar a infecção. Estão *infectadas*, mas não são *infecciosas*. Entenderam?

— É *óbvio* — disse Pauline baixinho. — Caso contrário, o mundo estaria enterrado em vampiros.

A sra. Baez continuou falando, repassando coisas que considerava básicas. Pearl sabia da maior parte daquilo tudo, ou pelo menos sentia como se já tivesse ouvido aquilo antes.

Uma vez que uma pessoa fosse mordida, os sintomas apareceriam dentro de doze a quarenta e oito horas. Às vezes, as pessoas eram resgatadas antes que uma mordida pudesse ser completada e exibiam sintomas menores, mas não ficavam, de fato, Resfriadas.

Um número muito pequeno de pessoas tinha sistemas imunes capazes de lutarem contra a infecção. A sra. Baez contou a eles a história de um caçador de recompensas indonésio que tinha sido mordido em oito ocasiões, e, mesmo com a pele marcada pelas cicatrizes dos ataques, não ficara infectado. Ele confiava plenamente no coquetel de sangue de cobra misturado com uma gota de sangue humano infectado e muito áraque que bebia todas as manhãs, sua receita para ficar livre da infecção. Ele se considerava imune, até que foi mordido pela nona vez e sucumbiu ao Resfriado, transformando-se em um vampiro logo depois.

Pearl notou que Tana estava esfregando o braço, no local onde a mãe delas a havia ferido. Ela tinha uma grande cicatriz que às vezes escondia e às vezes exibia, como se estivesse fazendo com que as pessoas se atrevessem a lhe fazer perguntas sobre aquilo. A vovó e o vovô levaram Pearl para um lado, fazia anos, e dito a ela que Tana ficaria com a mente bagunçada por causa da mãe delas e que Pearl teria que cuidar da irmã. Pearl não sabia ao certo o que aquilo queria dizer, exceto em momentos como este, quando ela se inclinou na direção de Tana, pegou na mão dela e deu-lhe um apertãozinho.

Tana retribuiu o gesto.

O que a vovó e o vovô não entendiam era que Tana não tinha ficado com a cabeça bagunçada por causa da mãe; havia ficado assim por causa do pai. Se ele apenas tivesse dado um pouco de sangue à mãe, em vez de trancafiá-la, nenhuma daquelas coisas ruins teria acontecido. A mãe não estaria morta, Tana não teria ficado marcada e ninguém estaria triste. Talvez todos eles morassem em Coldtown agora, ou talvez tivessem emigrado para Amsterdã ou algo do tipo, onde ainda era ilegal ser vampiro, mas ninguém estava nem aí para isso.

— Pode acontecer muito rápido — dizia a sra. Baez. — Até mesmo antes de aparecerem os sintomas, o sangue vampírico está preparando o corpo para a transformação, de modo que, uma vez que a pessoa beba sangue humano, ela vai se tornar um vampiro. Leva menos de uma hora para morrer e, só uns quinze minutos depois, eles podem se erguer novamente, com novos dentes, músculos mais densos e aquela fome de vampiro recém-nascido.

"Eles usam muita energia para se transformarem assim, então, até que se alimentem, não são capazes de se controlarem muito bem. É preciso ficar longe dos recém-transformados, não importa quão bem você os tenha conhecido em vida."

A sra. Baez foi andando até a beirada do palco.

— Que tal um exercício divertido? Eu vou ensinar uma palavra grande a vocês. Alguém sabe o que é *apotropaico*?

Pearl não sabia, mas um dos meninos disse que eram coisas de que os vampiros não gostavam.

Rosas selvagens. Alho, chamado de "a rosa fétida". Símbolos sagrados. Água corrente. Espinheiro. Pearl já sabia de tudo isso; Hemlok havia explicado sobre eles em seu programa sobre caça de recompensas. Porém, segundo a sra. Baez, alguns deles não funcionavam. Ela havia usado um símbolo sagrado duas vezes enquanto estivera em Coldtown, e em nenhuma das vezes aquilo havia surtido algum efeito.

— Eu aposto que eles não vão deixá-la falar de todas as coisas sinistras — disse Pauline, baixinho. — Todas as pessoas bebendo sangue de animal para continuarem humanas, até mesmo bebendo o próprio sangue. Pessoas ficando bêbadas durante meses para reduzir a fome.

— Isso é verdade? — perguntou Pearl. — Isso *funciona*?

Tana deu de ombros.

— As pessoas bebem até mesmo sangue de ***vampiro***, se conseguirem obtê-lo — continuou falando Pauline, em voz baixa, como se estivesse contando uma história de fantasmas. — Dizem que há alguns caçadores de recompensas na Europa que são bem viciados em sangue de vampiro. Mas a pessoa não fica melhor, apenas não piora. É como fazer a infecção voltar atrás, a partir do primeiro dia.

— Hora das perguntas — disse a sra. Baez lá do palco. — Eu não posso prometer que tenho todas as respostas, mas serei tão honesta quanto puder.

— Por que eles simplesmente não deixam as pessoas saírem de Coldtown se elas quiserem? — perguntou uma garota. — Se não estão infectados, que diferença faz?

— Dinheiro — respondeu a conferencista. — Custa muito dinheiro para o governo manter as Coldtowns e muito dinheiro para testar as pessoas para que sejam liberadas. Esse dinheiro tem que vir de algum lugar, então ele vem do orçamento para os caçadores de recompensas. Além do mais, o governo não *quer* que todo mundo saia das Coldtowns. Se todo mundo saísse, o que os vampiros comeriam? Uns aos outros? A quarentena seria quebrada.

— Olhe para a diretora Wong — sussurrou Pauline a Pearl. — Ela quase cuspiu as entranhas com essa resposta.

— Você não sente ódio por ter ficado presa lá? — perguntou um dos garotos.

A sra. Baez deu de ombros.

— Deixei o ódio para trás faz muito tempo. O mundo é do jeito que é. Eu só posso consertar a minha pequena parte nele. E escolho fazer isso contando os fatos às crianças, para que elas não acreditem em tudo que leem na internet.

Uma onda de risadas veio dos professores ao ouvirem isso.

Tana levantou a mão de repente. O coração de Pearl começou a espancar o peito, com medo do que a irmã diria.

— Sim? — perguntou a sra. Baez, apontando para ela.

Tana levantou-se.

— Eles não podem beber o sangue uns dos outros?

— Como?

— Quero dizer, se todos os humanos estivessem mortos ou se comessem todo mundo em todas as Coldtowns e não pudessem sair, o que aconteceria? Eles não se alimentariam uns dos outros?

A mulher assentiu.

— Quer saber de um segredo? O sangue vampírico é excelente para os vampiros. Ele concede a eles um pouco do poder do vampiro que foi drenado. Então, sim, eles podem beber uns dos outros.

— Por quê? — soltou repentinamente um dos professores.

Pearl nunca tinha ouvido nada como aquilo antes e ficou surpresa.

— Pensem nisso como o acúmulo de toxinas nos animais. No nível mais baixo da cadeia alimentar, há uma quantidade minúscula de toxinas em cada, digamos, ramo de grama. Agora, se vem um camundongo e come muito daquela grama, todas as toxinas daqueles ramos individuais de grama se acumulam nele. Então vem uma ave de rapina, come uma dúzia de camundongos e recebe todas aquelas toxinas, e assim por diante. Se você pensar em toxinas como poder, então poderá ver por quê, quanto mais velho for o vampiro, mais poder é acumulado e mais poder outro vampiro pode absorver ao drená-lo.

— Eles não precisam nem um pouco da gente — disse Pearl, baixinho. Imaginou um mundo com apenas vampiros nele, todos com olhos vermelhos e pele fria.

— Enquanto não puderem ter filhos, eles precisam, sim, da gente — sussurrou Pauline em resposta. — Não se pode ter novos vampiros sem novas pessoas. E, se todos os velhos vampiros fossem comidos, seriam necessários novos vampiros para ontem.

— Por que eles não fazem isso, então? — perguntou Tana, ainda em pé, não se dando ao trabalho de levantar a mão novamente. — Por que eles simplesmente não comem uns aos outros e nos deixam em paz?

A diretora Wong levantou-se, pronta para dar uma bronca em Tana, mas a sra. Baez não estava prestando atenção nela.

— Ah, eles fazem isso, menina — disse a conferencista. — Eles comem uns aos outros. Comem a nós. Comem todas as porcarias de coisas. Eles beberiam o sangue do mundo inteiro se nós deixássemos.

Capítulo 11

A Morte é a Rainha deste mundo: Aqui é o parque em que Ela cria vida para se alimentar. Gritos de dor são como música para seu banquete.

— George Eliot

O interior do Dead Last Rest Stop era imenso, maior do que a maior parte dos shopping centers, porém ele tinha serviços que os shoppings não teriam motivo algum para oferecer: chuveiradas a um dólar; comidas enlatadas; uma butique com vestidos sepulcrais e casacos nas cores preta, púrpura e prata; uma farmácia; uma capela inter-religiosa; cinco restaurantes; três bares; uma danceteria; e até mesmo uma chapelaria onde as pessoas que chegassem até ali de ônibus poderiam deixar a bagagem por algumas horinhas enquanto faziam compras ou dormiam em cápsulas alugáveis no formato de caixões. Remixes eurotrance de música fúnebre alta eram bombeados pelos alto-falantes ao longo de todas as paredes, e cada vitrine de loja anunciava a mesma coisa, fosse em grandes letras piscantes ou em placas escritas a mão: ABERTO 24 HORAS.

Tana estava estupefata. Era surreal estar dentro de um espaço altamente iluminado, seguro, quando estivera correndo perigo mortal pelas últimas doze horas. A área central era uma sala hexagonal com piso polido negro, e uma escultura central do que parecia ser um grande coração de cristal com uma estaca atravessando-o. Televisores ao longo das paredes transmitiam exibições populares de dentro da Coldtown de Springfield. Em uma delas, o vampiro de cabelos dourados, Lucien Moreau, ensinava uma garota humana a dançar valsa; em outro, uma garota vampira ruiva estava conversando com a câmera, descrevendo como tinha sido sua noite, com um garoto humano aninhado junto à pele pálida dela, oferecendo a ela um tubo afixado à agulha em seu pulso.

Turistas paravam para olhar as transmissões. Tiravam fotos em frente ao coração de cristal, com os braços jogados nos ombros uns dos outros e sorrisos largos demais nas bocas.

Uma mulher de meia-idade que parecia cansada estava em pé em um dos lados, entregando flyers cor-de-rosa para qualquer um que passasse por ela.

— Você viu a minha filha? — perguntava, repetidas vezes. — Ela só tem doze anos. Por favor, eu sei que ela passou por aqui. Você a viu?

A princípio, pessoas abaixo de dezesseis anos não tinham permissão para passar pelos portões das Coldtowns, mas então uma garota de nove anos fora mandada embora porque os guardas acharam que ela havia mentido quanto a ter sido mordida. Ela não mentira. Pessoas morreram. Havia testes para a infecção, mas eram caros, tornando crucial o relato feito pelas próprias pessoas para manter a quarentena. Desde aquele incidente com a criança, qualquer um tinha permissão para entrar em qualquer Coldtown, com qualquer idade que fosse, sem ter de provar nada.

Tana olhou para a mulher, para seu rosto cansado e para a garotinha sorridente no flyer. Pensou em Pearl e se perguntou o que aquela garota teria imaginado que a esperava atrás dos portões.

Midnight passou pela mulher sem nem mesmo notá-la e caiu em um dos bancos. Ela pressionava com as duas mãos o tecido de veludo da blusa por cima dos arranhões para fazer com que o sangramento parasse.

— Eu vou pegar curativos e coisas do tipo — disse Winter. — Você fica bem aqui. E *você*, fique aqui com ela. — Ele fez cara feia para Tana.

Ela assentiu e o garoto foi andando em direção à farmácia, olhando duas vezes para trás. Suas botas soavam como cascos no reluzente piso frio de granito.

Umas poucas crianças com mochilas nas costas pararam para ficar encarando Tana em suas roupas ensanguentadas e Midnight, com o rímel borrado e a forma como apertava o ombro.

— O que vocês estão olhando? — Tana disse às crianças, rosnando da forma como Pauline teria feito, e as crianças saíram correndo dali.

Midnight sorriu de lado para ela.

— Eu sinto muitíssimo — disse Tana. — Quanto ao que aconteceu. Eu sinto muito por você ter sido ferida.

— Como foi que você... como foi que você acabou indo parar junto com eles? Com Aidan e com aquele outro? — quis saber Midnight, cujos lábios pareciam lascados e azulados sob as luzes fluorescentes.

— Houve uma festa e todo mundo morreu — respondeu Tana. Ela não esperava que saísse daquele jeito, tão na lata e horrível.

Midnight assentiu e fechou os olhos, como se os arranhões ardessem.

— Quão ruim foi? Não foi aquele lance que estava sendo noticiado lá no norte...

Noticiado? Por um instante, Tana ficou confusa. Parecia algo particular demais para passar em um noticiário, mas é claro que isso não fazia sentido.

— Eu não sei. Talvez.

— Foi aquilo! Ah, meu Deus! Eu vi todos os tweets e as fotos que alguém vazou da cena do crime. Vocês estavam mesmo lá?

Tana assentiu, sem saber ao certo o que mais dizer. Não tinha palavras para aquilo que fossem grandes o bastante.

— Uau! — disse Midnight. — E vocês conseguiram cair fora. Isso é o máximo!

— Mais ou menos, nós conseguimos fugir — disse Tana.

— Ei, faz um favor pra mim? — Midnight enfiou uma das mãos no bolso e tirou dali o celular, cuja tela estava arranhada por ter caído. — Segura isso enquanto eu falo. O meu tripé está na bagagem, mas eu não quero me dar ao trabalho de ir lá pegá-lo. Isso é o lance de verdade, as coisas que eu prometi contar a todo mundo. Só tente segurá-lo com firmeza.

— Certo — disse Tana, um tanto surpresa. Não era como se ela não tivesse filmado ninguém antes; havia filmado Pauline para que ela visse como tinham sido seus testes de teatro, ou amigos fazendo coisas idiotas por aí, mas nunca filmara alguém que havia acabado de ser atacado e que ainda estava sangrando.

— E você deveria dizer alguma coisa também. Você *deveria*. Todo mundo quer saber como é ser você agorinha mesmo.

Tana balançou a cabeça em negativa com rapidez; a ideia de falar sobre o que havia acontecido trazia de volta todas as imagens horríveis. Os olhos fixos dos mortos. As vozes sussurrantes pela porta. Sua cabeça de encontro ao chão do posto de gasolina com Aidan agigantando-se acima dela.

— Eu mesma não sei.

— Mais tarde, talvez — disse Midnight, entregando-lhe o celular. — Como estou?

Tana não fazia a mínima ideia de como responder a essa pergunta. Midnight estava pálida e bela, arranhada e ensanguentada.

— Você parece bem — disse Tana, do jeito mais neutro possível.

— Eu acho que isso vai ter que servir. — Midnight encolheu-se enquanto puxava a gola rasgada da blusa de veludo, expondo a clavícula de modo que Tana pudesse pegar um bom enquadramento dos cortes, que estavam horríveis, úmidos com sangue e inchados nas beiradas. — Você sabe usar essa coisa?

Tana colocou os dedos no celular, apertando o pequeno desenho de uma câmera de vídeo no canto inferior.

— Acho que sim. Você não fica preocupada que os seus pais vejam isso? Em deixar a polícia saber onde vocês estão? Quero dizer, vocês são fugitivos e menores de idade.

Midnight bufou.

— Nossos pais não entendem o que fazemos na rede. Eles não são espertos o bastante. Eles não são *nada* como a gente. Acredite em mim, na hora em que eles tiverem sacado o que aconteceu, a gente vai estar bem longe.

— Ok — respondeu Tana, erguendo a câmera e clicando no botão para começar a filmar. — Pronto.

— Oi — disse Midnight, uma estranha intensidade vindo dela enquanto contemplava a lente. — Sou eu, fiel serva da noite, aventureira, poeta e insana. E em que aventura eu estive! Muita coisa aconteceu desde a última vez que postei alguma coisa. Eu e Winter chegamos na Área de Repouso e Serviços da Autoestrada do lado de fora de Coldtown, e em menos de uma hora estaremos lá dentro. É exatamente como nós sempre acreditamos que fosse: quando você está seguindo seu mais profundo, mais verdadeiro, mais sombrio destino, o universo lhe abre caminho. Nós encontramos pessoas que vão nos dar uma carona. Aliás, vocês podem reconhecê-las dos noticiários, mas eu vou falar disso mais tarde. Em primeiro lugar, tenho que contar a vocês o que aconteceu comigo.

Então Winter voltou com um saco de suprimentos médicos. Midnight pediu que Tana continuasse filmando com o celular enquanto Winter atava seu ombro, borrifando spray antisséptico nas feridas e prendendo bandagens de gaze em cima delas. Midnight fazia a narração o tempo todo, com os olhos na câmera, até mesmo quando, obviamente, estava doendo. Quando terminou, ela engoliu algumas aspirinas e disse que queria editar e fazer o upload do vídeo em seu blog antes de qualquer outra coisa.

Ouvindo-a, Tana tinha que admirar a forma como Midnight era capaz de transformar o que havia acontecido em uma história doida, parte da Lenda de Midnight. Até mesmo as coisas que não eram tão boas assim eram transformadas em algo invejável. Tana poderia se imaginar assistindo ao vídeo e desejando ser tão valente e sortuda quanto a garota que estava nele. Porém, parada na frente de Midnight, sabendo do que realmente havia acontecido, Tana podia ver que ela não estava apenas contando uma história para as outras pessoas, estava contando uma história a si mesma. Estava amaciando todas as partes assustadoras até que não tivesse mais medo. *Mas deveria estar,* pensou Tana. *Ela deveria estar com medo.*

— Há wi-fi gratuito em todo o prédio, eu só vou ligar isto naquela tomada ali. — Midnight apontou para a praça de alimentação. Pegando o celular da mão de Tana e abrindo um largo sorriso, ela apontou a câmera para ela. O flash no canto piscou. — Me encontre quando tiver terminado seja lá o que for. Você não se importa, certo? Você não teve que falar nada.

Tana tinha certeza de que estava com uma aparência terrível, mas uma foto ruim na internet era o menor dos seus problemas. Estava exausta, com frio e sentia-se frágil. Conseguia sentir o cheiro do sangue de Midnight, um aroma metálico, e se perguntou se isso queria dizer que a infecção a havia finalmente atingido. Ou talvez não fosse nada. Talvez devesse parar de se preocupar.

— Não, eu acho que não me importo. — Tana olhou de relance para uma vitrine com camisetas com o logo do lugar. — Eu vou pagar para tomar um banho.

Winter abriu para ela um sorriso quase amigável, o primeiro desde que Aidan tinha atacado sua irmã.

— É uma boa ideia. Vai saber quanta água quente e corrente vamos conseguir lá dentro!

Tana queria dizer que ainda estava pensando antes de tomar uma decisão em relação a Coldtown, mas hesitou por tempo demais e depois se sentiu tola. Em vez de falar isso, acenou, sem graça, em despedida.

A loja de presentes era cafona, cheia de copos de bebida, adesivos de para-choques e camisetas babylook com a palavra CORPSEBAIT[5] na frente, camisetas grandes e pretas de dormir com letras escorrendo nos dizeres: A NOITE INTEIRA NO DEAD LAST REST STOP, EU MORTO NO PRIMEIRO ENCONTRO, A GERAÇÃO MAIS MORTA, O NADA É O NOVO TUDO e QUERO MEU CAFÉ COM SEU SANGUE NELE. Havia espelhos com filetes de sangue cartunizados escorrendo de duas feridas em forma de punctura em silkscreen, de modo que, quando a pessoa olhava no espelho, parecia que havia sido mordida. E havia colares com a palavra *cold* em letras cursivas espiraladas.

Uma senhora mais velha, com cabelos curtos e grisalhos, estava pagando por um pacote de pílulas purificadoras de água e latas de alimentos quando Tana passou por ela no caixa. Ela usava um casaco preto no estilo Chanel e portava uma bengala de ponta dourada com rosas em madrepérola em sua extensão. Estava com as costas curvadas, o que fazia com que parecesse corcunda como um abutre.

— O que foi? — falou a mulher em tom acusatório para o funcionário, com olhos reumosos firmes. — Você acha que morrer é só para os jovens?

Tana saiu dali antes que pudesse ouvir a resposta do funcionário.

Na próxima loja, a butique, ela passou os dedos por camisolas rendadas de cetim com nomes como Inocência Estilhaçada, Broto Arruinado e Fruto Aberto do Pecado. Deparou-se com um bonito vestido azul do qual

5. Isca de cadáver. (N.T.)

gostou e que provavelmente lhe teria servido, mas, a cento e doze dólares, era caro demais. Tana estava com os mesmos quarenta dólares que tinha no posto de gasolina. Havia largado o saco de notas onde o deixara cair, no chão, ao lado do carro. Esperava que ainda estivesse lá. Se fosse se enfiar em algum buraco e esperar pelas próximas quarenta e poucas horas para ver se estava infectada, precisaria de mais dinheiro, não importava de onde viesse. E precisaria ainda mais do dinheiro se fosse para Coldtown com o resto do pessoal.

Pelo menos havia um varal de ofertas nos fundos com roupas a preços reduzidos. Ela conseguiu encontrar um vestido-camisola cinza cerca de um tamanho maior do que o dela e que custava vinte e cinco pratas. Pegou o vestido e a calcinha mais barata da loja, carmesim com um acabamento de ridícula renda preta e um lacinho boboca, por mais dez pratas.

O funcionário de ar entediado, um homem com imensos brincos de prata, tachinhas nas orelhas e uma tatuagem de cobra enrolada no pescoço como se fosse uma corda dando um laço, registrou a venda e aceitou o dinheiro dela com claro desdém.

Tana sabia que pareceria um pouco elegante demais e também um pouco desnuda com o vestido-camisola, mas não estava disposta a encarar um vampiro de verdade usando um camisetão com um slogan engraçadinho. E tudo que queria fazer com suas roupas atuais era atear fogo nelas.

Tana pegou as compras na sacola preta e brilhante de butique com papel púrpura envolvendo cada peça e foi até os chuveiros. Lá, conseguiu pagar um dólar por quinze minutos de banho em uma cabine individual e três dólares por embalagens de gel de banho e xampu, um minúsculo kit de escova e pasta de dentes e uma toalha apenas um pouquinho maior do que uma toalha de rosto, que teria de ser devolvida.

Havia um grande espelho pendurado no corredor do lado de fora das cabines, onde mulheres e garotas estavam sentadas em bancos, amarrando os cadarços dos All Star Chucks e passando desodorante. Ao se ver no espelho, Tana parou para encará-lo como se a garota no reflexo fosse outra pessoa, alguém desconhecido e irreconhecível. Seus cabelos estavam com uma aparência selvagem, com pedacinhos de pequenos galhos de árvore e folhas presos neles. A pele ao redor dos olhos estava escura como um hematoma, provavelmente meio por causa da falta de sono e meio por causa do rímel borrado, cujo estado ela havia piorado ao borrifar água no rosto. Até mesmo os olhos azuis pareciam cinzentos sob as árduas luzes acima dela. O vestido, que fora branco, estava em um estado tão ruim quanto ela havia imaginado, marrom na bainha onde a *root beer* o havia ensopado, marcado com faixas escuras de sangue e terra. Havia pelo menos dois rasgos visíveis no tecido, e as botas de cano alto estavam manchadas com uma camada de fuligem e lama.

Porém, a pior parte era a expressão em seu rosto. Ela se forçou a tentar sorrir, mas saiu errado. Uma vez, havia visto alguns retratos vintage em uma revista e havia um que ela ficara encarando por um bom tempo. Havia algo de estranho na garota da foto. Agora, Tana via aquela estranheza em si mesma.

Ela não estava bem. Ela realmente não parecia alguém que estava bem, não mesmo.

Entrando na cabine, Tana pendurou a bolsa, a toalha e o saco de roupas no gancho mais afastado do esguicho, soltou os cadarços das botas e amarrou-os um no outro, de forma que os calçados pudessem ficar pendurados junto com as outras coisas. Em seguida, tirou o vestido estilo baby-doll da mãe, o sutiã e a calcinha, jogando-os em um canto. Seus músculos estavam rígidos e doloridos, e as mãos moviam-se desajeitadas com as tarefas mais básicas.

Quando seus ombros foram atingidos pela água quente, a sensação foi tão boa que ela soltou um gemido alto.

Tana lavou os cabelos duas vezes e penteou-os com os dedos para tirar dali todos os galhos. Esfregou a pele com as unhas, não se importando se com isso a esfolaria, importando-se apenas em ficar limpa. A água foi cortada depois dos quinze minutos e ela se reclinou nos azulejos. O coração martelava o peito, alarmado, mas não havia nada de errado. Era somente um resquício de terror.

Ela não sentia mais calafrios. Não queria atacar a mulher na cabine do chuveiro ao lado. Sentia-se exausta, assustada e toda arranhada, mas, além disso, sentia-se da mesma forma como sempre se sentira. Sentia-se bem.

Pensou em Aidan lá fora, no estacionamento, e no braço desnudo de Gavriel. Se Aidan bebesse bastante do sangue de Gavriel, talvez ficasse melhor por enquanto, mas eles estavam apenas comprando umas migalhas de tempo.

Fazia quase sete horas desde que os dentes do vampiro rasparam a perna de Tana. Cedo demais para que se permitisse nutrir esperanças de que ficaria bem, mas tinha tais esperanças mesmo assim. Pensou na própria cama, no próprio quarto, e se imaginou enrolada lá, com seu gato dormindo a seus pés e Pearl fazendo a lição de casa no quarto ao lado. Pensou na luz brilhante entrando pelas janelas e no celular tocando porque Pauline queria ir ao salão de bilhar, onde trabalhava o carinha bonitinho, para jogar um jogo de dardos atrás do outro, como elas haviam feito no último verão, olhando para ele entre um lançar de dardos e outro. E pensou em como, depois que o carinha e Pauline finalmente estavam saindo juntos, todos eles entraram sorrateiramente lá uma noite com Aidan e jogaram coisas no quadro, primeiro facas de cozinha, depois garfos, e depois até mesmo pedaços de um copo que alguém havia deixado cair.

Isso tudo havia feito daquela noite algo estranhamente surreal, mas não tão surreal quanto esta.

Depois de alguns instantes, ela se forçou a se secar o máximo possível com a pequena toalha e vestiu as novas roupas, jogando fora as velhas dentro da sacola da butique. Sem sutiã, o fino tecido do novo vestido mostrava o contorno de seus mamilos, mas ela não conseguia vestir nenhuma peça de roupa que estivera usando pelas últimas trinta e tantas horas, não importando quão nua parecesse.

Esticou a mão para pegar a bolsa e ver se tinha um pente e um batom, qualquer coisa para parecer menos doentia, quando se deu conta de que o celular estava piscando. Tana tinha seis novas mensagens. Ela deveria ter desligado o toque em algum momento na festa e não se lembrara de ligá-lo novamente.

Entrando na área do vestiário, colocou o celular de volta na bolsa e achou um pente para soltar os cabelos emaranhados. Ondulados como eram, ficariam embaraçados novamente bem rápido, mas pelo menos ela teria uma aparência menos bagunçada. Talvez por meio de alguma alquimia isso a fizesse também sentir-se menos bagunçada. Escovou os dentes na pia, repetidas vezes, até que as gengivas sangrassem.

Então ela ouviu as mensagens.

A primeira era de seu pai, dando-lhe um sermão infernal porque ela não chegara em casa pela manhã. A próxima mensagem também era do pai, lhe perguntando onde estava, dizendo que a polícia havia ligado. Em seguida havia uma mensagem de Pearl, com a arrogância dos doze anos escorrendo por sua voz, dizendo que o pai estava preocupado e que ela estava certa de que Tana estava *bem*, mas será que Tana poderia ligar para casa, *por favor*, porque era *chato* ficar ouvindo o que o pai dizia. Em seguida, havia a ligação de um policial, deixando um número de telefone, dizendo que entendia que ela estivera em uma festa na noite anterior e que precisava falar com ela. Então havia uma mensagem da irmã de novo, pedindo que ela por favor, por favor, ligasse; desta vez, Pearl soava assustada.

A última mensagem era do pai.

— A polícia esteve naquela casa — dizia ele. — Eles descreveram para mim o que aconteceu na festa e que apenas três pessoas, muito provavelmente você e duas outras, conseguiram fugir. Visto que você não voltou para casa e nem tentou entrar em contato conosco, estou presumindo que você tenha sido infectada. — Seguiu-se uma longa pausa. Quando o pai recomeçou a falar, a voz não soava firme. — Obrigado por ficar afastada, Tana. Essa é a coisa responsável a fazer, e eu espero que, não importa o que aconteça, você nos deixe, especialmente Pearl, com nossas recordações de como você era. Nós a amamos, docinho, e vamos sentir sua falta, mas, por favor, não volte para cá. Nunca, jamais volte para casa.

Por um instante, ela ficou tentada a telefonar para casa de qualquer forma, para dizer a eles que estava bem enquanto ainda podia, para dizer alguma coisa cruel a seu pai e se vingar dele por haver deixado uma mensagem como aquela, ou pelo menos deixar uma mensagem de texto para Pearl.

Deixe-nos com as nossas recordações de como você era.

Tana deletou as mensagens e colocou o celular de lado. Ela havia decidido. Iria para Coldtown.

Limpou as botas na pia, calçou-as e amarrou os cadarços nos pés, desejando não ter que fazer isso. Desejara nunca mais ter que pôr as mãos naquelas botas de novo, mas não tinha dinheiro para sapatos novos. As botas estavam um pouco úmidas, mas ela achava que ficariam secas logo.

Com o dólar e os trocados que ainda tinha consigo, Tana comprou uma fatia de pizza e a comeu, sentada em uma cadeira de plástico na praça de alimentação. A pizza tinha gosto de serragem e papelão. Em frente a ela, do outro lado, em uma mesa ali perto, alguns garotos vestindo calças jeans *baggy* estavam empurrando amigavelmente uns aos outros.

— A gente deveria fazer o que outros países fazem e explodir aqueles cadáveres pelos ares — dizia um deles, olhando com malícia para duas garotas com rabo de cavalo púrpura e batom preto que estavam passando pela mesa. — Bombardear *todas* as Coldtowns.

Uma das garotas virou-se e mostrou os dois dedos do meio para ele.

— Ei, imbecil! Você quer lutar contra os vampiros? Mude-se para a Europa. É uma pena que a taxa de infecção lá esteja nas alturas.

— Talvez eu faça isso. Vou ter o meu próprio programa de TV, *Slade Mata,* e vou matar todos os vampiros que existem. Que tal isso?

— Que tal chamar seu show de *Slade Morre?* — disse a garota. — Esse eu veria.

Todos os outros garotos à mesa começaram a dar risada.

Tana levantou-se e jogou fora o prato de papel melecado de gordura. Em seguida, foi caminhando até onde Winter e Midnight estavam sentados, perto das tomadas. Midnight estava com a cabeça curvada em cima do laptop, com os fones de ouvido pendendo em volta do pescoço. Winter ergueu o olhar para Tana e piscou algumas vezes, puxando seus fones mais volumosos, com os cabelos azuis amassados onde o aparelho estivera. Ela notou pela primeira vez a camiseta que ele estava usando debaixo da jaqueta preta, que tinha os dizeres MAIS FRIO QUE VOCÊ na frente, em pequenas letras brancas.

Ela bufou.

— Uau — disse ele. — Você está muito melhor!

— Obrigada. — Ela fez uma careta. — Vocês ainda querem aquela carona? Eu entenderia se decidissem não aceitar.

Winter pôs a mão no braço de Midnight, fazendo com que ela olhasse para cima.

— Seria melhor a gente conversar sobre isso. Eu acho que talvez...

— Nós queremos a carona — disse Midnight com firmeza, em um tom que desafiava o irmão a contradizê-la.

O que ele não fez.

Capítulo 12

Não diga que nenhum homem é feliz até que ele esteja morto.

— Ésquilo

Os vampiros sempre foram mais bonitos do que os vivos.

A pele sem marca alguma, lisa como mármore, sem poros. Quanto mais velhos ficavam, mais brilhantes se tornavam os anormais olhos vermelhos como papoulas, e os cabelos ficavam lustrosos como seda. Era como se, qualquer que fosse o demônio que os possuísse, qualquer que fosse a força que mantinha seus cadáveres longe do túmulo, isso os tivesse refinado na resplandescência de seu poder, eliminando com fogo a humanidade deles para revelar algo melhor. Caspar Morales havia roubado o fogo de Prometeu, e seus filhos o estavam disseminando.

Vampiros tinham aparências absurdamente maravilhosas, reluzindo na televisão como anjos caídos. Até mesmo desde o começo aquilo era um problema. As pessoas gostavam de coisas belas. As pessoas gostavam até mesmo de coisas belas que queriam matá-las e comê-las.

Depois que as infecções começaram a florescer e a expandir-se, e os primeiros muros em volta das áreas infectadas foram construídos — os muros grosseiros que mantinham somente algumas coisas dentro deles —, novas câmeras não conseguiam fazer uma cobertura boa o bastante. Os repórteres estavam sempre subindo nos escombros, filmando, colocando suas vidas em perigo.

E não se tratava apenas da televisão e dos jornais. Sites como Flickr, Tumblr e Instagram estavam repletos de fotos de dentes e sangue. No início, um cinegrafista amador fizera o upload de garotas vampiras com braços e pernas longos alimentando-se de um homem de meia-idade com uma expressão de choque no rosto. Essa imagem conseguira centenas de milhares de visitas em questão de horas. Colunas de fofocas redigiam longos artigos sobre vampiros que adquiriam status de quase celebridades, com sua cadeia de mortes apenas parecendo fazer com que o interesse neles aumentasse.

Vampiros eram contos de fadas e magia. Eles eram o lobo na floresta que corria na frente até a casa da vovozinha, o chefão do videogame que poderia ser caçado sem culpa, o monstro que nos tentava a ir à cama dele, a poderosa besta eterna que alguém poderia vir a ser. Os belos mortos, *la belle mort*[6]. E se, depois de se empanturrarem em uma orgia de morte, eles se tornassem menos adoráveis, se ficassem inchados, purpúreos e horríveis, então escondiam isso bem.

Todo mundo tinha medo de morrer, e os vampiros nunca morreriam. Desejar ser um vampiro era tentador, até mesmo se não fosse todo mundo que tivesse coragem de tentar.

Mas todo mundo queria ver um vampiro de longe.

E ninguém realmente queria que eles se fossem.

Havia sete zonas críticas nos Estados Unidos, sete cidades beijadas por Caspar Morales, sete lugares levados para as trevas. De tais cidades, seis se tornaram Coldtowns, das quais cinco permaneciam operacionais, e todas, menos a de São Francisco, exibiam transmissões, muitas delas patrocinadas por corporações — e lucrativas. Entre os *reality shows* sobre caçadores de vampiros, a maior parte dos quais tinha alta taxa de rotatividade no elenco, e os *reality shows* apresentando vampiros, havia uma tomada muito popular da transmissão ao vivo no estúdio de Coldtown de Lucien Moreau: os Estados Unidos haviam se estabilizado em uma estranha trégua com os vampiros.

Coldtowns eram cadeias governadas por seus detentos. Dentro delas, os vampiros eram livres. Porém, quaisquer vampiros do lado de fora da-

6. Do francês, a bela morte. (N.T.)

quelas paredes — quer estivessem se escondendo, fossem recém-transformados ou estivessem cometendo massacres — eram alvos legítimos para os caçadores e para os militares.

Se as pessoas argumentassem que esse sistema era falho, que a infecção ainda estava se alastrando, que romantizar os mortos estava fazendo com que o problema piorasse, bem, então só seria preciso ver como as coisas estavam ruins fora dos Estados Unidos, e quanto dinheiro haveria de ser gerado ao continuar deixando que as coisas ficassem exatamente do jeito que estavam.

Capítulo 13

Ele daria um belo cadáver.

— Charles Dickens

Quando Tana chegou ao estacionamento, Aidan estava sentado no banco traseiro do Crown Vic, com a porta aberta e as pernas para fora. Gavriel estava curvado sobre ele, com um dos braços em cima do capô do carro, falando em um tom baixo. Ele parou de falar quando a avistou. Uma brisa soprou os cabelos dele da frente do rosto, fazendo com que parecessem as penas desordenadas de um corvo.

— Ei — disse Tana.

Aidan parecia um pouco menos doente: suas bochechas tinham adquirido até mesmo um leve tom rosado. Gavriel havia, de alguma forma, conseguido botas pretas de motociclista que pareciam pesadas. Ela não sabia ao certo se ele já estava com elas quando acordara no Last Stop, mas ele não as estava calçando no posto de gasolina. Ela se lembrava dos pés descalços dele e da garrafa quebrada de vidro que ele não parecia ter notado.

Imaginou o que ele teria feito para conseguir aquelas botas.

Por favor, pensou ela. *Por favor, chega. Por favor, chega de horrores esta noite.*

— Os portões de Coldtown estão tão perto quanto a minha própria sombra — disse Gavriel. Seus olhos cor de vinho analisavam Tana no novo vestido e com os cabelos penteados, como se ele estivesse tentando memorizar a aparência dela. Isso fez com que a garota se tornasse consciente de que estava vestindo pouco mais do que um vestido-camisola, e ela puxou a bainha, sem graça. — Vocês podem me entregar às autoridades quando chegarmos lá. Ouvi dizer que há uma recompensa para a entrega de vampiros.

Tana olhou para Aidan, lembrando-se do que ele havia dito no posto de gasolina.

— Eu me pergunto quem poderia ter mencionado isso.

Então, naquele instante, Midnight surgiu atrás de Tana, olhando concentrada de Gavriel para Aidan.

— Ele está bem?

Ela enfiou os cabelos azuis atrás das orelhas.

— Ele vai ficar bem — disse Gavriel. — Será uma nova criatura feita de pele velha.

Aidan inclinou a cabeça em direção a Midnight.

— Me desculpe por... você sabe. Eu espero que ainda possa ir até Coldtown com vocês.

Tana queria apresentar objeções quanto a ele desistir de ficar melhor, mas resistir ao sangue ficaria cada vez mais difícil com o passar do tempo. Ele estava sendo realista. E quem era ela para convencê-lo a jogar a imortalidade fora?

Midnight abriu para ele um sorriso hesitante. Winter, atrás dela, olhou para ele com ódio. Ele tinha dois sacos de lixo pretos abarrotados de coisas jogados por cima de um dos ombros e segurava uma mala surrada com a outra mão.

Desde que tinha ouvido suas mensagens ao celular, uma horrível calma, fruto de amortecimento mental, havia caído sobre Tana, calma que ela temia considerar com muita atenção, que se alimentava de más ideias e de adrenalina. Ela ansiava por fazer escolhas horríveis, por afogar todos os pensamentos em uma cacofonia de *fazer alguma coisa.* Desejava que fosse uma sensação com a qual não estivesse familiarizada, essa ânsia, essa premência que fazia com que pisasse no acelerador quando deveria pisar no freio.

Esperava que essa não fosse uma daquelas decisões.

Mas não conseguia se imaginar suplicando ao pai à porta para que a deixasse entrar, não conseguia imaginar-se tentando provar que não estava infectada, mesmo se acabasse não estando, e não queria chatear Pearl.

Às vezes, parecia que toda a vida de Tana já havia sido exaurida naquele sombrio porão, como se a boca da mãe em seu braço fosse a última coisa em sua vida antes disso que havia sido sentida como *real*. Todo o resto era apenas um prólogo e um epílogo. Um período de carência fingindo que sua vida seria como a das outras pessoas, que a mordida não a havia marcado como já tocada pelas trevas, fadada à escuridão, uma garota com o pé na cova.

— Em vez de dinheiro, você pode conseguir um sinalizador se entregar um vampiro — disse Tana, com a mente por fim começando a planejar um futuro para si mesma, um futuro no qual seria bem-sucedida, no qual poderia sobreviver. — Um sinalizador que deixa uma pessoa sair de Coldtown. Nós poderíamos conseguir um desses. *Eu* poderia conseguir um desses, se Gavriel permitir que eu o entregue.

Ela havia visto fotos de sinalizadores, discos de prata e de ferro com símbolos em volta da borda externa, de ouro no centro, em volta de um pequeno orifício, e supostamente com uma espécie de chip dentro. Havia uma herdeira que fugira para Coldtown; seus pais, com a esperança de atraí-la para fora de lá, contrataram um caçador de recompensas atrás do outro, para conseguir sinalizadores para ela, que fez um colar com eles e o usou no Baile Eterno todas as noites, até que o membro de uma gangue cortou a garganta dela e os vendeu a quem pagou mais.

Se Tana entrasse em Coldtown com Gavriel e Aidan agora, entraria com uma probabilidade de sair. Se ficasse Resfriada e fosse pega depois, acabaria sendo jogada em uma Coldtown de qualquer jeito e então ficaria presa lá.

Na verdade, seu plano niilista estava começando a fazer sentido.

— Tana — começou a dizer Gavriel. — Você não deveria...

— Sim, por favor, venha, Tana — disse Aidan, cortando o que o vampiro estava para dizer. Ele abriu aquele largo sorriso, daquele jeito persuasivo, meio como se fosse ficar perdido sem você e meio como se achasse que tinha feito um favor a você ao sugerir aquilo que você desejava em segredo. — Pense em toda a diversão que teremos. Midnight vai nos mostrar os arredores, não é? Ela me perdoa, não perdoa?

— Eu não sei. Aquilo doeu de verdade — disse Midnight em tom leviano, com um meio sorriso provocante na boca. Porém, seu olhar era faminto e estava focado em Aidan e Gavriel. Todas as partes dela vibravam com a ânsia de ser como eles. Transformada em vampiro ou em transição.

— Eu não deveria ter feito aquilo — disse Aidan, e sua expressão igualava-se à dela, cheia de um desejo voraz.

— Você sabe o que eu quero em troca — disse Midnight, com a voz sedosa. — Nós não entregamos você. Provamos que somos dignos. Seu amigo provavelmente está com fome e, se ele quiser, pode...

Gavriel agarrou o queixo dela antes mesmo que ela pudesse ofegar, rápido e mortal como um tubarão erguendo-se das profundezas.

— A menos que eu esteja muito enganado, você contou a *todo mundo*. Eu vi o seu celular; acha que eu não sei o que isso faz? Eu deveria drenar vocês dois e deixar seus corpos como um aviso para aqueles que buscam a morte como se fosse alguma espécie de tesouro escondido.

A pele de Midnight ficou ruborizada; os olhos, brilhantes. Era como se as palavras passassem rolando por ela e tudo que ela visse fosse a proximidade da boca dele. Tana deu um passo mais para perto deles, sem querer, atraída pela mesma ilusão.

— Solte-a — mandou Winter. Ele puxou Gavriel pelo ombro, mas o garoto vampiro não se mexeu.

— Talvez eu e Midnight devêssemos mostrar a Aidan o que é se alimentar de verdade, como seria para ele se sentisse o gosto do sangue. — Ele disse essas palavras em tom doce, ao pé do ouvido de Midnight, como se falasse com uma amante. Ela oscilou para junto dele, e ele elevou o braço, apertando a pegada, mantendo-a no lugar. Então ela pareceu confusa, e o instinto marcou sua expressão com os primórdios do pânico. — Eu posso ouvir seu coração batendo, como um animal ferido lançando o corpo quebrado junto às paredes da jaula. Uma bonita canção.

Tana pensou naquilo que Gavriel lhe havia dito dentro do carro. *Há uma loucura que toma conta de nós... uma loucura que só pode ser curada por meio da alimentação*. Gavriel havia dado um pouco do próprio sangue a Aidan — obviamente fora isso que ele pretendera fazer quando mandara o resto do pessoal embora. E de que outra forma Aidan poderia estar tão melhor, a menos que algo houvesse abrandado suas ânsias?

Mas isso significava que Gavriel deveria estar muito faminto.

— Não temos tempo para isso — disse Tana, com desespero, tentando soar razoável apesar de seus nervos estarem em frangalhos. — Gavriel. Temos que chegar ao portão antes da alvorada. Pode ser que haja uma papelada a preencher, ou talvez uma fila. Não é mais seguro ficar aqui.

O vampiro não estava olhando para ela. Contemplava a garganta de Midnight.

— Definitivamente não é seguro *matar alguém* aqui — continuou Tana, mais alto desta vez, pondo a mão no braço dele. Havia dado certo no passado, ficar calma, agir como se tudo estivesse normal. Tinha esperanças de que isso funcionasse outra vez. — Gavriel, nós temos que ir. Para de ser tão assustador.

Com isso, ele olhou para ela e sorriu de novo, girando Midnight nos braços como se eles estivessem dançando. Winter pegou-a e a manteve ereta.

— Eu posso esperar mais um pouquinho — disse Gavriel. — Só mais um pouco.

— As chaves do carro — exigiu Tana, esticando uma das mãos, que tremia.

Ele procurou as chaves dentro dos bolsos, um gesto completamente normal, e então as deixou cair na palma da mão dela, com cerimônia. Ela pegou o saco de dinheiro e joias do lado do capô do carro, enfiando-o dentro da bolsa.

— Nem sempre eu vou obedecer a você — disse ele, baixinho. — Haverá uma noite em que você me pedirá algo que eu não poderei lhe dar.

Ela havia começado a relaxar, mas as palavras dele fizeram com que um novo pico de terror subisse por sua coluna. Marchando até o lado do motorista, ela entrou no carro e depois bateu a porta atrás de si. Tana estava tremendo novamente e sentia raiva disso.

— Qual é a dos vampiros? — murmurou Aidan enquanto caminhava em direção ao carro. — Só se interessam em morder pessoas que não querem ser mordidas.

Midnight torceu o nariz, ofendida.

— Ele estava interessado.

— Mas não mordeu — disse Aidan, entrando no banco traseiro do carro.

— Midnight. — Winter pôs a mão no braço da irmã. A voz dele se espalhava pelo estacionamento. — Nós não temos que ir com eles.

Ela olhou com frieza para o irmão.

— Chega de aniversários.

Tana ligou a ignição, ouvindo o reconfortante rugido do motor e inalando o fraco cheiro de plástico queimado do aquecedor. O relógio no painel do carro mostrava que passava um pouco das duas da manhã. Gavriel sentou-se no banco do passageiro, e Winter e Midnight juntaram-se a Aidan no banco de trás. Winter certificou-se de entrar antes da irmã, posicionando-se no meio, como uma espécie de acompanhante — como se, quando a infecção voltasse com tudo, Aidan fosse se importar com quem ele atacaria. Isso sem falar que, de qualquer forma, Aidan também gostava de meninos.

Era fácil chegar a Coldtown, até mesmo sem olhar em um mapa. Tudo que Tana precisava fazer era seguir a trilha de placas de aviso. ACESSO RESTRITO A 24 KM, dizia a primeira, fazendo com que ela virasse em uma estrada de quatro pistas cheias de buracos. Eles passaram por parques industriais abandonados, grandes lotes de terra com restos queimados de carros, arbustos e sombras.

As barricadas originais haviam anexado cerca de um terço de uma pequena cidade, porém, quando os altos portões foram construídos, uma área maior, meio que metade da cidade, foi considerada sob quarentena. Os muros das Coldtowns foram erguidos com muitas pessoas comuns presas lá dentro. O restante se mudara para o mais longe possível e o mais rápido que puderam. Todas as casas pelas quais eles passaram estavam escuras por dentro.

Dirigiram por mais alguns quilômetros até que Gavriel disse:

— Você vai ter que me prender.

Tana olhou alarmada para ele, suas mãos fazendo movimentos bruscos no volante. Com isso, o carro mudou subitamente de direção.

O vampiro abriu um largo e torto sorriso, deixando à mostra um dente afiado.

— Chegaremos a um posto de controle em talvez um quilômetro e meio. Se devo ser cativo de vocês, preciso parecer um prisioneiro. Caso contrário, com certeza haverei de deixá-los nervosos.

— Um posto de controle? — perguntou Aidan, inclinando-se para a frente no assento. — Tipo... policiais?

— Segurança Nacional — disse Winter. — E às vezes a Guarda Nacional. Ele está certo. Pessoas postaram sobre eles nos fóruns. Eles só vão nos perguntar o que estamos fazendo aqui. Provavelmente vão tentar nos dizer que não podemos seguir em frente, mas não podem nos manter fora; eles só ameaçam.

Midnight ergueu o olhar do celular.

— Guardas dos portões acham que qualquer um que queira morar dentro de uma Coldtown é escória. — O tom dela era ácido.

— Eles não vão pensar isso, já que temos Gavriel conosco. Vão achar que somos caçadores de recompensas fodões — disse Aidan.

Tana estacionou no acostamento da autoestrada, soltando um suspiro. Ao longe, por trás de uma extensão de árvores e descendo uma leve colina, pôde ver um McDonald's com todas as janelas destruídas e pichações cobrindo as mesinhas lá dentro.

— Como você sabia sobre o posto de controle? — perguntou Midnight a Gavriel baixinho, inclinando-se para a frente no assento de modo a fazer a pergunta por cima do ombro dele.

— Pesquisa — respondeu ele. Depois, virou-se para Tana. — Assim que chegarmos lá, você deve ir para casa. A morte passou por você duas vezes, Tana. Não a corteje uma terceira vez.

— Não, ela *tem* que vir conosco — disse Aidan, inclinando-se na lacuna entre os assentos. — Você vem, não vem, Tana? Você não vai me deixar seguir nessa aventura sozinho, vai?

— Não há nada para ela atrás daqueles portões — replicou Gavriel. — Você quer levá-la como se ela fosse um talismã para lembrá-lo da sua humanidade? Ou acha que dividir sua desgraça com alguém tornará o fardo mais leve?

— Você parece gostar dela — disse Midnight, maliciosamente. — Talvez ela vá tornar o seu fardo mais leve em vez do dele.

A forma como Gavriel olhou para ela fez com que parecesse a ponto de esticar a mão para o banco traseiro e quebrar o pescoço dela. Então, ele jogou a cabeça para trás e deu uma risada estranha e selvagem.

— Garota esperta. Você brinca com fogo porque quer se queimar.

— *Midnight* — disse Winter, entredentes.

Tana saiu do carro, batendo a porta atrás de si. O porta-malas já estava meio aberto, pois Gavriel o havia entortado quando o chutara para se libertar lá no posto de gasolina; ele não fechava mais direito. Ela pescou a corrente debaixo dos sacos de lixo de Winter e Midnight, desejando que sua respiração se estabilizasse.

Gavriel segurou-a pelo braço, e os dedos eram frios ao encostarem na pele dela.

Tana ofegou de surpresa, afastando-se e recuando, cambaleando, um passo. Ela nem mesmo havia ouvido quando ele saíra do carro.

— Eu não pretendia... — Ele parou de falar e, quando se pronunciou novamente, soou estranhamente formal: — Tana, eu não tenho habilidade para isso... Estou há muito tempo sem prática em manter os meus pensamentos claramente ordenados, e o tipo de persuasão que poderia convencer você está além da capacidade da minha língua desajeitada. — Ergueu a mão para encostar nos cabelos dela, e o roçar dos dedos foi tão leve que ela não teve certeza sequer se ele realmente a havia tocado. — Você é valente e boa, qualquer um pode ver isso. Você se atreveu a salvar até mesmo uma criatura infeliz como eu, meramente porque eu precisava ser salvo. Enfrentou tudo o que esta noite lançou para cima de você. Mas, com certeza, isso não é o bastante. O que quer que a esteja impulsionando, por favor, por favor, não permita que isso a leve mais adiante.

— Você acha que eu quero morrer — disse Tana. — Eu não quero. Não se trata disso.

Ele balançou a cabeça em negativa.

— Eu quero dizer apenas... não venha a Coldtown. Você pode amar Aidan e pode achar que é capaz de salvá-lo...

Por um instante, Tana ficou confusa. Em seguida, lembrou-se de que Aidan estivera com o braço em seus ombros quando a apresentara para Midnight e Winter.

— Ah, não, não é assim. Aidan não é meu *namorado*. Eu sei que ele disse que era, mas...

Os olhos vermelhos de Gavriel estreitaram-se, mas ela não conseguiu ler sua expressão.

Continuou falando, aos tropeços:

— Ele *era* meu namorado, e só disse aquilo porque... porque esse é o jeito dele. — Tana espiou no banco traseiro do carro, onde Aidan e Midnight estavam conversando. Winter estava sentado entre eles, colocando um cigarro em uma longa e pretensiosa piteira, com o corpo curvado para a frente. Tana soltou um suspiro. — Ele não quis dizer nada com isso. Acho que ele pensa em uma *namorada* como uma espécie de título de honra, do mesmo jeito como todos os presidentes ainda são "Presidente Fulano De Tal", não importando quem esteja atualmente no cargo.

Gavriel começou a dizer alguma outra coisa, mas Tana ergueu a mão para interrompê-lo. Ela estava tagarelando, mas queria terminar sua tagarelice.

— Escuta, lá na casa de fazenda, quando eu estava saindo, um dos... — *Monstros*, foi a palavra fornecida por seu cérebro. — Um deles acertou a minha perna. Não é profundo nem nada do gênero, mas... mas foram os dentes dele. Ele estava tentando me morder. Ele *conseguiu* me morder... um pouco. — Dizer isso em voz alta tornava tudo aquilo real novamente. Ela podia sentir que começava a tremer.

Ele a olhou com uma intensidade alarmante, os olhos vermelhos como carvões em brasa.

— Onde?

Ela se virou um pouco, para mostrar a parte de trás da perna. O vestido era curto o bastante para exibir a borda inferior dos arranhões.

Ele se agachou, pressionando os dedos frios logo acima do joelho dela, que ficou sem fôlego por causa da surpresa. Ele empurrou de leve para cima a bainha do vestido, deslizando as mãos na pele dela, fazendo com que os pelinhos ficassem eriçados por toda a extensão da coxa.

Ela entrelaçou os dedos de ambas as mãos, pressionando-as na frente do vestido, contra a barriga, para impedir que tremessem, para impedir que o restante do corpo se mexesse. Queria dar risada, os nervos em frangalhos. Era tão estranho ser tocada com tanta gentileza por uma criatura como ele, criatura esta que parecia simplesmente o tipo de garoto que a gente deixaria pôr a mão em nossa coxa por um motivo totalmente diferente.

— Então, você vê que não é que eu tenha o desejo de morrer, nem que eu esteja em algum tipo de turismo aventureiro ou que tenha batido a cabeça com força demais quando me joguei por aquela janela. — Ela se deu conta de que havia começado a tagarelar de novo, mas não sabia como parar. Pensou que não depilava as pernas desde sábado e que, provavelmente, havia pontinhos de pelos nelas. — Se os policiais me pegarem, vão me jogar em algum lugar para ficar em observação. E, se eu acabar estando infectada, então vão me mandar para Coldtown de qualquer forma. Sendo assim, eu posso conseguir um sinalizador e ter um jeito de sair da cidade, caso no final eu não esteja doente ou, mesmo que eu esteja, consiga sair dessa de alguma forma. E não vou ter que entrar em Coldtown sozinha. Então, você vê que tudo isso faz sentido...

— Há uma punctura muito pequena — disse ele, movendo os dedos novamente. Ela mordeu o lábio para se impedir de emitir um som. — Só uma... e o raspão que os dentes dele fizeram ao se arrastar pela sua pele.

— Profundo? — perguntou ela.

Ele deixou que a bainha do vestido dela caísse e segurou seus joelhos com as mãos, erguendo o olhar para ela. Os cabelos eram negros como as asas de um corvo e caíam por cima de um dos olhos.

— Não sei dizer. A crosta tem uma coloração azulada.

Por um instante, ela não conseguia respirar. Azul era sinônimo de veneno. Azul queria dizer que, como alguma maldição de família, ela acabaria ficando exatamente como a mãe, faminta, doente e gritando. Azul queria dizer que provavelmente o pior aconteceria.

— Tana, ainda assim você pode vir a ficar bem — disse Gavriel, mas ela não acreditou. Ele só estava sendo legal.

Ela ouviu a porta do carro se abrir e Aidan dar risada.

— O que vocês dois estão *fazendo?* Tipo, ela tem umas pernas boas e tal, mas será que é mesmo hora para isso?

Gavriel levantou-se lentamente. Envergonhada com quaisquer possibilidades do que eles achavam que ela estivesse fazendo, e com náuseas de pensar no veneno em seu sangue, Tana começou a se ocupar de fuçar debaixo dos sacos de lixo de Midnight e Winter para puxar as correntes. Tentou parecer ocupada, escondendo seu rosto de Aidan. Agarrando o metal espiralado, esfregou um dos elos com o polegar e se deu conta de que havia ramos de rosa selvagem enrolados no aço.

Até mesmo chateada como estava, o cérebro de Tana notou que essa era uma das coisas de que os vampiros não gostavam. Talvez em breve ela fosse descobrir o que era verdade e o que eram restos de mil histórias assustadoras que nem mesmo deveriam acontecer.

— Ei — gritou em direção ao carro, e sua voz soou rude, mas esta não fora sua intenção. — Alguém tem um cadeado?

Midnight deslizou para fora do carro.

— Eu acho que tenho um aqui. Nós o trouxemos para o caso de precisarmos trancar uma toca. Me deixe dar uma olhada. — Ela chegou mais perto de Tana e então parou, analisando o rosto dela. — Está tudo bem?

Tana assentiu, secando a bochecha com o dorso da mão. Nem mesmo tinha percebido que seus olhos estavam molhados.

Midnight olhou para Aidan e Gavriel, depois voltou a olhar para Tana, como se estivesse tentando ler algo nos rostos deles.

— Nós podemos amarrá-lo — disse Midnight, por fim. — Se você quiser. Não tem que fazer isso.

— Não — respondeu Tana, arrastando a corrente na direção de Gavriel. — Eu estou bem.

— Bem, bem, todo mundo está bem — disse o vampiro, com um brilho ensandecido nos olhos vermelhos, cruzando os braços sobre o peito como Bela Lugosi fazia naqueles filmes em preto e branco. — Bem como grãos de areia espalhados.

Tana se perguntava quanto esforço teria sido necessário para que ele falasse com ela do jeito como havia falado — para, como ele havia dito? *Manter os meus pensamentos claramente ordenados* — e quão insano estaria agora, como resultado daquele esforço. Pensou nele conversando com os guardas das fronteiras e estremeceu.

Não conseguia se imaginar transformada em um ser tal como Gavriel. Ele parecia tão estranho e remoto como uma distante estrela no céu.

Gavriel deixou que Aidan e Tana o envolvessem com correntes e permitiu que Midnight as prendesse bem em volta dele com o cadeado da velha bicicleta de Winter. Em seguida, ele foi voltando até a porta do lado do passageiro, arrastando-se, e se jogou no assento, pesado, envolvido como num casulo dos elos prateados das correntes.

Todos eles tinham voltado para dentro do carro, e Midnight dera um jeito de ficar no meio do banco de trás, o que queria dizer que Aidan estava a seu lado. Winter desferiu um olhar exasperado na direção da irmã, olhar que Tana captou no espelho retrovisor.

Ela se sentiu estranha enquanto voltava à autoestrada, com as mãos inseguras no volante. De alguma forma, *saber* que a crosta estava azulada convenceu-a de que podia sentir o inchaço da pele da coxa em volta da ferida, convenceu-a de que podia sentir o Resfriado em si, a borra gélida movendo-se pelas veias.

Mas era meio que um alívio saber que o inevitável tinha vindo. Ela não precisava mais ter medo. O que estava acontecendo em seu íntimo não se importava se ela estava ou não assustada.

O carro deu a volta em uma curva e o posto de controle ficou à vista. Tratava-se de apenas alguns cones e uma única viatura policial com luzes piscantes.

— Diga a eles que sou como vocês — disse Gavriel quando eles começaram a diminuir a velocidade.

Aidan deu risada.

— Eu acho que eles podem ver que você não é mais como a gente.

— Não — disse ele. — Diga a eles que vocês me conhecem. Que sou como vocês, um de vocês. Da festa. Diga isso a eles.

— Espera — disse Winter. — Espera! Ele está dizendo que *não estava* na festa? Vocês o encontraram no acostamento da estrada? Vocês pegaram um caroneiro que, por coincidência, era um *vampiro?*

Gavriel fixou o olhar em Winter.

— Você está me reconhecendo — disse ele, e Tana sentiu um frio subindo-lhe na espinha. — Você me reconheceu desde lá de fora da área de conveniência, quando eu me virei e a luz bateu no meu rosto.

— O que ele quer dizer com isso? — perguntou Midnight.

— Eu não sei — disse Winter, com uma voz estranha. — Nada.

— Nós vamos chamá-lo de Maynard McSmollet e ele pode ser de duas cidades lá atrás — disse Aidan, abafando o riso. — Ninguém realmente o conhecia tão bem assim, ele ficava na dele, mas estava de penetra na festa porque nunca conseguia resistir a um barril de cerveja... Que tal Roderick Spoon? Roddy. Rodster. Ele fazia parte de uma banda e tocava teclado, mas foi expulso de várias escolas por dar início a pequenos incêndios. É, isso é melhor. O que você acha, Gavriel?

E então não havia mais tempo para sugestões, porque o carro estava sendo estacionado perto do policial. Um punho cerrado e enluvado bateu com uma lanterna pesada na janela do carro. Tana abaixou o vidro, o coração espancando-lhe o peito.

O guarda era um homem de meia-idade. Os cabelos em um corte militar eram salpicados de fios brancos e o uniforme não era do tipo que os guardas locais geralmente usavam. Ele tinha a pele áspera e olhava para baixo, para Tana, com uma curva de repulsa no lábio.

— Vocês, crianças, não podem andar por aqui. Nada de turismo. Sigam em frente, deem a volta e... — O guarda voltou a lanterna acesa para iluminar o carro e parou quando ela refletiu os olhos de granada de Gavriel.

O vampiro abriu um largo sorriso, com os dentes à mostra.

— Viu? Nós não somos turistas — disse Winter no banco de trás.

O guarda recuou um passo.

— Vocês pegaram essa coisa?

— Ele era... ele é nosso amigo — disse Tana, esperando soar convincente. — Acabou de se transformar. Nós o estamos levando até o portão.

— É melhor vocês irem saindo de dentro do carro — mandou o guarda, levando a mão ao cinto e soltando algo dali... uma arma de fogo, Tana estava bem certa disso, até que ele levou um rádio à boca. — Eu assumo as coisas a partir daqui. Meu Deus, vocês nem colocaram uma mordaça nele!

— Está tudo bem. Nós vamos levá-lo pessoalmente. — Tana olhou à frente deles, para a escura extensão da estrada. Coisas ruins aconteciam em lugares como esse. Olhou de relance para Gavriel, cujo olhar estava fixo na garganta do guarda.

— Venha me amordaçar — disse o vampiro, com voz de mel.

— Saiam do carro! — ordenou o guarda. — Todos vocês. Saiam! Agora!

Tana deu um pulo, alarmada. Se pisasse no acelerador, acertaria um cone e talvez a lateral do carro do guarda, mas poderia levá-los para longe daquela parada. Ela inspirou fundo e se preparou para isso. O Crown Vic era um carro pesado, não o melhor em termos de aceleração, mas, uma vez que acelerasse, permanecia assim. E eles tinham uma vantagem. Talvez conseguissem até mesmo chegar ao portão antes de serem presos.

No entanto, antes que ela fizesse alguma coisa, Winter inclinou-se para a frente no banco.

— Ei! — ele gritou para o guarda. — Nós temos direitos! De acordo com as leis, temos o direito à recompensa por ele, então, se você acha que pode nos assustar e nos fazer desistir dela, tente de novo!

Tana olhou surpresa para Winter.

— Droga — disse Aidan, baixinho. — Vocês acham que ele vai atirar na gente agora? Eu realmente preferiria que ele não atirasse na gente...

— Seus amigos, né? — disse o guarda, com desdém, inclinando a cabeça pela janela e estreitando os olhos para Gavriel. — Você sabe o que esses seus amigos estão planejando? Eles vão vender você. Nós não temos um monte de cadáveres entrando aqui por livre e espontânea vontade.

Tana viu os dedos de Gavriel se mexendo, sutilmente fazendo com que as próprias correntes se mexessem. Ele não estava atado lá com muito cuidado. Em um instante, libertaria o braço. Em um instante, agarraria o guarda, arrastaria o homem pelo colo de Tana e afundaria as presas na garganta dele. Ela via a forma como as coisas se desenrolariam, o choque, os gritos, a fonte quente e vermelha escorrendo pela parte interna do para-brisas.

Talvez ela estivesse mais perto de ficar Resfriada do que havia pensado, porque essa imagem mental não a deixou horrorizada. Em vez disso, imaginou como seria a sensação se seus dedos estivessem se fechando no pescoço do guarda, se seus dentes estivessem afundando na pele dele. Imaginou que poderia sentir o cheiro dele, o hálito de cigarro velho, a salmoura de seu suor e, debaixo de tudo aquilo, acumulando-se e subindo pelos poros, o cheiro único do sangue dele.

Então o guarda reclinou-se para longe da janela, saindo de perigo, e apertou um botão em seu rádio.

— É, estou com um carro com adolescentes aqui que estão com um cadáver. Dizem que vão reivindicar uma recompensa por ele. É, parece piada. Eu sei, o mundo está cheio de gente doida.

Tana piscou para sair dos devaneios e viu que o guarda estava acenando para que eles passassem pelo posto de controle.

Capítulo 14

POSTADO POR:
MIDNIGHT

ASSUNTO:
AS DEZ COISAS MAIS IMPORTANTES A SEREM LEVADAS PARA COLDTOWN

1. DINHEIRO VIVO. E muito. Você pode trocar mercadorias e serviços por coisas lá dentro, mas dinheiro vivo ainda é a ferramenta mais importante para subornar guardas e conseguir o que você quiser. Você vem economizando e guardando dinheiro, certo? Traga até o último centavo. Não é como se você fosse voltar.

2. BATERIAS, CARREGADORES, EXTENSÕES, PEQUENO GERADOR SOLAR, CÂMERA DE VÍDEO. Mais o seu laptop, é claro. Pode ser que você precise conseguir sua fonte de energia de forma ilegal para fazer com que a transmissão funcione, mas aí você pode compartilhar suas aventuras com o restante de nós e nos ouvir ansiando para nos juntarmos a você. Ter um modo eficaz de se comunicar com o mundo externo pode se tornar lucrativo também. Várias estrelas de Coldtown eram exatamente como você quando começaram.

3. CÂNULAS LIMPAS (agulha hipodérmica e uma extensão de tubo) e meios para esterilização para punção de veia (álcool para esfregar no local,

peróxido de hidrogênio, alvejante, fósforos ou isqueiro). Considere colocar essas coisas em uma bela maleta para levá-la a clubes ou festas e se exibir com ela. É claro, seria o máximo se você não precisasse usar nada disso, mas a maior parte dos vampiros de Coldtown não vai morder você logo de cara. Eles só transformam pessoas de quem eles realmente gostam.

4. SUAS COISAS. Roupas, sapatos, xampu, perfume, joias, maquiagem: só traga as coisas que você realmente ama, porque, assim que passar pelos portões, estará a pé e deve viajar carregando malas leves, mas também se lembre de que tudo é mais difícil de arranjar em Coldtown. Pode valer a pena arrastar uma mala maior quando se está tentando encontrar aquela roupa perfeita. Pense na pessoa que você quer ser — e na pessoa que deseja impressionar — e se vista de acordo para elas.

5. COISAS PARA TROCA. Boas bebidas, boa maconha, latas de alimentos de luxo, produtos frescos, roupas e remédios. (Antibióticos, aspirina e outros analgésicos são especialmente valiosos.) Todas essas coisas vão ajudar você a segurar por mais tempo suas reservas em dinheiro vivo, e talvez até mesmo aumentá-las significativamente.

6. BASTÕES PESADOS E OUTROS MEIOS DE DEFESA. Sabemos quão especial é Coldtown, e somos uma comunidade de suporte on-line tão dedicada que fica difícil imaginar que, atrás dos portões, existam pessoas diferentes de nós. Mas, sem polícia nem nada do gênero, temos que tomar cuidado. Recém-chegados são considerados presas por bandos de *wannabes* indignos, então não caia naquela das crianças que ficam perto dos portões falando sobre tocas excelentes ou clubes secretos. Também não deixe que ninguém coloque as mãos em suas malas e se prepare para se defender caso seja necessário.

7. ALGO QUE FAÇA COM QUE VOCÊ SE DESTAQUE DA MULTIDÃO. Seja sua intrincada poesia, o colar de caveira de papagaio que mostra sua personalidade excêntrica, ou o violino que você vem praticando desde

criança. Traga aquilo que mostra que você é único. Você quer que os vampiros vejam por que merece viver para sempre.

8. LISTA DE CONTATOS. O máximo em relação a esses fóruns é que temos amigos que já cruzaram os portões e que podem nos mostrar como as coisas funcionam quando chegarmos. Você vai querer entrar em contato e planejar encontrar-se com eles assim que estiver lá, então, certifique-se de ter informações como endereços, números de telefone etc., impressos para o caso de falha eletrônica. Além disso, é triste dizer, mantenha em mente que algumas pessoas estão mais dispostas a compartilhar suas conexões e sorte do que outras. Se você tiver uma sensação ruim em relação a alguém, até mesmo se o conhecer dos fóruns, evite esse alguém.

9. SEUS PATROCINADORES E MANEIRAS DE ENTRAR EM CONTATO COM ELES. Sempre é possível que você esbarre em uma dificuldade em seus planos, fique sem dinheiro, seja roubado ou até mesmo se machuque. Se isso acontecer, você precisará saber quem são as pessoas a quem pedir dinheiro e provisões extras. Certifique-se de ter os contatos dos seus pais, avós, familiares distantes, amigos, seguidores do blog — qualquer um que, se necessário for, pode vir a ser persuadido a lhe enviar dinheiro. Lembre-se também de que, estando dentro de Coldtown, existem imagens e experiências às quais você terá acesso e que poderá trocar por aquilo de que precisar. Não é o ideal, mas é algo em que todos nós temos que pensar.

10. UM CAMARADA. Vai por mim, você vai precisar de um.

Capítulo 15

Morrer é aterrissar em alguma praia distante.

— John Dryden

Os portões agigantavam-se vários quilômetros de distância à frente deles, erguendo-se acima dos topos das árvores e iluminados com refletores. Haviam sido construídos depois dos surtos, no auge do fervor supersticioso, e eram feitos de tábuas de carvalho sagrado, freixo e espinheiro, todas embebidas em água benta, e depois pregaram-se nelas símbolos devocionais do mundo todo. Além disso, os mais altos salões em ruínas, fábricas e pináculos de igrejas eram visíveis dentro da cidade murada, alguns dos quais reluziam com luzes trêmulas, outros cobertos por um supercrescido e pesado carpete de hera.

O lugar não se parecia nem um pouco com uma prisão. Os portões pareciam a entrada para um antigo templo ou a abertura para algum país encantado. Tana os havia visto antes, nos noticiários, porém, de alguma forma, nas gravações feitas por câmeras acopladas a helicópteros, eles não irradiavam a mesma sensação majestosa que emanavam agora.

Quando eles viraram em uma curva na estrada, puderam avistar o posto de guarda, que era pequeno e comum, parecendo um posto de cobrança de pedágio. Havia dois guardas com coletes à prova de bala do lado de fora, na frente da delegacia, parados e em pé, dividindo um cigarro. Eles ergueram os olhares para o carro quando a luz dos faróis deste oscilou em meio à escuridão, mas não fizeram nenhum movimento que indicasse que pegariam seus lança-chamas.

— Estacione ali — disse Winter, colocando a mão no ombro de Tana e apontando em direção a uma faixa de asfalto rachado que se curvava para baixo em um gramado supercrescido. Havia outros carros estacionados aqui e ali, alguns cobertos por uma espessa camada de lama. Numa placa manuscrita pregada ao poste de luz da rua lia-se ESTACIONAMENTO TEMPORÁRIO SOMENTE, e um dos cantos da placa ondulava ruidosamente ao vento. Debaixo dela, havia outra placa de metal em que se lia ÁREA DE ACESSO RESTRITO. LICENÇA OBRIGATÓRIA.

Tana parou e estacionou o Crown Vic ao lado de uma surrada caminhonete. Ela olhou para o relógio no painel do carro. Dentro de menos de duas horas, o sol estaria subindo no céu.

— Eu vou até lá resolver os lances com a papelada ou seja lá o que for para levá-lo para dentro — disse ela, virando-se no assento. — Winter, é melhor você vir comigo, já que você soube o que dizer àquele guarda.

Winter olhou de relance para Aidan, com ares de suspeita. Aidan piscou para ele.

— Toma — disse Tana, ignorando os dois enquanto pressionava as chaves do carro na mão de Midnight. — Se algo sair errado, só cai fora deste inferno de lugar antes de o sol nascer.

— Ah, não! — disse Gavriel, puxando e soltando uma das mãos e desenrolando mais da corrente. — Se houver algum problema, eu estarei no centro dele.

— O sol vai surgir no céu em breve — Tana lembrou. — E para de mexer nas correntes. Você precisa ficar preso nelas até estarmos lá dentro. Você deveria ser o nosso prisioneiro, lembra? Este é o *seu plano*.

Ele balançou a cabeça em negativa.

— Você me pede para esperar, mas, se devo pegar fogo, então é melhor deixar que o fogo aja a meu serviço.

Se o meio sorriso preguiçoso e louco dele e o brilho naqueles olhos de granada fossem algum indicativo, Gavriel estava falando sério em cada palavra. Ele queria encrenca. Mas por que achava que ela poderia deixar ou impedir que ele fizesse alguma coisa? ... Tana não fazia a mínima ideia.

Midnight agarrou os dedos de Tana e apertou-os de leve.

— Só não aceite baboseiras desses guardas, ok? Pegue este sinalizador. Não importa o que aconteça, isso tem muito valor. Nós vamos irromper em Coldtown como heróis, sabia disso? As pessoas vão falar de nós na internet durante meses!

— Cuidado — disse Winter à irmã, fazendo um sinal com a cabeça na direção de Aidan, que olhou para ele, em resposta, com olhos arregalados de inocência, e depois na direção de Gavriel, que fitava a escuridão, pensando quaisquer que fossem os pensamentos que vampiros famintos por sangue e que gostavam de citar Shakespeare tivessem.

— Ah, não. — Midnight soou exultante. — Nós deixamos o *cuidado* lá em casa, junto com o *tenso* e o *normal*.

Tana saiu do carro, inspirando fundo o ar, deixando os gêmeos se bicando. Era estranho estar em um local tão desolado e ser capaz de ouvir o zunido distante de música amplificada por alto-falantes e o cheiro de alguém cozinhando do outro lado dos portões. Mas não apenas cozinhando. O cheiro de fumaça de madeira e de plástico queimado ia até o nariz dela da cidade além dos muros, junto com outro odor, uma podridão doce que ela levou um tempinho para reconhecer como fedor de carne podre. Isso a fez pensar em quando estivera sentada no tapete da sala de estar da casa da fazenda com os corpos dos amigos ao redor.

— Winter — disse ela. — Venha.

Por um bom tempo, ele permaneceu onde estava, com o olhar fixo na irmã, tendo uma discussão com ela que consistia completamente em coisas não ditas. Midnight brincava com uma das argolas no lábio, girando-a, nervosa. Depois de um instante, Winter soltou um suspiro e deslizou para fora do carro, batendo a porta atrás de si.

— Quanto mais rápido voltarmos, menos coisas podem acontecer — disse Tana, com esperança de que isso o tranquilizasse. Ela também estava nervosa.

— Você realmente vai entrar em Coldtown com a gente? — perguntou ele, acompanhando seus passos, a seu lado, enquanto Tana cruzava a estrada negra.

— É, acho que sim. — Ela inspirou fundo; era injusto não avisá-los da situação em que estavam se colocando ao viajarem com ela. — Estou infectada... eu acho. Quero dizer, é bem provável que sim. Tenho algumas horas antes de ter certeza.

Winter olhou para ela, surpreso.

— Provável?

— Isso não é uma coisa boa — disse ela. — Não aja como se fosse uma coisa boa.

Ele tirou outro cigarro preto da cigarreira de prata, colocou-o na piteira e acendeu-o. O ar agora cheirava a citronela e incenso.

— Quer um? — perguntou ele, cuja expressão ficava cada vez mais deliberada. — São de ervas.

Tana balançou a cabeça em negativa. Não queria que ninguém visse o tremor de nervosismo em suas mãos.

Os guardas ficaram olhando enquanto eles se aproximavam. Um deles estava fumando, apoiado em um lança-chamas meio que do tamanho e na forma de um rifle. O outro apontava a arma diretamente para Tana. Ambos pareciam entediados.

— Está tudo bem? — perguntou o guarda.

— Hum — disse Tana. — Sim. Nós queremos saber como fazer para entregar um vampiro em troca da recompensa. O cara no posto de controle ligou para vocês antes...?

O guarda jogou o cigarro no concreto e pisoteou a bituca.

— Vocês, crianças, estão com um vampiro? — Ele e o parceiro compartilharam um olhar significativo de relance.

— Talvez — disse Winter, dando uma longa tragada em uma das pontas da piteira laqueada.

O guarda abaixou a arma e então se apoiou nela, espelhando o parceiro. Ele inclinou a cabeça para um dos lados, avaliando-os.

— Ok, então se eu fosse cruzar a rua...

— Só nos diga como funciona — falou Tana. — Nós vamos passar pelos portões, todos nós, e queremos um sinalizador.

— Ah, é? — perguntou o outro guarda. — Um bando de crianças quer entrar na área em quarentena com todos aqueles malucos lá dentro? Vocês caíram de cabeça muitas vezes? As mamãezinhas de vocês não os entendem?

— Você diz que as companhias lá dentro são ruins. — Winter deu um tapinha na piteira, fazendo com que um fio de cinzas caísse na terra, e fitou os guardas com o olhar mais irônico e desdenhoso possível. — Parece que a companhia aqui é ainda pior.

Os guardas deram risada.

— O escritório é por ali — disse um deles, apontando em direção aos edifícios administrativos em um dos lados dos portões, feitos de pedra, com uma única janela e uma porta frágil e barata. — Se vocês querem se matar, vão logo em frente. É só preencherem os formulários primeiro. E, se tiverem um vampiro, parabéns. Só se certifiquem de que ele não seja um moleque com lentes de contato vermelhas. — Riram de novo, claramente classificando Tana e Winter como nem um pouco ameaçadores.

— Obrigada, uau, vocês são realmente úteis! — disse Tana, com sarcasmo, virando-se e caminhando para onde eles haviam indicado.

Ela ouviu, do outro lado do muro, uma lamúria aguda que soava mais como vinda de um animal do que de um ser humano. Estremeceu. Winter olhou para trás e inspirou fundo, tremendo.

Depois de uns instantes, o som da lamúria sumiu no ar. Winter diminuiu a velocidade dos passos largos.

— Por que ele faz o que você manda? O vampiro.

— Gavriel? — Tana deu de ombros. — Eu não faço a mínima ideia.

— Deve haver algum motivo — Winter amassou a bituca do cigarro na parede.

— Quando eu o encontrei, ele estava acorrentado. Os vampiros... Aidan ouviu os vampiros dizendo que o Espinho de alguma coisa ou outra estava caçando Gavriel. É uma cidade russa... meu cérebro está frito e me deu um branco, não lembro. Mas você conhece o cara. Foi ele quem matou aquele jornalista em Paris. Gavriel está metido em algum tipo de encrenca com ele.

Ratinhos.

— Um inimigo do Espinho de Istra — disse Winter, com uma estranha expressão no rosto. — Foi isso que ele disse a você?

— Ele me ajudou lá na casa — disse Tana, não sabendo ao certo por que estava se sentindo na defensiva. Winter e a irmã supostamente deveriam amar os vampiros tanto quanto queriam *ser* vampiros; por que ele soaria como se ela fosse demente por desacorrentar um deles? — Ele ainda está nos ajudando, lembra?

— Mas por quê? — perguntou o garoto. — Não se ofenda. É que eu não entendo. Aposto que faz um bom tempo que ele é vampiro, até mesmo antes de o mundo ter ficado Resfriado. Aqueles vampiros velhos odeiam seres humanos, odeiam pessoas como eu e a Midnight, para ser específico... qualquer vampiro transformado na última década e qualquer um que queira ser vampiro. E aqui está ele, deixando que o prendamos, rendendo-se voluntariamente para ser aprisionado em uma Coldtown. Isso não faz sentido.

Eu luto pelos meus momentos mais racionais, Gavriel havia dito quando estavam viajando de carro. Tana vira a tensão no rosto dele desde então: momentos em que parecia perdido e outros em que parecia letal.

— Eu não sei — respondeu ela. — Mas ele queria vir até Coldtown. Não está fazendo isso por nós.

Winter levou um tempinho para digerir essa informação, depois abriu com tudo a porta do escritório. Um sino ressoou acima. O garoto manteve a porta escancarada para Tana, que passou deslizando por ele e entrou ali.

Enquanto fazia isso, ela pensava naquilo que Gavriel havia dito a Winter mais cedo. *Você está me reconhecendo. Você me reconheceu desde lá de fora da área de conveniência, quando eu me virei e a luz bateu no meu rosto.*

Quem era ele para ser reconhecido por Winter? A garota teve um momento de pânico e ansiedade com a possibilidade de que Winter estivesse fazendo algum tipo de jogo com ela, mas não conseguia pensar em como ele faria isso.

Luzes fluorescentes acima banhavam a sala com um fulgor árduo e cegante que levou Tana a piscar várias vezes. Um balcão de laminado barato estava coberto com bagunçadas pilhas de formulários multicoloridos. Duas canetas, cada uma presa a um fio sujo com uma fita adesiva mais suja ainda, pendiam de cada lado do balcão, atrás do qual havia quatro escrivaninhas de metal. Somente uma delas estava ocupada. Uma mulher grande, com um vestido de cor berrante e estampa de grandes papoulas abstratas, levantou-se devagar, como se seus joelhos doessem. Os cabelos grisalhos estavam reunidos em um impressionante coque alto na nuca.

Ela olhou para Tana e Winter por um bom tempo, então foi andando até eles.

— O que vocês querem, crianças? São quatro da manhã. Vocês não deveriam estar na cama?

— Nós queremos reivindicar a recompensa por um vampiro — disse Tana, gaguejando.

Ela não estava preparada para como o caminho até Coldtown parecia uma ida a uma versão presunçosa do departamento de trânsito.

A mulher ergueu as sobrancelhas.

— Vocês são algum tipo de caçadores mirins de recompensas?

Tana soltou um suspiro.

— Só precisamos de formulários para entrar em Coldtown, e queremos entregar um vampiro em troca de um sinalizador.

— Cancelamento de registro? — Agora a mulher balançava a cabeça. — Não seja idiota. Vocês não vão querer entrar em Coldtown. Peguem a recompensa pelo vampiro e vivam outro dia. Um sinalizador não vai tirar vocês dois de lá, de qualquer forma.

Tana olhou para o relógio.

— Somos um grupo de quatro pessoas, isso sem contar o vampiro, então, por favor, só nos dê a papelada. Nós sabemos o que estamos fazendo.

A mulher soltou um suspiro.

— Todo mundo está sempre com tanta presa para ir correndo de encontro à própria morte. Bem, aguenta as pontas aí um minuto. Estávamos com uma mulher e os três filhos, dá para imaginar uma coisa dessas?! Faz umas duas noites, então eu sei que os pacotes estão aqui em algum lugar. Só preciso achar o meu selo notarial.

Enquanto a mulher remexia na escrivaninha, Winter deu a volta na sala, parando na frente de um quadro de avisos em que havia um oceano de pôsteres presos com tachinhas, um por cima do outro. A maior parte deles propagandeava recompensas mais altas para vampiros particularmente famosos ou perigosos. Uns poucos eram de pais procurando por alguém que assumisse a incumbência de comprar de volta seu filho com um sinalizador — e implorando que um caçador cobrasse um preço que pudessem pagar. Alguns prometiam recompensas além de dinheiro vivo: carros, propriedades, antigos anéis de noivado, gado e até mesmo o vagamente ominoso QUALQUER COISA QUE TIVERMOS, QUALQUER COISA QUE VOCÊ POSSA QUERER, QUALQUER COISA QUE SEJA.

— Você chegou a ver alguma vez a transmissão da Matilda alguns anos atrás?

Winter fez a pergunta repentinamente, olhando em direção a Tana. Os espetos dos cabelos azuis tinham murchado e o delineador estava um pouco borrado debaixo de um dos olhos, como se ele tivesse esfregado o lugar sem pensar.

Tana balançou a cabeça em negativa.

— Essa vampira, Matilda, veio para Coldtown. Ela infectou outra garota acidentalmente, bem, a garota *queria* ser infectada... mas, de qualquer forma, Matilda desintoxicou-a e filmou todas as insanas doze semanas e meia. E a parte realmente fascinante foi que às vezes ela se sentava na frente da câmera e falava sobre como era ser uma vampira. Ela nos contou sobre as pessoas que matou, como era o gosto do sangue, como sua visão era diferente, como *ela* ficou diferente, que ter sido transformada não era como no Baile Eterno e nem como as transmissões de Coldtown fazem parecer que seja. Que não era glamouroso, nem especial, nem nada.

Tana ficou observando enquanto ele falava.

— E você ainda quer ser um vampiro? Quero dizer, é por isso que vocês dois estão entrando em Coldtown, não?

— É. — A voz de Winter soou firme, mas havia algo mais em seus olhos: medo e uma espécie de olhar terrível e naufragado, como o de um homem que está deslizando cada vez mais fundo na areia movediça e sabe que, se lutar, só vai piorar as coisas. — Deprimente, não? Mas, de alguma forma, Matilda fez com que aquilo parecesse real, já que *não era* glamouroso e nem especial, então talvez eu *pudesse* ter isso. Mas eu sei que isso é o que todos os *wannabes* que vêm para cá querem. A maior parte vai morrer sem conseguir. Vão ser usados pelo sangue ou transformados, e vão acabar descobrindo que não são melhores em sua nova vida do que eram na antiga.

Tana não disse nada.

— Você acha que vamos acabar como eles, mas não vamos.

— Eu não acho nada — disse Tana.

Ele soltou um suspiro como se estivesse incomodado, mas continuou falando mesmo assim.

— Midnight já era obcecada com isso antes de mim: a imortalidade, o dom negro. Você deveria ter visto as paredes do quarto dela quando tínhamos doze anos. Rabiscadas com poesias sobre eternidade e repletas de dentes de animais, doces em formato de caixões, páginas arrancadas de livros de Edgar Allan Poe e coladas nas penteadeiras e com o sangue dela borrifado sobre elas. Mas fui eu que comecei a ir aos fóruns e me encontrar com outras pessoas que queriam fugir para Coldtown. Depois de um tempo, Midnight quis que a gente fizesse o nosso próprio fórum, para podermos falar das coisas de verdade. No fim, percebemos que estava na hora de nos sujeitarmos a isso ou calarmos a boca. Então, nós sabemos o que estamos fazendo, e mesmo que você ache... — Ele parou de falar abruptamente, arrancando uma página da parede.

— O que é isso? — perguntou Tana.

A mulher voltou, assentindo e murmurando para si mesma. Colocou no balcão alguns formulários em cores diferentes.

— Isso não é algo que se faça despreocupadamente. Ou porque você está triste. Ou porque é jovem e idiota. Isso é para sempre.

— Obrigada pelo aviso — disse Tana, com frieza, coletando os papéis.

— Vocês, crianças, não têm mesmo um vampiro, têm? Isso não é o tipo de coisa sobre a qual se fica de brincadeira por aí. Se nos derem falsas informações, isso é crime. Vocês precisam apresentar o vampiro ou, se foi morto, precisam ter preservado a cabeça.

— Ah, nós temos um vampiro, sim — disse Winter, distraído, olhando de relance para a porta. — Na verdade, por que eu não vou lá pegar todo mundo? Você pode começar com a papelada, Tana.

— Ok — respondeu ela, confusa.

Saindo dali, ele enfiou um pedaço de papel amassado na mão da garota, a mesma página que havia arrancado da parede.

— Eu não sabia, de verdade, eu não sabia — sussurrou. — Eu achei que talvez... mas juro que não tinha certeza.

Ela tentou se concentrar enquanto a funcionária grisalha lhe explicava sobre os formulários aceitáveis de identificação e onde Tana teria de ficar para que tirassem sua foto e as linhas pontilhadas em que precisava assinar, mas estava difícil. Ela continuava se distraindo e olhando para trás, para o pôster que estava alisando, como se a imagem que havia nele pudesse mudar.

O papel prometia uma recompensa de setenta e cinco mil dólares pela morte ou captura do Espinho de Istra. Mas não era a quantia que a deixara chocada: era a foto.

Apesar de ser, obviamente, uma cópia borrada de uma cópia de uma cópia, Tana reconheceu-o de imediato. Gavriel parecia ter saído do final do século XIX, em um belo terno em uma antiga rua parisiense, com uma gravata-borboleta sobre um colarinho branco engomado e uma cartola semioculta por cachos negros. Gavriel, olhando diretamente para a câmera com um ar de desdém nos lábios e olhos que ardiam como fogueiras em chamas. Gavriel, segurando uma bengala em uma das mãos, como se fosse açoitar o maxilar do fotógrafo com o cabo de prata.

O primeiro pensamento de Tana foi: *Que erro engraçado!* O Espinho estava caçando Gavriel, ele havia escapado da jaula em Paris para encontrar Gavriel. E então ela se lembrou, enquanto fitava o papel, de que Aidan havia insistido que os vampiros que sussurravam pela porta estavam ameaçando levar Gavriel de volta para o Espinho, e Gavriel dissera: *Não exatamente.* Ele havia tentado lhe contar, mas ela não estivera prestando atenção.

Não exatamente.

O Espinho de Istra, o vampiro louco. Tana pensou no vídeo granulado dele que havia visto, na cabeça inclinada para trás, tão coberta de sangue que ela não se lembrara das feições, não se lembrara dele com uma aparência que não fosse a de um monstro, rindo, rindo sem parar.

Louco como um cão. Louco como um deus.

Gavriel.

Capítulo 16

A Morte, eles dizem, liberta-nos de todas as obrigações.
— Michel Eyquem de Montaigne

Todas as férias de Tana eram horríveis. Os pais de sua mãe vinham visitá-los e abraçavam-na, e abraçavam Pearl, e falavam que era uma tragédia que a mãe delas nunca fosse ver como elas haviam crescido e como estavam bonitas. Os outros avós, pais de seu pai, costumavam dizer coisas pouco entusiasmantes sobre o estado da casa e os vincos nos vestidos das meninas. Eles suspiravam sobre as ervilhas estarem cozidas demais ou sobre o assado estar queimado. Tana escutava-os, tarde da noite, dizendo a seu pai que ele devia casar-se novamente, que devia isso às filhas — que isso lhes traria estabilidade e autoestima. Que ajudaria Tana a esquecer.

O pai delas crescera em Pittsburgh. Ele arrumara uma identidade falsa com quinze anos de modo que pudesse trabalhar em uma das duas usinas siderúrgicas remanescentes, junto com os irmãos e o pai. Trabalhara duro e conseguira fazer dois anos de faculdade comunitária, formando-se em administração de empresas. De lá, fora aceito em uma faculdade estadual na Filadélfia, trabalhando como zelador em um hospital para pagar os estudos.

Ele conhecera a mãe de Tana ao voltar do estouro dos fogos de artifício de 4 de julho. Ela estava nadando em uma fonte da cidade onde seus amigos da faculdade de artes apenas tinham molhado os pés. Parecia uma bela ninfa de uma pintura que ele vira em uma de suas aulas. Ele entrou na fonte, vestido, sorrindo que nem um boboca, e disse isso a ela. Alguns meses depois, estavam casados.

Ele a amava mais do que havia amado qualquer coisa na vida. Ela era selvagem e cheia de uma energia maníaca, um tornado que às vezes se atirava em depressões profundas. No entanto, em outros momentos, era gloriosamente divertida. Sem ela no centro de tudo, ele ficava perdido. Não importava o que dissessem os avós de Tana e Pearl, ele não estava interessado em se casar de novo. Às vezes saía com mulheres, mas esses encontros sempre acabavam rápido. Ele voltava para casa e se dirigia a seu velho quarto, um lugar que havia sido deixado exatamente como estava desde que a esposa morrera, e ficava lá por um tempo, antes de voltar para o sofá na sala de TV, onde dormia desde a morte dela. As férias continuavam um infortúnio.

O pai de Tana era o tipo de homem que acreditava em fazer a coisa certa, não importando o que fosse. Trabalhando duro, sendo o mais honesto possível, fazendo o que tinha de ser feito porque era o certo. E acreditava que a coisa certa a ser feita era óbvia a qualquer um que tirasse um minuto para pensar no assunto.

Quando sua esposa fora mordida por um vampiro, e a febre dela fora às alturas, e a pele dela ficara gélida, quando ela implorara que ele não a entregasse, ele soubera o que precisava fazer. Não se importara com os outdoors do governo, nem com os comerciais na TV avisando às pessoas que observassem a quarentena. Os ricos subornavam hospitais particulares para que trancassem seus entes queridos em quartos muito privados. E ele sabia que havia muitas outras pessoas comuns, trabalhadoras, que faziam o que ele tinha feito: transformado seus porões em prisões improvisadas com portas reforçadas e correntes pesadas.

Da forma como ele via as coisas, trancafiar a esposa quando ela ficara Resfriada fora a coisa certa a ser feita, então foi o que ele fez.

Salvar a filha mais velha de sangrar até a morte também foi a coisa certa a fazer. Para mantê-la a salvo, ele tivera que matar a esposa infectada, por isso separara o pescoço dela do corpo com uma pá.

Ele não demonstrara medo. Não hesitara. Havia odiado aquilo, mas fizera-o isso mesmo assim. Embora fosse uma coisa terrível. Mesmo que agora vivesse no passado, caminhando penosamente pela vida como se estivesse passando por uma pesada tormenta, tão distraído pelo pesar que mal conseguia se lembrar de fazer as compras na mercearia ou desligar o fogão depois de ter esquentado alguma comida congelada.

Tana se perguntava se ele teria uma fantasia como a dela, em que ele é que havia sido mordido, em que ele e a amada esposa vampira ainda viviam juntos. Uma fantasia na qual caçavam nas ruas e nadavam em fontes sob uma lua imensamente redonda e reluzente.

Enquanto ia crescendo, Tana achava que ela e o pai não tinham muita coisa em comum. Ela nunca soube exatamente ao certo o que seria isso, mas ali, na estrada, não conseguia evitar pensar nele. Imaginava se, caso a situação assim se mostrasse e ela descobrisse o que deveria fazer, ela poderia ser como ele, forte o suficiente para fazê-lo. A qualquer custo.

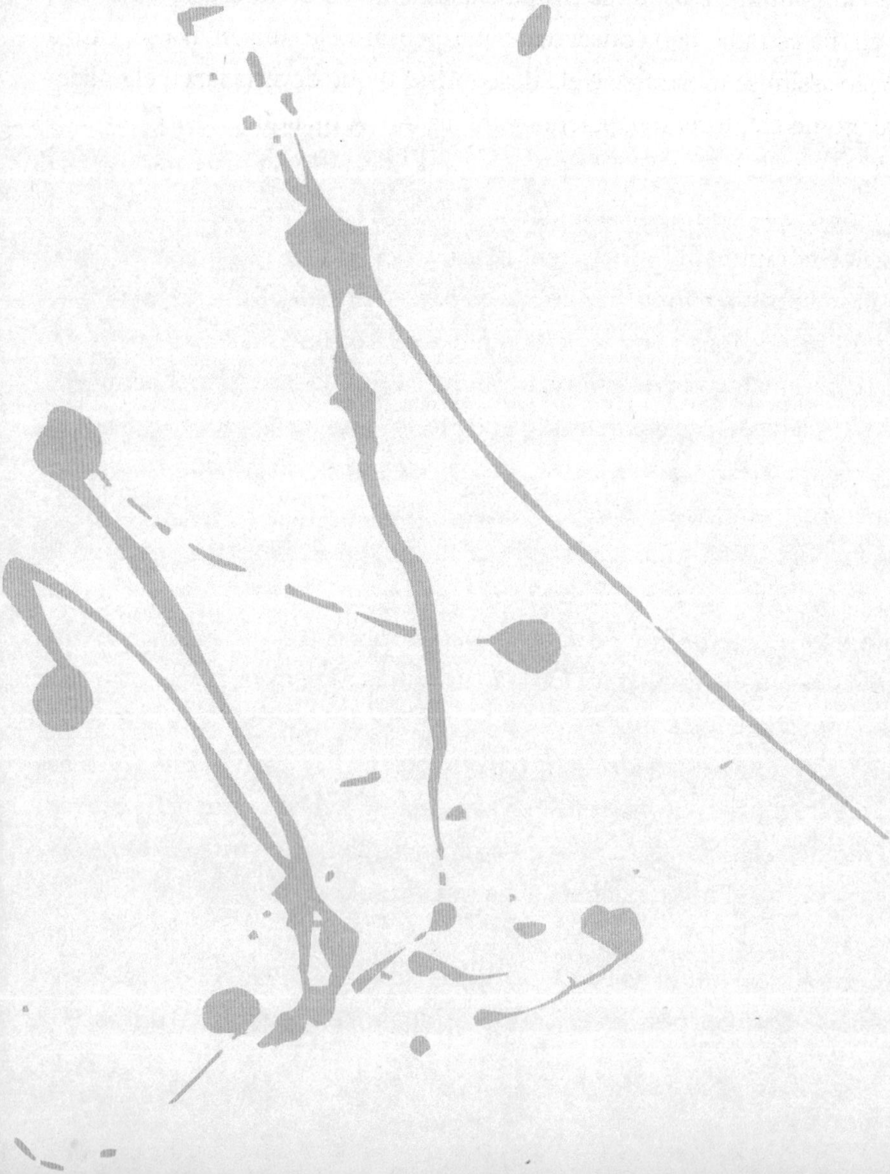

Capítulo 17

Chegando assim tão perto da morte, você será beijado.

— Debra Winger

Winter voltou com Gavriel, que estava envolto em correntes e arrastando os pés. Aidan e Midnight estavam em pé ao lado do vampiro, ajudando-o a se equilibrar, enquanto Winter arrastava os sacos de lixo e a mala que compunham a bagagem deles. Com os lança-chamas erguidos, guardas marchavam junto com o grupo para dentro do pequeno escritório. À luz brilhante, Tana pôde ver que um dos guardas era maior do que o outro e tinha uma rajada de espinhas no queixo. O segundo tinha penugens acima dos lábios, o início de um bigode loiro. Eles não estavam mais dando risada. Pareciam alertas e chocados por terem de fazer aquilo, como se semanas tivessem passado desde a última vez em que viram alguma ação, e talvez meses desde que tiveram de lidar com um vampiro de verdade.

Gavriel estava com a cabeça baixa, os cabelos nos olhos, porém, quando ele a viu, ergueu o olhar e abriu um largo sorriso, como se estivesse curtindo muitíssimo o momento. Ela o analisou uma vez mais, com a camiseta preta repuxada e justa no peito, a forma como a calça jeans que ele usava tinha o cós baixo nos quadris, o firme olhar vermelho. Tana deu-se conta de que aquelas roupas não eram dele. Não caíam exatamente bem nele, porque pertenciam a alguma outra pessoa — provavelmente tinham sido roubadas de outra pessoa. Provavelmente, alguém morto. Nada daquilo era dele.

O coração de Tana espancava-lhe o peito. Ela pensou no colar com o fecho quebrado no fundo da bolsa, nas notas aleatórias de dinheiro e nas botas novas dele. Quantas pessoas teria ele matado desde que escapara da jaula?

O Espinho de Istra, sua mente lhe dizia. *Este é o Espinho de Istra.* Muitas. Ele havia matado muitas e muitas e muitas e muitas pessoas.

Midnight também estava sorrindo, de braço dado com Aidan, como se eles estivessem indo a uma festa. Ela jogou os cabelos azuis para o lado, e Winter olhou para Tana, com os lábios pressionados um no outro, como se estivesse segurando as palavras que queria dizer.

A funcionária de cabelos grisalhos atrás do balcão pegou um cartão plástico do cordão que pendia em seu pescoço, debaixo da blusa.

— Vou levá-los para as salas de espera.

— Quem está requerendo a recompensa pelo vampiro? — perguntou o guarda com espinhas no rosto.

— Creio que seja eu — disse Tana, meio que erguendo uma das mãos como se estivesse na escola.

Por um instante, ela se perguntou o que aconteceria se dissesse quem ele era, se reivindicasse a recompensa completa. Era muito dinheiro, o bastante para pagar toda a taxa da faculdade comunitária para sua irmã. Por capturar o Espinho de Istra, eles poderiam até mesmo incluir um sinalizador na recompensa. Talvez Tana ganhasse seu próprio programa de TV: *Caçadora de Recompensas Adolescente.* Só de pensar nisso, teve de abafar risadinhas de exultação.

— Leve-a até a sala de número seis — disse o outro guarda à funcionária de cabelos grisalhos.

— Aonde vocês vão levar...? — Tana começou a perguntar.

— Não se preocupe — disse Gavriel, com um sorriso se estendendo na boca enquanto esticava a mão para colocá-la na maçaneta da porta. — Eu gosto de surpresas. — Ele cerrou os olhos. Cílios longos e escuros varreram suas bochechas enquanto ele estirava os braços por completo, deixando as correntes frouxas que o envolviam caírem no chão, emitindo um alto retinir, os músculos firmes dramaticamente em destaque sob as luzes. Parecia estar se preparando para uma briga. Parecia mais tranquilo do que Tana o havia visto em qualquer momento antes disso.

Bem, já era a ideia de fazer com que parecesse que ele era prisioneiro de alguém!

Talvez o que aconteceria se ela dissesse quem era Gavriel fosse que ele declararia um fim ao truque e mataria todo mundo, inclusive Tana. Ou talvez apenas desse de ombros, com um pouco de melancolia, e aceitasse a traição. Nenhum dos dois era o que ela desejava.

Quando criança, Tana ocasionalmente se perguntava como seria conhecer um vampiro que estivesse vivo por um bom tempo. Ela havia imaginado que seria como conhecer uma pessoa muito velha, alguém com muitas experiências e um bocado de histórias esquisitas sobre andar por aí durante a Revolução Francesa. Porém, ao passar um tempo com Gavriel, pensava que cada dia desde aquele em que ele havia morrido não era um dia em que ele não havia envelhecido, mas sim um dia em que ele se afastava da humanidade. Não parecia mais velho do que deveria ter sido quando morrera; apenas completamente mais estranho.

— Por aqui — disse um dos guardas, com a voz trêmula, e cutucou o antigo vampiro com a coronha do lança-chamas. Tana prendeu a respiração, mas Gavriel seguiu a ordem que lhe foi dada, desaparecendo por uma entrada.

Tana foi conduzida em uma direção diferente e, depois, entrou em um elevador.

A funcionária a levou até uma sala azulejada, pequena e suja, onde ficou sentada em um desgastado banco de madeira, e esperou durante meia hora, completamente sozinha. Pensou em ligar para Pauline, pensou em acordá-la e contar-lhe a verdade, mas seu celular não tinha sinal. Por fim, apareceu um novo guarda, com aparência cansada, os olhos injetados, como se tivesse sido arrancado da cama no meio da noite. Ele cheirava a nicotina e enxaguante bucal. Os cabelos ralos estavam penteados de forma a cobrir o topo careca da cabeça e ainda estavam molhados, provavelmente devido a um banho apressado que tomara.

— Ok — disse ele, sentando-se ao lado dela. Estava com uma caneta enfiada atrás da orelha e uma prancheta. — Houve um ataque de vampiros. Um banho de sangue, lá no norte. Há um bando de crianças mortas. Você sabe de alguma coisa em relação a isso?

— Eu estava lá. — Ela pensou que o guarda provavelmente já sabia disso, já que não houve alteração em sua expressão. Parecia impossível que apenas um pouco mais de vinte e quatro horas tivessem se passado desde que aqueles vampiros tinham rastejado pela janela da casa de fazenda de Lance, somente dez horas desde que sua perna tinha sido arranhada pelos dentes de um deles. — Tenho sorte de estar viva, e o Aidan, bem, foi lá que ele foi infectado, mas eu acho que ele ainda tem sorte de não estar morto.

De imediato, ela ficou preocupada, pensando se não deveria ter dito nada sobre Aidan, mas o guarda estava assentindo como se ela não estivesse dizendo nada que já não estivesse no relatório.

Ele assentiu.

— E quanto ao outro?

Ela começou a responder, mas então pensou no pedaço de papel amassado em seu bolso e no que Gavriel havia lhe dito antes de eles serem parados pelo primeiro guarda. *Diga a eles que sou como vocês. Diga a eles que vocês me conhecem. Que sou como vocês, um de vocês. Da festa.* É claro. Ele estava se escondendo em plena vista — era por isso que viera com eles, era por isso que ele os estava ajudando, porque entraria sorrateiramente em Coldtown como se fosse apenas algum vampiro recém-transformado, uma criança. Não queria que ninguém soubesse que ele era a lenda assassina do Cemitério Père-Lachaise.

A imagem dele rindo, coberto de sangue, veio até Tana de novo, sem que ela a invocasse, junto com a forma como ele havia aberto um largo sorriso para ela na frente dos guardas do portão. Talvez matar todo mundo neste prédio fosse a ideia dele de diversão, mas fora até Coldtown com algum propósito. Propósito este que exigia que ninguém soubesse que ele estava vindo.

— O Gavriel? Ele é um garoto de uma escola particular aí que estava na festa, foi infectado, bebeu um pouco do meu sangue e se transformou. Nós não sabíamos aonde mais ir, então eu trouxe os dois de carro até aqui.

— Foi ideia deles se entregarem?

Tana assentiu.

— Eles não querem machucar ninguém.

Ela se perguntou se poderia estar embelezando um pouco as coisas.

— E quanto a Jennifer e Jack Gan? Eles disseram que pegaram uma carona com vocês lá na área de conveniência do Last Stop.

Tana abriu um sorriso involuntário ao ouvir os nomes deles. Eram tão... comuns, então, era exatamente o tipo de nome que Midnight desprezaria. Saber os nomes dos dois era como saber um segredo poderoso.

— Isso mesmo — respondeu. — Eles pareciam legais, e têm algumas conexões de um fórum aí, então se ofereceram para nos ajudar a encontrar um lugar para ficarmos aqui dentro se déssemos uma carona a eles.

— E você está cometendo o mesmo erro idiota que eles. — O guarda franziu o cenho. — Menina, você está em estado de choque. Sem sombra de dúvida, está sentindo a culpa do sobrevivente. Você não deveria estar tomando nenhum tipo de grande decisão agorinha mesmo. Por que não ligamos para os seus pais e pedimos para eles virem buscar você? Você pode pensar em entrar em Coldtown depois, se for isso mesmo que quer.

— Vou receber um sinalizador, não? — Tana ergueu o queixo. — Não é como se eu não pudesse sair de novo.

— Seus amigos estão mortos. Eu entendo. Eu vi as fotos. Deve ter sido horrível. Mas aquelas coisas lá fora, elas podem se lembrar de terem sido humanas, e podem parecer humanas, mas não são mais. Supostamente é quarentena lá dentro, mas é algo mais próximo de um zoológico. Até mesmo com o sinalizador, você teria que fazer um teste de sangue para que lhe permitam sair. Ninguém infectado sai, sob nenhuma circunstância. Nenhum infectado e nenhum sanguessuga saem de Coldtown. Nunca. *Nem mesmo com um sinalizador.* E há um monte de gente grande o bastante e má o suficiente para cair matando em cima de você por esse sinalizador também. Há pessoas desesperadas lá dentro.

— Eu sei disso — disse Tana.

Ele pigarreou, parecendo triste.

— Eu tenho uma filha da sua idade. Me diga por que você quer entrar em Coldtown. Me dê um bom motivo e eu paro de te encher o saco.

Provavelmente eu estou infectada, pensou ela. Isso calaria a boca dele. Mas ela não queria ver a forma como ele a olharia assim que tivesse dito essas palavras, como se já estivesse morta.

Tana inspirou fundo.

— Não é tanto que eu queira ir — disse, tentando juntar as palavras de forma que pudessem transmitir uma espécie de versão da verdade, uma resposta honesta que ela não tinha dado nem a si mesma. — Não, isso não está certo. Há uma parte de mim que quer, sim. Minha mãe foi mordida e aqui estou eu, seguindo o caminho do que teria acontecido se ela tivesse sido transformada. Estou curiosa. Eu quero ver. — Ela puxou a manga para cima, mostrando a ele a cicatriz no braço, a pele manchada e descolorida, a carne desigual. — Eu acho que, agora que estou aqui, sinto como se tivesse passado um bom tempo me dirigindo até este lugar sem saber.

E tudo aquilo era verdade. Não era a história completa, mas Tana tinha esperanças de que fosse o bastante para convencer o guarda de que nada que ele falasse a convenceria a não ir para Coldtown.

— Espere aqui — disse o homem, depois de um bom tempo.

Ele se levantou e saiu pela porta, fechando-a com força atrás de si. Ela se perguntou se aquilo seria sua avaliação psíquica. Ouvira algo sobre isso, sobre como as pessoas teriam de demonstrar sanidade o bastante para conseguir dizer o que fariam e por quê, para que as autoridades permitissem sua entrada em uma Coldtown. Antigamente, era necessário ter carteira de motorista, mesmo que suspensa, ou um cartão de identificação emitido pelo estado dizendo que a pessoa tinha mais de dezesseis anos, mas agora não era mais assim.

Eles facilitavam cada vez mais para que as pessoas abrissem mão de suas vidas, para que seus vizinhos pudessem ter a ilusão de segurança.

Tana ficou sentada na pequena sala, olhou para o celular e ficou vendo os minutos passando e a aurora se aproximando.

Quando a porta se abriu, a funcionária de cabelos grisalhos do escritório da frente estava atrás dela.

— Vocês estão carregando algum contrabando? — perguntou ela a Tana, entrando na sala e apalpando-a como fazem os seguranças em aeroportos para ver se a pessoa dispara o detector de metal.

Tana não sabia ao certo o que a funcionária considerava proibido, mas não estava carregando muita coisa. Ela balançou a cabeça em negativa. Depois de um instante, a mulher assentiu e entregou a ela um pequeno envelope de papel manilha, com uma faixa em volta.

— Aqui estão o seu sinalizador e os documentos que dizem que você tem a recompensa exclusiva por um vampiro. — A funcionária virou-se e fez um movimento para que Tana a acompanhasse. — Além disso, seus documentos para cancelamento do registro. Entendeu?

— Então, se eu quiser sair de Coldtown, só tenho que voltar aos portões e apresentar o sinalizador?

A funcionária olhou para Tana por um bom tempo.

— Você nunca vai sair, docinho, então nem se preocupe com isso.

O que a mulher tinha acabado de dizer deixou Tana tão enervada que ela não disse mais nada enquanto as duas caminhavam juntas, descendo um curto corredor. A funcionária encostou seu cartão-chave em uma chapa perto da porta e abriu-a. Midnight estava lá, apoiada na parede de outro corredor, com o pesado saco de lixo jogado por cima de um dos ombros e uma mala detonada aos pés. Os cabelos azuis estavam puxados para trás, e uma faixa de tinta marcava suas orelhas. A pele ao redor dos olhos estava vermelha e um pouco inchada, como se ela tivesse chorado.

— Vocês duas, podem passar por aquela porta — disse a mulher. — Do outro lado há uma câmera no meio do corredor. Alternem-se olhando para cima e para a câmera. É o dispositivo de escaneamento de retina.

Elas obedeceram. A câmera era apenas uma pequena lente aparafusada na parede de blocos de concreto. Tana ficou fitando-a por um bom tempo até que piscou com um brilho de luz, depois foi andando mais para a frente na sala. Assim que Midnight entrou atrás dela, a porta se fechou com um som forte e rápido de vento soprando e, em seguida, um clique metálico. Hermética, pensou Tana. A porta não tinha maçaneta e nenhum outro meio de ser aberta pelo lado de dentro, nem mesmo uma chapa para a inserção de um cartão-chave. Ela analisou a sala, notando os batentes reforçados das portas e o que achava que era vidro temperado nas pequenas janelas no centro delas. Ao contrário do escritório decadente lá da frente, aquilo ali era coisa séria. Por um instante, Tana se perguntou se o motivo pelo qual a funcionária previra que ela não sairia de Coldtown era porque uma dúzia de dardos estava prestes a ser atirada pelas paredes e matá-la. Porém, em seguida, ouviu outro único e pesado som de clique ao longo da parede mais afastada, e a voz da funcionária flutuou no ar, descendo pelos alto-falantes ocultos:

— Por favor, queiram sair pela porta do outro lado, que agora está destravada. Vocês entrarão em uma câmara de contenção dentro do setor em quarentena. Uma vez que estejam lá dentro, esperem até eu levar vocês para baixo e destravem o portão. Então vocês terão três minutos para entrar na cidade. Se não entrarem na cidade por livre e espontânea vontade, dentro do prazo de três minutos, a entrada de vocês será feita à força.

— Não se preocupe! — gritou Midnight. — Nós mal podemos esperar para cair fora deste inferno!

Tana soltou uma bufada de desdém e as duas compartilharam um sorriso, exaustas. Então ela foi andando até a porta do outro lado e a empurrou; porém, ao tocar nela, a porta se abriu e deu para uma jaula suspensa acima de Coldtown. Por um instante, Tana só ficou olhando para fora, deslumbrada. Uma cela aberta estava à sua frente, balançando suavemente para a frente e para trás, com negras e espessas barras em todos os lados, menos em um, onde estava presa à parede com correntes. Midnight passou por Tana e entrou na plataforma, deixando-a para trás, jogando suas coisas no chão e abaixando-se ao lado delas.

— Vem — disse ela. — Você tem medo de altura?

— Estou com medo agora. — Tana inspirou fundo e lançou-se na plataforma, que oscilou um pouco, trepidante, fazendo com que Midnight se agarrasse às barras e voltasse os olhos arregalados para Tana. Ignorando a garota, ela tentou seu melhor para não olhar para o lado. Elas estavam pelo menos a quatro ou cinco andares no alto, já que ela era capaz de ver os topos de diversos prédios a partir desse estranho poleiro em forma de gaiola de passarinho. Fumaça erguia-se em umas poucas faixas cor de cinza, e luzes multicoloridas pulsavam dentro do que parecia ter sido uma igreja. Era uma paisagem arruinada, as magnificentes ruínas de uma cidade. Acima delas, o céu já estava se iluminando, com o pálido azul e o dourado da manhã colorindo a parte ao leste, embora estrelas brilhantes ainda cintilassem no lado oeste.

A aurora estava chegando, e rápido.

Do lado direito, atrás do portão, corpos estavam sendo colocados para fora em uma única e organizada fileira. Havia cinco cadáveres depositados lá, muito feridos em lençóis manchados. Dois garotos estavam arrastando um sexto corpo, estirado em um encerado plástico, para um lugar na ponta. Um dos garotos ergueu o olhar para elas, mas Tana não conseguiu ler a expressão no rosto dele de tão longe.

Com o som de metal raspando metal, a jaula começou a deslizar abruptamente para baixo. O estômago de Tana se revirou, e Midnight soltou um leve grito de surpresa. Enquanto elas eram levadas para longe da parede, a porta caiu da parte de cima da jaula, fechando-a com um clangor de metal enferrujado. A jaula era algo que ela nunca havia visto antes, em nenhuma das fotos de Coldtown. Aquilo se parecia com algo de outra era.

— Isso é loucura — disse Tana, zonza.

A própria Midnight parecia um pouco pasma.

— É porque eles não querem ter nenhuma porta no muro que dê direto para a cidade.

As ruas lá embaixo pareciam abandonadas na maior parte, embora umas poucas pessoas que por lá vagavam tivessem parado a distância para observar a descida delas. Tana olhou para a cidade. Sentia como se tivesse tropeçado em um mundo estranho e, ainda assim, familiar. Ela vira isso nos noticiários, nos fundos dos vídeos de fugitivos e nas fotografias de ousados jornalistas. Havia visto as enegrecidas e queimadas ruínas de antigos edifícios captadas em fotos — vira o que já fora uma fileira de fachadas de lojas, agora cobertas de teias de aranha formadas pelos vidros partidos, com cobertores e sacos plásticos cobrindo os batentes vazios de janelas, e contornos irregulares de edifícios que se estendiam em direção aos muros mais ao longe. Pináculos cujos painéis tremeluziam com a luz. Grandes edifícios com domos pulsando com música ao longe. Um cenário selvagem.

— Ei! — disse Midnight, apontando para baixo, para a lateral do muro. — Veja... os meninos!

Tana virou-se devagar, tentando não fazer a coisa balançar mais do que já balançava. Aidan, Winter e Gavriel estavam em outra jaula suspensa abaixo da delas, jaula esta que oscilava nos movimentos de um pêndulo, mas que não descia mais do que aquilo. Gavriel estava com os dedos entre as barras, olhando para a neblina alaranjada no leste com um sorriso que erguia um dos cantos da boca. Winter estava a seu lado, em pé, enquanto Aidan estava no chão da jaula, os pés pendurados entre as barras.

— Eu acho que a nossa está quebrada — disse Aidan a elas.

— Ouvi dizer que eles mexem com os vampiros desse jeito — contou Midnight, baixinho, apontando para o muro. — Eles vão esperar o máximo que puderem.

Sob a luz difusa, Tana viu marcas de queimadura ao longo do exterior de blocos de cimento, marcas que pareciam ter subido em chamas como se algo estivesse bem perto dali enquanto era consumido pelo fogo.

— Vocês têm que cair fora daí — disse Tana. — Eu realmente acho que...

Gavriel arregaçou o portão, soltando-o das dobradiças.

Midnight deu um grito diante do gesto repentino. Em um instante, o vampiro estivera olhando para o céu e, no momento seguinte, havia arrancado o metal com as próprias mãos. Agora Tana olhava para os restos contorcidos das dobradiças, puxadas como se fossem caramelo, e depois olhou para o rosto de Gavriel, transformado por qualquer que fosse o poder que lhe permitia fazer aquilo. Ele estava com a boca bem aberta, as presas em evidência. Quando olhou para cima, para ela, a fome contorceu-lhe as feições, e, de repente, Tana ficou feliz por estar longe dele.

Ele deu um pulo na terra abaixo, aterrissando com a mesma facilidade de um gato.

Uns poucos instantes depois, a jaula em que estavam as garotas atingiu o chão também, fazendo com que Tana caísse de joelhos. Seguiu-se um longo som de zunido e a porta da jaula se abriu. Midnight saiu dali cambaleando, puxando seu saco de lixo atrás de si enquanto o irmão descia da outra em um pedaço solto de corrente.

Eles passaram cambaleando por um trecho da estrada que provavelmente uma vez fora um trevo, mas que agora era uma espécie de pátio de asfalto, uma ilha com arbustos supercrescidos e ervas-daninhas no meio.

Aidan foi atrás deles, caindo, desajeitado. Ele se levantou e se limpou com as mãos, olhando para trás, para o muro, com horror, como se a realidade da situação tivesse acabado de cair sobre ele.

— Rápido — disse Midnight, puxando o irmão para que ficasse de pé. — Venham. Nós temos que sair daqui.

— Aonde estamos indo? — perguntou Aidan enquanto corria. Ele esticou a mão para segurar na de Tana, que aceitou o gesto. Foram correndo atrás de Midnight e Winter.

As ruas tinham sido pavimentadas fazia um bom tempo, mas agora estavam rachadas, com poços profundos. Tana tinha de tomar cuidado com cada passo enquanto se movia, tão rápido quanto se atrevia, dando pulinhos depois de Aidan. Ela olhou para trás uma vez, para ver se Gavriel ainda estava com eles. O rosto dele estava inexpressivo.

Ele deve estar com muita, muita fome, pensou ela. *Muita, muita, muita fome.*

Das janelas das casas, por detrás de cortinas, venezianas e persianas, eles estavam sendo observados. Observados enquanto passavam aos tropeços por montes de lixo, enquanto passavam por ratos que se espalhavam quando eles se aproximavam e moscas pretas reluzentes que se erguiam como uma névoa oleosa saindo de comida apodrecida e o corpo de um cão, morto havia muito tempo.

Viraram em uma rua estreita, com Winter e Midnight arrastando os sacos de lixo e a mala, parecendo abalados.

No meio do quarteirão, Midnight inclinou-se para a frente e apoiou-se com as mãos nas coxas, respirando com dificuldade. Seus cabelos pendiam para baixo, as sombras tornando-os escuros.

— Nós temos que descobrir onde estamos — disse ela.

— A aurora está chegando — avisou Tana, soltando Aidan. Também estava exausta e se apoiou na parede de tijolos. O prédio em frente estava coberto de grafites, elaboradas pinturas de dragões dos quais ela só conseguia ver uns poucos detalhes na escuridão.

Midnight ajoelhou-se no chão e abriu o zíper da mala.

— Só me dê um minuto. Eu fiz o download de um monte de desenhos diferentes das ruas que as pessoas puseram na web. São os únicos mapas que nós temos.

— Não deveria ser assim — disse Winter, em tom vazio. Tana pôde perceber que o garoto não estava se dirigindo a eles. Talvez não estivesse falando com ninguém.

Gavriel foi para o lado de Tana. No escuro, ela não conseguia vê-lo muito bem. Parecia só um rapaz bonito, alto e esbelto. Ela pensou novamente no pedaço amassado de papel dentro da bolsa e em Gavriel, preso em uma jaula debaixo de um cemitério. Quanto tempo ele havia ficado lá? Havia quanto tempo estava com a mesma aparência de agora? Cem anos? Duzentos? Será que ele podia ao menos se lembrar da pressão do tempo? Talvez ter uma existência fora do tempo deixasse qualquer um maluco.

— Eu tenho que ir — disse Gavriel, empurrando os cabelos pretos acinzentados para trás e olhando para Tana com a total sinceridade dos bêbados ou dementes. — Você vai se cuidar, não vai? Esta cidade está faminta.

— Você vai agora? — Tana lhe perguntou. Deveria ter ficado aliviada, sabendo o que ele era e do que era capaz, mas não queria que ele se fosse. Só pensar em ficar sozinha com Aidan, Midnight e Winter deixava-a cheia de uma ansiedade indescritível. — É quase alvorada. Você nem mesmo sabe aonde está indo.

Ele sorriu, um sorriso de verdade, do tipo que garotos de verdade abrem para garotas de verdade.

— Faz um bom tempo desde a última vez que alguém se preocupou comigo.

À frente deles, Midnight estava olhando para seu *tablet*. O brilho da tela iluminava-lhe a face por baixo, como se ela fosse contar uma história de fantasmas.

— Eles têm um amigo... — começou a dizer Tana.

— Eu tenho um amigo também — disse Gavriel. — E pretendo matá-lo.

— Ah. — Tana deu um passo para trás. Ele estava fugindo, da mesma forma como antes, mesmo que os motivos fossem diferentes. Ela pensou nos vampiros na festa ao pôr do sol de Lance, que sem dúvida planejavam arrastá-lo de volta ao Cemitério Père-Lachaise, onde o torturariam até que ele ficasse ainda mais louco do que já estava agora. Até que sua mente estivesse tão perdida que ele não mais pudesse controlá-la nem mesmo por um tempo. Escapara uma vez, mas Tana duvidava que ele conseguisse fazer isso de novo. Ela fez com que sua voz saísse o mais firme possível. — Não deixe ninguém te pegar.

Ele ficou hesitante, claramente surpreso com as palavras dela. Então, abriu novamente um sorriso, inclinando a cabeça em um arco raso, reconhecendo tudo o que ela deixara sem falar.

— Viajar com você foi um deleite que fez valer qualquer atraso, mas não posso demorar mais.

Midnight endireitou-se.

— Ok, eu descobri aonde temos que ir. Não fica longe daqui. — Ela jogou o saco de lixo de volta sobre o ombro e começou a marchar pela estreita rua abaixo. — Vamos — disse, olhando para trás, para Tana e Gavriel.

Aidan seguia-os de perto, com ar de preocupação, olhando para o céu.

— Ele vai ficar...?

— Tana — chamou-a Winter. — Estamos indo.

— Você se lembra do que me disse no carro? — disse Tana a Gavriel. — Os favoritos da Morte não morrem.

— Eu não sou nenhum favorito. — Quando ele proferiu essas palavras, sua expressão ficou diferente. Os dedos se fecharam no ombro dela. Os olhos reluziam como gemas enquanto ele se curvava na direção dela. — Mas me permita ter uma última coisa que não mereço.

Por um instante, ela se encolheu automaticamente para trás, pensando que ele a morderia. Então, pasma, deu-se conta de que isso não era, de jeito nenhum, o que ele pretendia fazer. Os lábios dele roçaram os dela de leve, como se estivesse lhe dando uma chance de empurrá-lo para longe. Ela apertou os olhos, fechando-os, para bloquear de sua vista a coisa terrível que estava prestes a fazer, e puxou-o mais para junto de si.

Ela não deveria querer isso.

Quando ele a beijou novamente, Tana ofegou junto à boca gelada dele — prendendo o fôlego por tempo demais, visto que ele não precisava respirar —, sua língua deslizando junto à dele, roçando os dentes afiados. Ele foi cuidadoso, mas ela ainda sentiu as pontas roçando em seu lábio inferior. A pressão fresca do corpo dele fazia com que parecesse que sua pele estava febril.

Ele se afastou e pôs a mão na própria boca, e o rosto estava repleto de um gentil deslumbramento.

— Eu não me lembrava de que era assim.

As batidas do coração de Tana pareciam ter passado para o corpo inteiro, deixando-o elétrico a cada único pulsar acelerado. Tudo estava um pouco borrado nas bordas, e ela queria que ele sentisse o que ela havia sentido, como se ele tivesse feito algo proibido, queria dar a ele algo de que fosse gostar e que *realmente* não deveria ter, algo que pareceria errado, algo que ele queria.

— Me beije de novo — sussurrou ela, erguendo as mãos de encontro a ele, deslizando os dedos pelos cabelos de Gavriel. Ela quase não se reconhecia enquanto se movia junto a ele.

Ele se curvou, indefeso, em direção a ela.

Tana mordeu a língua. Mordeu-a com força, e a dor passou por suas extremidades nervosas e por uma transformação alquímica que beirava o prazer. Quando sua boca se abriu sob a dele, estava inundada com sangue que se acumulava ali.

Ele gemeu ao sentir o sabor do sangue dela, os olhos vermelhos ficando arregalados de surpresa e de algo que parecia medo. As mãos dele seguravam os braços dela, enquanto ele empurrava o corpo dela para trás, de encontro à parede de tijolos, mantendo-a no lugar. Fora cuidadoso antes, mas não estava sendo agora, enquanto lambia a boca de Tana; e ela estava tão maravilhada quanto aterrorizada com isso. Ele a beijava com ferocidade, selvageria, os lábios dos dois deslizando juntos com um fervor contundente. A dor em sua língua tornou-se um latejar distante. Seus dedos afundavam-se nos músculos das costas dele, os corpos pressionados tão juntos que ele deve ter sentido todos os saltos na respiração dela, todas as batidas estremecidas de seu coração. E, tão receosa dele quanto estivera, Tana, naquele momento, tinha ainda mais medo de si mesma.

Gavriel afastou-se dela cambaleando, os lábios avermelhados. Limpou a boca no dorso da mão, o sangue dela manchando-lhe a pele. Contemplando-a por um bom tempo com algo semelhante a horror, como se a estivesse vendo pela primeira vez, ele disse:

— Você é mais perigosa do que o nascer do sol.

Antes que Tana pudesse responder, ele entrou nas sombras que se estendiam e sumiu.

Capítulo 18

Quando eu morrer, quero estar completamente exausto.
— George Bernard Shaw

Quando Gavriel era jovem, a Rússia estava chegando ao final de sua Era de Ouro. A Revolução estava a caminho, mas a aristocracia fingia que não, exagerando no champanhe e falando com seu francês perfeito em seus salões dourados. Os livros daquela época glorificavam a nobreza do suicídio, a decadência deliberada e a romântica melancolia.

Aos vinte anos, Gavriel, que então se chamava Gavriil, havia herdado a boca voluptuosa e os olhos cintilantes do avô, mas não parecia estar vivendo à altura de tal herança. Ele era o filho do meio, com uma irmã mais nova chamada Katya, brilhante e pungente como um diamante na Coroa Imperial, e um irmão mais velho chamado Aleksander, que vivia em constante débito com a decadência. Aleksander era um bêbado, apostador e mulherengo: cada um destes um hábito custoso em si. Combinados, eles ameaçavam levar a família à bancarrota.

O pai deles, o *vikont*[7], estava havia três anos no túmulo quando a mãe deles implorou que Gavriel conversasse com o irmão e o persuadisse, com paciência, a ser mais razoável em sua libertinagem. No entanto, era impossível convencer Aleksander de qualquer coisa que lhe fosse uma inconveniência, agora que ele havia herdado o título e todas as terras que vinham com ele.

— Você é o bom irmão — dizia Aleksander. — É preciso que haja apenas um desses em uma família, não acha? Dois é indecente.

---

7. Visconde, em russo. (N.T.)

— Eu troco de lugar com você, se quiser, Sasha — disse Gavriel. — A irresponsabilidade é o destino do filho mais novo.

Aleksander não dava ouvidos a nada disso. E, na verdade, Gavriel estava distraído demais para argumentar mais com o irmão. Ele havia se apaixonado por uma garota chamada Roza, que conhecera através da irmã de um amigo. Roza tinha olhos de âmbar e uma massa de cabelos de um loiro escuro, cor de mel e trigo sarraceno. Quando ela havia olhado com timidez na direção dele daquela primeira vez, a moça tivera um meio sorriso na boca, e ele descobrira que mal conseguia respirar.

Mais tarde, não conseguia bem se lembrar do que eles haviam falado — apenas que ficara desesperado para seduzi-la. Por incrível que fosse, parecia ter sido bem-sucedido. Ela concordara em deixar que ele a cortejasse. O pai da moça, o frio proprietário de uma fábrica, tinha mais de uma filha para casar e parecia achar que o título e as conexões de Gavriel eram o bastante para a escassez de suas finanças.

O amor tomou conta de Gavriel como nada antes. Estava embriagado de paixão. Escrevia longas cartas a Roza, nas quais desavergonhadamente roubava versos de Tyutchev[8] para descrever os olhos dela. Ele persuadiu a mãe a deixar que desse a Roza o anel de safira que, em vez disso, poderia ter sido vendido. Assumiu um novo interesse por suas roupas, de súbito ciente de todos os punhos e bainhas gastos dos casacos.

Quanto mais tempo durava a corte, menos Aleksander a achava divertida.

— Você está bancando o tolo por causa da filha de um mercador — dizia ele antes que Gavriel saísse andando da mesa. — Uma coisa é casar-se com ela pelo dinheiro que tem, mas, agindo como age, você a honra demais.

Talvez tivesse sido isso o que motivara Aleksander. Talvez ele quisesse o irmão mais novo responsável, cauteloso e sem graça de volta. Ou talvez meramente achasse que, já que Gavriel não conseguia ver como estava bancando o tolo, Aleksander faria dele um tolo maior ainda, grande o bastante para *fazer* com que ele enxergasse.

8. Fyodor Ivanovich Tyutchev é considerado o último dos três grandes poetas românticos da Rússia, junto com Alexander Pushkin e Mikhail Lermontov. (N.T.)

Por qualquer motivo que fosse, Aleksander tentou e foi bem-sucedido em seduzir e corromper Roza. Ela chorava enquanto explicava, sentada em um sofá coberto de seda, implorando que Gavriel não ficasse zangado, que ela e o irmão dele nunca deveriam ter se apaixonado.

Gavriel ficou sentado, completamente imóvel. Dentro dele agitava-se tamanho turbilhão que ele temia, caso se movesse, esmagar todos os móveis no recinto, rachar todos os painéis de todas as janelas até que não houvesse nada além de lascas reluzentes do que a sala tinha sido.

Em vez disso, ele reclinou a cabeça e riu, uma risada longa e cruel que não parecia sair do garoto que Roza havia conhecido. O riso irrompeu como chamas de dentro dele, de algumas brasas que ele sempre tomara cuidado para nunca atiçar.

— Você é uma tola — disse a Roza, e ficou observando enquanto ela saía aos tropeços da sala de visitas, voltando o olhar para Gavriel como se ele fosse o traidor.

Ela iria até Aleksander agora, pensou ele. Por longos momentos, ficou ali sentado, com o olhar fixo na parede, desejando acalmar-se. Por fim, levantou-se, pretendendo sair da casa. No caminho, pelo corredor, passou pela biblioteca, onde Roza estava ajoelhada no chão, com as massivas saias do vestido empilhadas a seu redor, as mãos cobrindo-lhe o rosto. Alek a estava afastando com desdém, dizendo-lhe que ele nunca haveria de se casar com uma garota que já havia se provado infiel. Ela havia entendido errado: ele não lhe prometera nada. Meramente quisera saber que tipo de esposa seu irmão escolheria para si. Foi uma coisa terrível, a alegria com que Aleksander desmanchou toda e cada uma das esperanças românticas dela. Ele a havia arruinado e estava orgulhoso disso.

Gavriel esperou que ela saísse dali, cambaleando, com soluços devastadores ameaçando roubar-lhe a capacidade de andar, antes de desafiar o irmão a um duelo. Sua voz não tinha firmeza quando ele desferiu as palavras. Aleksander olhou para ele como se o irmão fosse um filhotinho de cachorro tentando mostrar os dentes.

Então, Alek foi andando até uma garrafa de cristal e serviu-se de uma dose do líquido claro.

— Não seja ridículo.

Gavriel deu um tapa no copo do irmão, fazendo com que fosse ao chão, estilhaçando-o. Em seguida, dando um passo em direção a ele, Gavriel deu-lhe um tapa no rosto, e o som de pele em contato com pele foi pungente como um galho partido ao meio.

Por um instante, Alek cambaleou para trás.

Em seguida, jogando as mãos para o alto, resignado, concordou em encontrar-se com Gavriel na propriedade deles na manhã seguinte, uma hora antes da alvorada. Ele não parecia particularmente preocupado, levando a mão à bochecha avermelhada com um largo sorriso no rosto. Estivera em treze duelos antes e havia saído deles sem nenhum arranhão. Era um excelente atirador. Gavriel tinha sido assistente de Aleksander, mas nunca fizera nada além de ficar ali perto do irmão, na grama, e certificar-se de que as pistolas estivessem devidamente preparadas.

Um dos criados deve ter ouvido a conversa dos dois e contado à *vikontess*[9], porque ela foi até o quarto de Gavriel naquela noite e implorou que ele não fosse ao duelo. Quando o rapaz se recusou a não ir, ela disse que falaria com Aleksander e o persuadiria a pedir desculpas pela grave ofensa.

— Eu não vou perdoá-lo — Gavriel disse à mãe. — E ainda pretendo me casar com ela, entendeu?

— Com Roza? — perguntou a mãe, com a voz tremendo. — Você não pode fazer isso!

— Até mesmo se eu não mais a amasse, haveria de me casar com ela para provar que ele não pode tirar de mim o que não estou disposto a dar. Eu faria isso para contrariá-lo, mas realmente a amo.

Sua mãe saiu dali, torcendo as mãos uma na outra.

O sol já estava se erguendo, chamas cor de laranja lambendo o céu, quando Aleksander chegou à clareira onde o duelo deveria ser realizado. Ele estava cambaleando de bêbado. Dois amigos o mantinham em pé.

Eles encontraram Gavriel sozinho, andando de um lado para o outro em meio à neve, os ombros do longo casaco pontilhados com frescos flocos.

9. Viscondessa, em russo. (N.T.)

— Ganya! — gritou Aleksander, como se nada pudesse agradá-lo mais do que a visão do irmão caçula. — Faz tempo que você está aqui me esperando?

Gavriel balançou a cabeça em negativa.

— Não mesmo.

— Você não pode prosseguir com isso — disse um garoto chamado Vladimir, que estava com um dos braços em volta de Aleksander, cambaleando sob o peso deste.

— Vá para o inferno — respondeu Aleksander, puxando e soltando-se dele. Sacou a própria pistola e lançou-se para a frente pela neve, aproximando-se de Gavriel e acenando no ar com a arma. — Meu irmãozinho quer defender sua honra. Deixem que faça isso! Eu achei que ele fosse um tremendo covarde. Vamos, Ganya. Atire! O que está esperando?

— Sasha mal consegue ficar de pé! — disse Vladimir. — Não seja idiota!

Era exatamente como se Aleksander estivesse lhe roubando até mesmo isso, pensou Gavriel. Tratar o duelo como uma piada, tratar a *ele* como uma piada. Agora, suas únicas opções seriam mirar em um homem que estava prestes a cair no chão ou tolerar a vergonha de cancelar o duelo. E Aleksander riria disso depois. *Eu não estava tão bêbado assim. E se estivesse, e daí? Se você não fosse uma tremenda menininha, então com certeza teria...*

Gavriel ergueu a pistola e atirou no coração do irmão.

Por um bom tempo, houve apenas a queimação da arma em sua mão e o sangue de Aleksander maculando a neve como rubis vazados. Então Gavriel jogou a arma no chão e começou a caminhar de volta até a casa.

Sentia-se frio como a neve.

À noite, Roza ficara sabendo da morte de Aleksander. Ensandecida com o pesar, ela se jogou em um rio gélido e afogou-se. A mãe de Gavriel, tendo perdido um filho, recusava-se a perder o outro; ela deu a Gavriel as joias que ainda não tinham sido vendidas e mandou-o a Paris, onde as autoridades russas não poderiam prendê-lo.

Lá, em Paris, ele realizou a promessa da boca voluptuosa e dos olhos apaixonados. Realizou a promessa de seu sangue. Se o irmão fora mau, ele estava determinado a ser pior. Gavriel bebia absinto em vez de vinho, como fazia o irmão. Apostava as botas que tinha nos pés. E, se Aleksander tinha sido um libertino, Gavriel estava determinado a superá-lo, nunca dizendo não, nem mesmo às ofertas mais brutas, mais degradantes e mais vis; ele não diria não a nada.

Foi então que conheceu Lucien.

Capítulo 19

Você anseia por um beijo dos meus lábios frios como argila;
Mas meu hálito tem um forte cheiro terroso;
Se você ganhar um beijo dos meus lábios frios como argila,
Seu tempo não será muito longo.

— As Baladas Infantis 78: O Túmulo Inquieto

Com as sobrancelhas erguidas, os lábios meio que em escárnio, Aidan estava observando Tana da boca da viela. Midnight tinha um sorriso afetado no rosto, olhando para o celular, passando o polegar em algo na tela, enquanto Winter os fitava com raiva ao lado dela. A rajada de ar pegou os cabelos dos irmãos, que sopraram ao vento como duas chamas do mais profundo céu azul.

— Bem, aquilo foi *interessante* — disse Winter, com amargor na voz.

Tana esfregou a mão no rosto, seus pensamentos caóticos demais para fazerem algum sentido. Tudo o que ela sabia era que estava envergonhada. Sentiu o rosto quente e a língua ardendo, lembrando-a do que estivera fazendo.

— Vocês esperaram.

Aidan deu um passo na direção dela, o sorriso deixando seu rosto.

— Ei, você está bem? Ele não machucou você, machucou?

Tana se deu conta de que, para que ele reagisse assim, sua expressão deveria estar muito estranha.

Midnight revirou os olhos, como se Aidan estivesse sendo ridículo.

— Aposto que você era uma boa garota em casa — disse ela a Tana. — Foi uma boa garota a vida inteira, até que encontrou a encrenca na qual quer se meteu.

— Obviamente você não a conhece nem um pouco — disse Aidan a Midnight, irritado, e então se voltou para Tana. — Ele mordeu você?

Ela balançou a cabeça em negativa. Quanto mais pensava nisso, mais idiota se sentia. Provavelmente estava infectada, mas isso não queria dizer que deveria ter tentado Gavriel a fazer com que isso fosse uma coisa certa. E, faminto como ele estava, louco como poderia ser, teria sido capaz de drená-la até a morte, prendê-la junto à parede de tijolos e rasgar sua garganta. Ela estivera brincando com fogo, exatamente como ele havia acusado Midnight de fazer.

Garota esperta. Você brinca com fogo porque quer se queimar.

Com esse pensamento, uma sensação de exaustão recaiu sobre ela. Eles tinham conseguido chegar além dos portões de Coldtown, e Tana estava tentada a se deitar em meio aos dejetos, fechar os pesados olhos e fingir que não havia mais nada no mundo. Havia feito seu melhor para proteger o mundo do que ela e Aidan se tornariam, e, agora que isso havia sido feito, o desespero assentava sobre seus ombros.

Ela não queria estar infectada.

Não queria pensar no gosto do próprio sangue, nem sobre como, se sugasse com força o bastante a própria língua, o sabor surgiria fresco em sua boca.

Ela esfregou a cicatriz no braço e pensou em como deveria ser a sensação de pressionar os dentes sobre a pele, sobre o que sua mãe tivera de fazer para rasgar um braço. Ela se deteve no ato inconsciente de levar o próprio pulso para junto dos lábios.

Winter soltou um suspiro e pegou-a pelo cotovelo, guiando-a rua abaixo.

— Tem certeza de que ele não mordeu você? Você está agindo de um jeito estranho.

— Eu estou *bem*. Só não pensei, sabe? — disse ela por fim, tropeçando ao longo da calçada de concreto rachado ao lado dele e sorrindo com um pouquinho de culpa. — Eu não achei que eles sequer pudessem *gostar* desse tipo de coisa.

O canto do lábio de Winter curvou-se.

— Com certeza, parecia que vocês...

— Ok, ok. — Ela ergueu as mãos, afastando as palavras dele.

Tana se lembrava de olhar para a boca de Gavriel, manchada com o sangue de Aidan, quando ele entrava do lado do motorista lá no posto de gasolina. Ela havia pensado em beijá-lo naquele momento, com certeza. Mas era uma daquelas fantasias esquisitas que as pessoas têm quando estão sob pressão. Fantasia doentia, mas inofensiva. Não era como se ele algum dia fosse saber disso.

— Você não assistiu às transmissões? — Winter lhe perguntou, em um tom mais gentil. — Vampiros gostam de qualquer coisa e de tudo que evite que eles fiquem entediados. *Qualquer coisa* e *tudo*.

Ela balançou a cabeça mais uma vez, afastando a conversa com um movimento que acabou se tornando um tremor.

— Eu tenho fotos de vocês dois, pombinhos — disse Midnight, em uma voz cantada, estendendo o celular.

As fotos não estavam claras, eram apenas imagens de duas formas escuras apoiadas uma na outra, o contorno das têmporas e os dedos dele nos cabelos dela. O brilho causado pela luz em uma janela acima provavelmente havia afetado os sensores de luz da câmera.

— Você provavelmente deveria deletar isso — disse Tana, envergonhada, esticando a mão para pegar o celular. — Mal dá para ver alguma coisa aí.

— Ah, não, eu acho que não devo, não! — Midnight riu, saindo do caminho de Tana a dançar, claramente satisfeita porque sua provocação havia surtido algum efeito. — Enquanto você estava ocupada se despedindo dele, eu encontrei um lugar para nós que não fica muito longe daqui. Meu amigo Rufus tem uma toca em uma das mais renomadas ruas daqui. Wormwood[10].

Tana assentiu, tentando sorrir. Ela decidiu que precisava dormir. Dormir muito, muito mesmo.

— Vai na frente — disse Aidan, cuja pele estava com um brilho estranho, e ele parecia pálido, como se o sangue estivesse resfriando dentro dele, como se a calidez do corpo logo se tornasse algo que apenas poderia ser roubado de outrem.

Havia uns poucos carros estacionados na calçada. Um deles abrigava uma mulher enrolada em um edredom no banco traseiro, entre sacos de lixo. Será que estava viva? Tana não podia ver a coberta se erguer nem descer.

---

10. Absinto, em inglês. (N.T.)

Outro carro estava sendo queimado alegremente, fazendo com que uma fumaça preta subisse ao céu.

Tana passou por duas garotas que seguravam uma à outra, claramente vindas de uma festa. Uma delas tinha glitter verde cintilando nos cabelos, e a outra estava usando os restos rasgados de um vestido de lantejoulas douradas. Estavam descalças, pareciam ter perdido os sapatos. Ambas tinham ferimentos e marcas de agulhas que subiam pelas panturrilhas até as coxas, desaparecendo sob as bainhas dos vestidos. Ambas tinham expressões estupefatas de alegria enquanto caminhavam, cambaleando.

A umas poucas quadras de distância dali, alguém começou a gritar. Um instante depois, outro grito juntou-se àquele, e mais outro. Três vozes, cada uma delas distinta, cada uma subindo e descendo em um grito contínuo que formava uma melodia infernal. As garotas descalças cambalearam, olharam na direção de onde vinham os sons e depois continuaram caminhando, uma falando baixinho com a outra.

Midnight mordeu o lábio inferior, sugando a bolinha de um piercing de prata para dentro da boca. Balançou a cabeça.

Aidan fechou os olhos, parecendo sorver o som.

— Vamos — disse Tana, virando em uma rua estreita e cheia de lixo espalhado, seguindo na direção dos gritos antes que pensasse melhor nisso. *Isso é exatamente o que há de errado comigo,* disse a si mesma enquanto caminhava. *Se houver encrenca, eu vou direto até ela.*

— Você tem certeza? — perguntou Winter, mas a seguiu mesmo assim.

Várias quadras depois, eles chegaram a uma encruzilhada com um grande quintal. Uma multidão de humanos havia se reunido em volta das beiradas, e algumas das pessoas portavam flores brancas. Havia três vampiros ajoelhados bem no meio da estrada, debaixo de um semáforo quebrado: um homem, uma mulher e uma garotinha, guinchando enquanto a luz do sol os queimava. Seus cabelos estavam em chamas. A carne estava ficando enegrecida e começando a cair em pequenos pedaços, como tinta das tábuas de uma velha casa. Por baixo, a pele parecia carne viva e estava vermelha, como se eles fossem feitos de brasas e não de músculos e ligamentos. Dentro de instantes, os gritos haviam ficado quase guturais, e então o ruído diminuiu. Duas pessoas da multidão aproximaram-se alguns centímetros dos corpos, e a mulher vampira ficou em pé, desajeitada. Tana viu um lampejo de presas antes que a vampira caísse de novo em uma pilha de fumaça e vapor pretos. Uma onda de suspiros ergueu-se da multidão, e umas poucas pessoas recuaram.

— Eu sei que lugar é esse — disse Winter baixinho. — A Praça do Suicídio.

Por um instante, Tana teve certeza de que não o havia escutado direito. Sentia-se zonza de horror.

— Se você viu vídeos de vampiros pegando fogo ao sol no YouTube, é daqui que vem a maior parte das gravações. — Ele apontou para cima, para uma câmera montada do lado de fora de uma janela. Em seguida, gesticulou em direção aos espectadores. — As pessoas saem para vê-los morrer; isso acontece todas as manhãs. Ouvi dizer que há cidadãos com esperança de serem infectados, ou de que os vampiros lhes deem dinheiro ou informações; às vezes eles podem ser generosos logo antes de morrer. Outras vezes, matam um monte de gente no meio da multidão só de pirraça.

— Mas por que eles querem morrer? — quis saber Tana.

Midnight olhou para os vampiros moribundos. Ela curvou o lábio em desprezo.

— A maior parte deles nunca quis ficar Resfriada, para início de conversa. Eles não toleram beber sangue ou ficar presos em Coldtown. Muitos deles não conseguem lidar com as coisas que fizeram logo que se transformaram. Nem todo mundo é merecedor.

Nem todo mundo é um monstro, pensou Tana. Isso deveria ter feito com que se sentisse melhor, era mais uma prova de que os vampiros não eram tão inumanos a ponto de não sentirem pena ou arrependimento. Em vez disso, só a fazia lembrar-se de que às vezes não havia nenhuma boa escolha.

— Ou eles ficam superentediados — disse Winter. — É por isso que os velhos morrem. Chega uma hora em que eles não se importam muito em se alimentar e morrem de fome.

Midnight lançou para o irmão um olhar hostil, e ele parou de falar. Ela se ergueu, e Tana pôde ver que ela estava disposta a fazer com que ele se lembrasse de seu papel naquilo. Os dois tinham uma imagem a projetar — duas criaturas belas e condescendentes que não precisavam de nada exceto uma da outra, que caminhavam à sombra uma da outra automaticamente. Mas Tana podia notar que Midnight não gostava que Winter ficasse falando de algum futuro em que, mesmo se eles fossem vampiros, poderiam ainda não ser felizes.

— Você pode perguntar ao Lucien Moreau sobre isso pessoalmente — disse Midnight, como se estivesse lembrando o irmão de algo que ele já deveria saber. — Nós vamos entrar de penetras em uma das festas dele.

Aidan havia seguido para as sombras de um edifício, como se o sol o incomodasse. Tana se perguntou se ele estaria tentando se imaginar como um deles, imaginando se poderia aguentar isso, se seria merecedor.

— Mas por que morrer assim? — perguntou Tana baixinho, para si mesma, não esperando realmente por uma resposta. Dois dos vampiros haviam parado de se mexer, mas a garotinha, agora quase completamente cinzas, ocasionalmente se mexia, espasmódica, fazendo com que o que havia sobrado dela caísse no chão. As pessoas tinham começado a jogar botões de flores brancas ali, lançando-os especificamente em direção à garota.

— Tradição? — Winter deu de ombros, desviando o olhar do espetáculo.

Ele estava tentando fingir-se apático em relação ao que estava acontecendo, mas parecia pálido e nauseado. Ver os vampiros arderem em chamas na sua frente não era a mesma coisa que ver isso em um vídeo. Era diferente ouvir os gritos ecoando pela praça. Era diferente quando, a cada vez que se respirava, se inalava o cheiro de pele e cabelos tostados.

— Agora, pelo menos, nós sabemos onde estamos no mapa — disse Midnight. Havia uma luz em seu rosto que Tana não vira antes, uma calma beatífica, como se, talvez pela primeira vez, ela se sentisse segura em relação a tudo. — Deve ficar fácil encontrar a casa do Rufus agora.

Tana pegou no braço de Aidan, entrelaçando seus dedos nos dele, ignorando quão frios eles estavam. O olhar fixo dele parecia esbarrar nas pessoas da multidão e segui-la um pouquinho, antes de se mover para analisar outros, uma chita inspecionando um rebanho de gazelas em busca das que ficavam para trás.

Eles seguiram marchando por mais algumas quadras sob a luz da alvorada, com Winter e Midnight na frente, procurando pela rua certa. Algumas tinham nomes comuns como Orange, Dickinson ou Mill Road. No entanto, outras tinham novos nomes rabiscados ao longo da frente dos edifícios, ou colados por cima dos nomes originais, proclamando-as como Way of the Dragon, The Nonsense Court of Endless Alley ou Butcher's Boulevard[11]. A confusão era piorada pelas marcações das casas, que eram ainda mais estranhas: algumas eram numeradas em uma ordem aleatória, outras, em escrita cuneiforme, ou até mesmo com letras aleatórias do alfabeto. Havia uma série de casas onde se viam garatujas do que parecia ser uma combinação de desenhos de figuras de palitinhos e código matemático.

A área em que eles caminhavam consistia principalmente em casas geminadas; havia uns poucos edifícios industriais de tijolos; e a estranha igreja, com os vitrais quebrados e a porta pichada com a palavra PATIFES em verde-neon. As ruas estavam silenciosas, porém, às vezes, Tana achava ter visto alguém observando-os de uma janela. Passaram por um gramado marrom com o que parecia um corpo caído em um arbusto definhado. O fedor daquilo, uma mistura intoxicante de podridão e vinho derramado, persuadiu-a a ficar para trás e a puxar Aidan pelo braço, com força, quando ele começou a seguir em frente.

— A fome está ruim — disse ele. — Enfiando as garras no meu estômago. Por um tempo, eu fiquei bem, mas não acho que vá ficar bem por muito mais tempo.

Tana assentiu. Ela também não sabia ao certo por quanto tempo ainda ficaria bem.

Enquanto seguiam em frente, ela notou que um garoto de cabelos escuros a observava de um ângulo privilegiado em um teto pontudo. Ele estava sem camisa, os braços morenos cobertos quase por completo de tatuagens coloridas. Havia um corvo albino empoleirado no braço dele, e a cabeça branca como a neve e o bico pálido como osso estavam inclinados para um dos lados. Até mesmo da rua ela podia ver o brilho dos olhos cor-de-rosa da criatura.

— Ei — disse Winter. — Ali. Eis a casa.

Tana virou-se para observar Midnight caminhando em direção a um conjunto de degraus, com sua bagagem formada pelos sacos de lixo descansando na lateral da rua. O lugar tinha três andares e o que parecia uma

11. Caminho do dragão, A corte sem sentido da rua infinita, Bulevar do carniceiro. (N.T.)

varanda decadente no terceiro. As laterais haviam sido pintadas de cinza-escuro, mas a tinta estava lascada e cheia de bolhas, deixando à mostra um azul-clarinho por baixo. Havia muito pouco gramado na frente, e o capim que ali crescia era coberto por uma vegetação raquítica e amarronzada.

Tana olhou de relance para trás, em direção ao teto do outro lado da rua, mas o garoto com o corvo se fora.

— Eles sabem sobre nós? — perguntou, hesitando na escada. — Eu e o Aidan? Nós não somos exatamente... Não é seguro ficar perto de nós.

Midnight estreitou os olhos para Tana e em seguida bateu com o punho cerrado no batente de madeira.

— Isso não será um problema — disse ela por cima do ombro.

Então a porta foi aberta, uma fresta, com uma corrente impedindo-a de abrir mais do que isso. Midnight disse alguma coisa. A porta se fechou e, então, com a tranca removida, foi escancarada.

Havia um garoto parado à entrada, parecendo um pirata ou um príncipe. Metade de sua cabeça estava raspada, e ele vestia roupas sobrepostas de couro e algodão esvoaçante, com anéis em cada um dos dedos e longos colares de prata e ossos pendurados uns por cima dos outros no pescoço. Ele acenou, convidando-os a entrar com um amplo movimento da mão cheia de joias.

Tana seguiu os outros para dentro de uma casa que havia muito ficara em mau estado. O mofo manchava o teto, e velas tremeluzentes lançavam estranhas sombras nas paredes manchadas de fumaça do aposento adornado com uma cortina. Uma garota alta com cabelos loiros cor de mel, que trajava um vestido vintage rosa-claro, quase da cor de sua pele, estava sentada em um canapé vitoriano, do qual pendia para fora o estofamento. Ao lado dela, em um divã esfarrapado, havia uma garota de pele escura, com cabelos tingidos de vermelho-vivo, torcidos e presos em cima com um palitinho, usando uma calça jeans preta e um casaco militar. Havia no ar do aposento uma camada de perfume de ervas e álcool tão forte que fazia arder o nariz de Tana, dificultando a respiração. Havia latas empilhadas junto à parede, ao lado de caixas de papelão. Ela conseguia ler o que estava escrito nelas de onde estava: PÊSSEGOS EM CALDA, ERVILHAS E CENOURAS, PEDAÇOS DE CARNE BOVINA EM CONSERVA.

— Esse é o meu amigo Rufus, aquele de quem eu estava falando — disse Midnight, parecendo completamente em deleite, colocando a mão no ombro do garoto que tinha metade da cabeça raspada. Ele sorriu para ela.

— Sejam bem-vindos, pessoal — disse Rufus. — Fiquem à vontade.

Midnight foi caminhando até o sofá e reclinou-se nele como se fosse uma rainha malévola. Ela esticou um dos pés com sapatilhas para indicar as pessoas, passando pelo joelho da garota alta e então apontando com o dedão do pé para a outra.

— Estas são Christobel e Zara. Zara e Christobel, esses são Tana e Aidan.

Aidan abriu um largo sorriso para as meninas, mas continuou perto da porta.

Winter voltou para fora a fim de trazer para dentro o restante das coisas deles. Arrastou para o interior da casa os pesados sacos de lixo de Midnight e jogou-os no chão ao lado dos dele, depois colocou também no chão a mala dos dois, ao lado dos sacos plásticos.

— Obrigada por nos acomodarem — disse Tana, cautelosa.

— Esta casa é de vocês? — quis saber Aidan. Muito deliberadamente, ele foi andando até as escadas e sentou-se no degrau, cerrando as mãos em punhos.

— É nossa agora — respondeu Christobel. — Aqui há um monte de lugares abandonados. Você só tem que escolher um e invadir.

— O Bill Story mora na casa ao lado — disse Zara, arqueando-se para a frente. — Ele vem fazendo transmissões ao vivo desde que a cidade entrou em quarentena.

— Eu sempre quis conhecê-lo — disse Midnight, sonhadora. — O intrépido repórter.

Até mesmo Tana tinha ouvido falar em William T. Willingham, um roteirista de histórias em quadrinhos que ficara preso atrás dos portões, escolhera um nome fácil de ser lembrado, abrira mão da ficção e voltara-se para a reportagem em estilo de documentário, apresentando relatos do que realmente estava acontecendo dentro da cidade em quarentena. Seus amigos da literatura tentaram tirá-lo dali, mas William dera os dois sinalizadores que eles haviam lhe enviado, um depois do outro, a pessoas que ele dissera serem mais merecedoras e que não teriam outra chance de serem libertadas.

Cínicos clamavam que ele nunca tinha sido tão famoso quanto era em Coldtown e que tiraria o máximo proveito disso. Segundo estes, ele estava comprando uma autobiografia. Os fãs diziam que ele era o perfeito exemplo de como pessoas comuns e valentes poderiam realmente ser quando a vida lhes apresentava uma situação diferente do esperado. Tana havia visto gravações dele antes, um cara de óculos com uma aparência comum.

Eu nunca consigo me decidir se tenho sorte ou não por ter visto isso, dissera ele.

Tana pensou no sinalizador que tinha na bolsa e não conseguiu se imaginar abrindo mão de sua única chance de cair fora dali, por nada no mundo. Ela se perguntou havia quanto tempo Rufus, Christobel e Zara estavam em Coldtown, invadindo casas e postando sobre suas aventuras, sem se preocupar com o futuro. Imaginou se havia algo em relação à cidade que fazia com que as pessoas quisessem ficar nela, apesar de tudo.

É claro que, visto que a maior parte das pessoas estava presa ali, não importava se queriam ou não ficar.

Tana pensou em Pauline, dormindo em sua tenda no acampamento de teatro. Estaria acordada? Em algum momento, alguém de lá de casa ligaria para ela para contar o que havia acontecido. Ou ela entraria na internet e veria fotos, leria relatos. Então ela perceberia que Tana havia telefonado para ela *depois* do massacre — que havia telefonado e mentido. Por um instante, o peso de tudo que acontecera no último dia caiu sobre os ombros de Tana.

Winter cruzou a sala e sentou-se no chão, ao lado de Midnight, descansando a cabeça no joelho dela. Eles pareciam uma dupla combinando de figurinos elegantes de punk rock.

— Vocês dois são exatamente como achei que fossem — disse Rufus, olhando com apreciação para os dois. — Que nem nos seus vídeos. Vocês não estão com nem um pouco de medo, nem mesmo estando no meio deste lugar, não é?

Midnight balançou a cabeça, fazendo uma pose deliberada.

— Sinto como se, depois de uma longa jornada, tivéssemos finalmente chegado em casa.

Os outros deram risadinhas, mas Tana pôde ver que estavam impressionados com Midnight.

Christobel olhou para Tana e deu uns tapinhas amigáveis no assento ao seu lado.

— Você parece tão cansada. Vem, senta. Está segura aqui.

Tana cruzou o chão e empoleirou-se na ponta do divã, que cheirava a poeira, e o cheiro foi estranhamente reconfortante, lembrando-a de lojas de livros usados, de procurar entre as prateleiras e encontrar velhos livros de mistério com capas engraçadas. Ela soltou o ar de uma vez só e inclinou a cabeça para trás, erguendo o olhar para o candelabro pintado com uma mistura de vermelho e preto, com o latão original à mostra em alguns lugares. Ela se deu conta, de repente, de que eles haviam conseguido. Estavam dentro de Coldtown, ainda eram humanos e até mesmo tinham um lugar onde dormir.

Zara levantou-se do sofá.

— Todos vocês devem estar morrendo de fome. Nós não temos muita comida, mas me deixem trazer o que temos.

— Pega um pouco de bebida, já que vai até lá — disse Rufus.

— Pega você mesmo — respondeu ela, e saiu andando.

Rufus deu risada, chamando-a de alguma coisa que Tana não conseguiu captar.

Tana ergueu um sorriso na direção do candelabro, escutando enquanto eles se provocavam em tom de brincadeira.

Imaginou-se deitada em sua cama, no próprio quarto, com fios de luzes decorativas pendendo acima e pinturas cafonas feitas com estêncil na parede, compradas da Legião da Boa Vontade. Pensou em Pearl no outro quarto, assistindo à terrível televisão com o volume quase no talo. O pai delas voltaria para casa e então os três jantariam juntos. Imaginar-se lá, de volta em casa, fazia com que ela se sentisse muito estranha, confortável e claustrofóbica ao mesmo tempo, como se tivesse ficado maior quando todo o resto havia permanecido pequeno.

O pai havia lhe dito para deixar Pearl em paz, mas Tana tinha que se despedir da irmã de alguma forma. Depois de um instante, foi até a janela e tirou uma foto da vista dos muros de dentro de Coldtown sob a luz do começo da manhã. Então, redigiu o texto para enviar junto com a imagem: *Coldtown é uma porcaria & eu amo você & estou bem.*

Esperava que Pearl fosse gostar disso. Esperava que Pearl entendesse.

Uns poucos minutos depois, Zara estava de volta com uma grande bandeja prateada, contendo um sortimento de comidas aleatórias: azeitonas pretas, fatias de laranja-mandarim, picles de beterraba, milhos *baby*, ostras defumadas ainda dentro da lata, um bloco de queijo em formato irregular e um grande pedaço de pão velho, levemente queimado. Tana colocou três azeitonas na boca, junto com uma espiga de milho ao vinagrete.

Rufus pegou um punhado de copinhos de um armário e uma garrafa com um líquido amarelado e levemente turvo. De costas para os outros, despejou o líquido nos copos e então levou as doses para todo mundo, como se fosse um mordomo. Tana pensou, abruptamente, no jogo de beber que Aidan e ela haviam jogado na casa da fazenda, A Dama ou O Tigre. Não se lembrava de quem fora a ideia, apenas que seus amigos brincavam disso desde o primeiro ano na escola secundária, depois de lerem a história na aula de inglês. Ela se lembrava de Pauline em pé, cambaleante, na ilha de granito na casa de Rachel Meltzer, com um copo vermelho de bebida na mão, declamando um poema de origem desconhecida:

Havia uma jovem dama de Níger
Que sorria cavalgando em um tigre;
Elas voltaram de uma cavalgada
Com a dama lá dentro
E o sorriso na face do tigre.

— O que é isso? — quis saber Aidan, erguendo o copo na luz e franzindo o cenho.

— Você sabe como eles fazem *pruno* na cadeia? — disse Zara. — Bem, essa é a nossa especialidade de Coldtown, nossa própria bebida, que nós mesmos produzimos. O bom e velho açúcar branco, levedura de padaria e água. Nós passamos a mistura em um alambique, engarrafamos e vendemos.

Tana cheirou seu copo de bebida, o que fez os pelos do nariz arderem. *Rainha*, ela escolheu em silêncio, e bebeu. Imediatamente, começou a tossir.

Aidan ergueu as sobrancelhas.

— Que gosto deveria ter isso?

— Gosto das bolas de Satã — respondeu Rufus, e todos deram risada. Ele ergueu o copo. — À valentia, porque é preciso ser valente para beber isso!

Christobel e Zara viraram os delas. Depois, foi a vez de Aidan. Depois, de Midnight e Winter. Todos se encolheram, e Zara gargalhou selvagemente.

— Desce queimando — disse Rufus.

— E continua queimando — acrescentou Aidan, mas estava sorrindo.

Por um instante, Tana sentiu-se zonza. Um calafrio atravessou-lhe o corpo e ela foi lembrada da infecção que estava à espreita em seu sangue. *Eu tenho o oposto de uma febre*, pensou, mas afastou tal pensamento da cabeça.

A comida era esquisita, mas era comida. Ela se estufou com aquilo, mastigando o pão e espalhando fatias de laranja-mandarim nele como se fossem geleia. As doses também começaram a ser viradas com mais facilidade, embora, quanto mais bebesse, mais zonza se sentisse.

Depois do terceiro copo, ela forçou-se a ficar em pé.

— Eu acho que é melhor eu me deitar. Não estou me sentindo muito bem.

— Bem, falando nisso — disse Rufus, com um sorriso nos lábios. — Vamos mostrar os quartos de vocês.

Christobel e Zara levantaram-se também, olhando de relance e com olhos velados para Aidan.

Naquele instante, Tana soube que algo definitivamente estava errado. O que ela vira se passar entre elas era mais do que dar risada nas costas de alguém: era armação.

— Vem comigo — disse Christobel a Aidan, com seu vestido de seda deslizando sobre o corpo enquanto caminhava em direção às escadas. Aidan começou a ir atrás dela quando Tana segurou-o pela mão.

— Espera — disse, com a boca amortecida o bastante para não saber ao certo se conseguiria colocar as palavras para fora. — Espera!

Ele olhou para trás, para ela, confuso e muito bêbado.

Porém, uma vez que ela conseguira que ele prestasse atenção, Tana não conseguiu pensar em uma única coisa que provasse que algo ruim estava prestes a acontecer.

— Talvez a gente não deva incomodá-los... quero dizer, eles disseram que poderíamos simplesmente invadir algum lugar, certo? Podemos encontrar um lugar nosso.

Aidan franziu o cenho, olhando para Christobel e depois de novo para Tana, como se estivesse tentando decifrar o que ela queria dizer.

— Eu não quero ir a lugar nenhum. Estou me sentindo estranho — disse ele, e Tana se deu conta do motivo pelo qual estava tão difícil pensar.

Eles haviam sido drogados.

Tana ficou observando, sem poder fazer nada, enquanto Aidan subia as escadas, com Christobel na frente e Zara atrás, empurrando-o escada acima. Ela não sabia como salvá-lo; virou-se em direção à porta aberta, em direção à saída e ao ar fresco da manhã, que poderia desanuviar sua cabeça. Deus dois passos incertos. Rufus fechou a porta com um chute.

— Vai a algum lugar? — ele perguntou.

Midnight, que estava no sofá, começou a dar risada.

— A sua cara! — disse ela. — Ah, meu Deus, Tana, se você pudesse ver sua cara! Eu deveria ter gravado! Não fique assustada... quero dizer, sério, a gente achou que, depois de viajar com um *vampiro*, você não ficaria com medo *de nós*.

Idiota, pensou Tana. *Eu sou uma idiota. Fiquei cansada e distraída e triste. Parei de prestar atenção.*

— O que vocês vão fazer conosco?

— Ela também está infectada, sabia? — disse Winter. — Deveríamos colocá-la lá, junto dele.

— É mesmo? — Rufus olhou para Midnight, buscando confirmação. — Ela?

Midnight estirou as pernas cobertas pela calça jeans *skinny* no sofá. Seu top de veludo deslizou para um dos lados, deixando o curativo à mostra.

— Acho que veremos.

— Vamos subir — disse Christobel a Tana.

Com Rufus e Winter conduzindo-a, Tana não tinha escolha. No quarto sem janela havia um colchão e alguns cobertores empilhados desordenadamente. Um candelabro de latão. Uma claraboia, arranhada e com danos causados pela água nos cantos, mostrava uma pequena faixa de céu azul e muitas folhas marrons. A porta era grande e velha, com uma portinhola eletrônica para a passagem de um gato.

Agora, quando era tarde demais, ela teve um momento de terrível clareza mental.

Duas pessoas infectadas. Em algum momento, vamos surtar e atacar um ao outro, saborear o sangue humano. Então, não seremos mais humanos. Então, estaremos dispostos a mordê-los. É claro que é isso que eles querem.

Ela ouviu o girar das trancas, uma atrás da outra. Do outro lado, alguém começara a dar risadinhas.

Trinta trancas de latão com trinta chaves de latão. Como no sonho. Naquele momento, sentiu a fúria atravessando seu corpo.

Ela socou a porta, chutou-a, jogou o corpo inteiro contra ela, mas estava fraca e tudo estava ficando nebuloso.

— Eu vou matar vocês! — gritou pela abertura, e a voz saiu lenta e estranha. — Abram essa porta que eu vou matar vocês!

Aidan tentou se levantar e caiu, pesado, no colchão, dando risada, obviamente não entendendo metade do que estava acontecendo.

— Você nunca desiste, não é?

Com sua última pontinha de força, Tana rastejou até o colchão, que cheirava a cigarro e perfume velho. Aninhando-se ao lado de Aidan, com a luz do dia entrando no aposento pela claraboia, ela apagou antes que pudesse responder à pergunta dele.

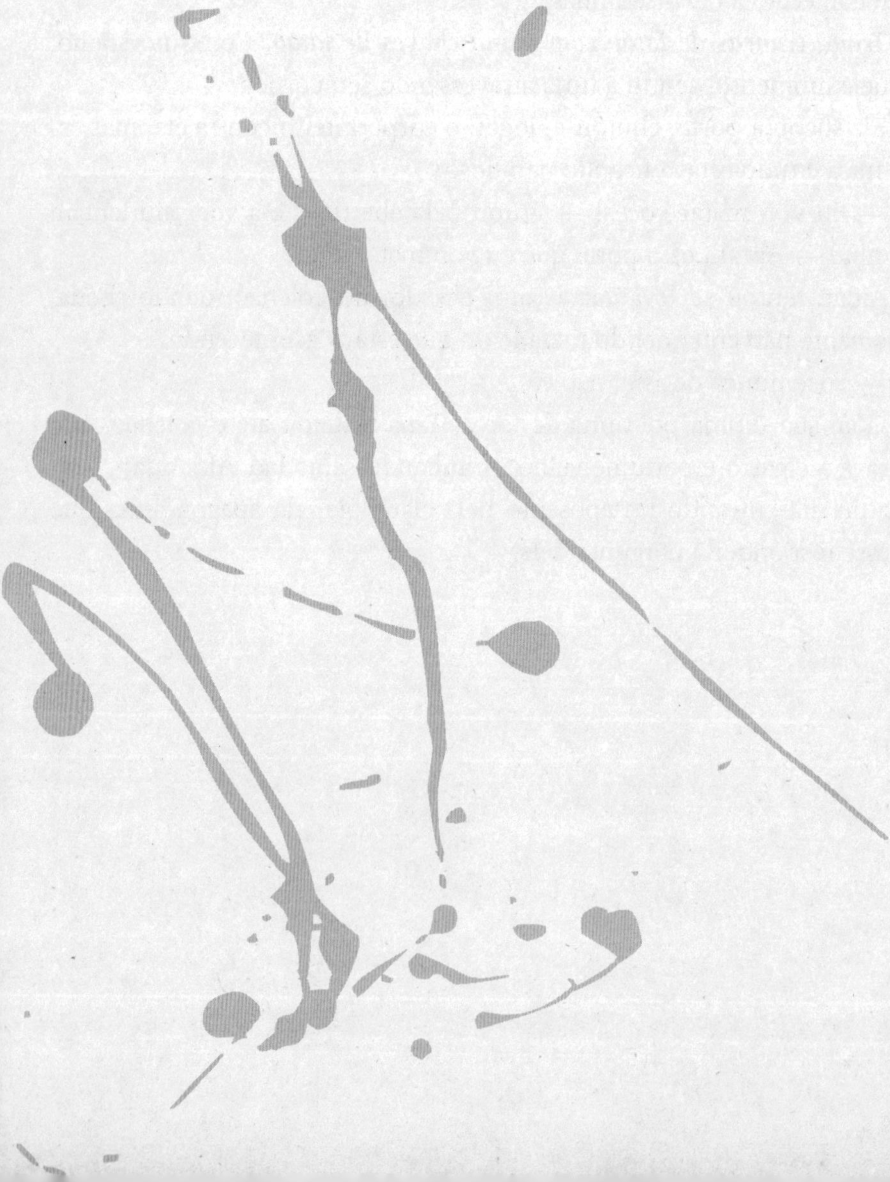

Capítulo 20

A Morte nos concede sono, juventude eterna e imortalidade.

— Jean Paul Richter

Na manhã da segunda-feira seguinte ao desaparecimento de Tana, Pearl acordou cedo. Seu pai estava à mesa da cozinha, com a cabeça apoiada nas mãos, como se fossem travesseiros, dormindo com as mesmas roupas que tinha usado na noite anterior. Havia um café pela metade ao lado dele, com uma fina camada de borra formada em volta da parte de dentro da caneca.

Na maior parte dos dias das férias de verão, Pearl tinha ido até a casa de uma amiga nadar na piscina, ou tinha saído para comprar brincos baratos no shopping, ou imitara passos de dança de vídeos do YouTube. Porém, hoje ela não queria ir a lugar nenhum. Sentia um azedume de nervosismo no estômago.

Serviu-se de uma tigela de Cheerios e colocou leite no cereal. Levando a tigela até a sala de estar, colocou-a na mesinha de centro, ligou a TV, do sofá, e ficou zapeando pelos canais até achar um programa de TV que reconhecesse: *Hemlok: Caçador de Recompensas e Vampiros*.

Todas as crianças da vizinhança tinham supercurtido Hemlok quando eram mais novas. Nos últimos três verões inteirinhos, Pearl havia brincado de caçadores e vampiros com elas, correndo pelos quintais dos fundos das casas com um galho na mão, erguendo-o como se fosse uma estaca. Ela havia até mesmo se fantasiado de Hemlok em um Halloween, embora Mike Chavez tivesse dito que aquela não era uma boa fantasia para uma garota. Porém, no último ano, o programa de Hemlok ia ao ar no mesmo horário de outro programa de que ela gostava mais, então ela não havia visto nenhum dos novos episódios. E, neste verão, meninos e meninas não brincaram uns com os outros, de qualquer forma.

No entanto, naquele exato momento, a familiaridade do programa era reconfortante, então ela deixou a TV no canal do programa dele.

— O problema com os vampiros... — dizia Hemlok em sua sala de equipamentos, amarrando estacas entalhadas em jacarandá e espinheiro em uma bandoleira, com as pontas recobertas com plástico, para que não perdessem o fio durante a viagem. — Eles têm a cabeça bagunçada. Sentem fome o tempo todo. Nós temos que pensar como eles, como predadores, e temos que ser mais espertos do que eles em seus próprios jogos. Eles podem ser mais rápidos e mais fortes, mas nós ainda somos humanos, e isso é o que nos torna melhores, é isso que conta.

Seguiu-se um corte e Hemlok foi mostrado sentado em seu caminhão com a assistente, Jeana. Ela estava bebendo de um copo de Big Gulp, trajando uma calça branca e uma camiseta cortada e cravejada de pedrarias, e os cabelos estavam em um penteado tão alto que batia no teto do caminhão. Eles estavam estacionados na frente de um clube de strip-tease, com música alta bombando nos alto-falantes. Pearl deu-se conta de que se tratava de uma reprise; um episódio legal, mas não excelente.

— Nós achamos que a vimos dentro daquele prédio — disse Jeana, num exagerado sussurro em frente às câmeras. — Há uma porta lá nos fundos, então cada um de nós terá que ficar em um dos lados do prédio e ver se conseguimos fazê-la sair.

Antes de começar a caçar vampiros, Hemlok costumava ser um lutador de luta livre. Ele largara as lutas (embora algumas pessoas dissessem que fora expulso da liga) depois que um oponente morrera no ringue. Pearl sabia disso por meio do fã-clube do Hemlok, do qual tinha ficado sócia aos nove anos, por volta da mesma época em que Hemlok começara a ir a *talk shows* e contar a história, chorando enquanto explicava que a morte do homem fora o momento em que ele se dera conta de que precisava mudar de vida.

Olhando para a tela, Pearl se perguntou pela primeira vez se a vampira estaria com medo.

Antes, ela sempre achava que bons vampiros iam para uma das Coldtowns ou para algum lugar onde deveriam estar, e que vampiros maus ficavam para trás, para atacar as pessoas; mas agora que Aidan, que sempre tinha sido legal com ela, e sua irmã mais velha, Tana, estavam lá fora, no mundo, doentes ou recém-transformados, ela não conseguia mais pensar nas coisas desse jeito.

É claro que havia vampiros maus como aqueles que mataram aqueles adolescentes da classe de Tana. Talvez a vampira que Hemlok estava caçando fosse assim, mas como ele poderia saber?

De volta ao programa, Hemlok estava pegando provisões extras da traseira do caminhão.

— Há três formas de matar um vampiro e ter certeza de que ele esteja morto — disse ele. — Atravessando o coração dele com uma estaca, colocando fogo nele ou decapitando-o. Qualquer outra coisa seria como lutar com um pistoleiro dando-lhe um tapa com a mão espalmada. É claro que algumas pessoas os deixam sangrando até secar, mas, para mim, isso é como um prego de prata na cabeça: pode contê-los por um tempo, mas não é permanente.

— E não se esqueça da luz do sol, querido — disse Jeana, fechando o zíper de um macacão de malha de metal. — A luz do sol certamente os mata.

Ele revirou os olhos. O relacionamento entre eles era uma parte importante do programa.

— Ninguém que esteja procurando matar um vampiro vai ficar “ah, é, eu acho que é melhor arrumar um pouquinho de luz do sol. Isso não é arma”.

— A luz do sol os mata. — Jeana jogou os cabelos para trás. — É só o que estou dizendo. O sol mata, ponto final.

Ele soltou um grunhido, pegou uma garrafa transparente e destampou-a.

— Bem, alguns de vocês andaram perguntando sobre que água benta ou água de rosas selvagens usamos nas estacas ou por que, afinal, eu uso água benta, já que há uma grande comoção sobre como na verdade isso tudo não faz nada com eles. Bem, em primeiro lugar, eu sempre uso óleo, e não água, porque o óleo penetra melhor na madeira e fica lá. E uso óleo de rosas que foi benzido, então, é duplamente válido. Além disso, para todos vocês que dizem que coisas sagradas não ajudam a derrubar os vampiros, eu estou aqui no campo... Então, em quem vocês vão acreditar? Em mim ou nos cientistas?

Deixando essa pergunta pairar no ar, ele ergueu uma balestra gigantesca, cujo corpo era entalhado na forma de um crucifixo.

— Agora, outra pergunta comum dos telespectadores é qual das minhas armas é a minha predileta. — Havia uma estaca de madeira inclinada e preparada para o uso. — É este bebê aqui. Ele pode derrubar um vampiro a quase dez metros de distância.

— Está na hora de começar a matança — disse Jeana, dando uns tapinhas de leve em um relógio de pulso branco de cerâmica.

Ele sorriu para a câmera.

— Ok, vamos lá.

Pearl tateou no sofá, procurando o controle remoto. Eles estavam quase na parte em que a vampira saía do bar. Em seguida havia uma perseguição, e Jeana quase era mordida no braço, mas o traje de malha de metal a protegia. Hemlok acabava acertando a vampira com a balestra e serrava sua cabeça para receber a recompensa.

Pearl não queria ver isso. Não agora, depois de tudo que a polícia havia dito sobre sua irmã, não quando seu pai havia voltado da loja de ferragens com ramos de rosas selvagens para as vergas das portas e das janelas e um grande maçarico que ele não explicou para quê seria usado. Ela desligou a TV com um clique e abriu seu laptop, carregando a transmissão da festa de Lucien Moreau.

Seu pai odiava que ela assistisse a programas assim, em que os vampiros não eram apresentados como vilões, mas hoje ela não estava nem aí pra isso.

Levou mais uma colherada de cereal à boca enquanto a parte interna da mansão surgia na tela. Parecia algo saído de um conto de fadas, com papel de parede dourado adamascado e velas em castiçais presos nas paredes. Elisabet, a consorte de Lucien, estava na tela, com os belos cabelos escuros puxados para trás em um coque e a frente do vestido molhada com sangue. Seu batom vermelho fazia com que as presas parecessem ainda mais brilhantes quando sorria. Lucien Moreau, elegantemente vestido em tons creme, os cabelos como ouro entrançado, pegou-a nos braços e girou-a no ar. A boca dele ficou igualmente brilhante e manchada de sangue quando a levou para junto da dela.

Pearl abriu um sorriso.

Era para lá que sua irmã estava indo. Tana viveria daquele jeito, como uma princesa em uma cidade distante. Talvez, algum dia, Pearl pudesse até mesmo se juntar a ela. E, uma vez que tivesse feito isso, ela simplesmente sabia que tudo seria perfeito para sempre.

Capítulo 21

Morrer é uma noite selvagem e uma nova estrada.

— Emily Dickinson

Quando Tana acordou, o céu acima da cabeça estava apenas começando a escurecer. Ela pôde sentir o cheiro de cebolas fritando e ouviu música tocando. As pessoas gritavam umas com as outras na rua, com vozes alegres. Todos os tipos de coisas que poderia ter esperado encontrar em todas as cidades, menos nesta.

Aidan estava dormindo a seu lado, com o maxilar levemente aberto.

Ela espreguiçou-se, sentindo a rigidez dos músculos. Ainda estava grogue e, por um instante, pensou em abaixar a cabeça e só ficar dormindo e dormindo. Porém, se Aidan abrisse os olhos e a visse daquele jeito, como um muffin recheado de sangue, ela duvidava que ele resistiria a mordê-la. Forçou-se a ficar em pé. Quanto mais se lembrava de onde estava e do que havia acontecido, mais o medo afastava os últimos resquícios da letargia causada pelo fato de ter sido drogada.

A bolsa ainda estava jogada em seu corpo, e ela a abriu, colocando de lado tudo que não fosse o envelope de manilha. O pânico acelerou seu coração e fez com que quase sentisse medo demais para olhar, mas o sinalizador ainda estava ali, guardado, em segurança. Ninguém o tinha pegado. Por um instante, ela realmente pensou coisas boas sobre Midnight e Winter: eles poderiam não se importar se ela morresse, mas ao menos não a haviam roubado.

Ela ergueu o sinalizador na luz.

Só um pouco maior do que um quarto de dólar e até mesmo mais leve do que uma dessas moedas, era aterrorizante pensar que esta peça brilhante, o objeto que supostamente salvaria sua vida, era pequena o bastante a ponto de cair dentro de um bueiro ou ralo por acidente, ou escorregar por um buraco em uma calça jeans. De prata brilhante com ouro no centro, onde ficavam os circuitos, cercados por pequenos e angulosos cortes no metal, aquilo parecia uma antiga ficha de metrô. Ela cerrou o punho em cima do sinalizador, com força, e depois o colocou de lado.

Analisou o restante de seus pertences. Atrás dela estavam as roupas, as botas que ela trouxera de casa e a bolsa de mão, que continha os símbolos religiosos e a água de rosas que ela havia encontrado na festa, uma mistura aleatória de dinheiro vivo enrolada em um saco de papel marrom e o medalhão de granadas com o fecho quebrado que Gavriel havia lhe dado no estacionamento.

Ao pensar nele, ela pressionou a língua, distraída, contra os dentes, fazendo com que a mordida ali ardesse novamente. Latejava, pulsava junto com as batidas do coração, martelando em seus ouvidos. Quando se deu conta do que estava fazendo, seu rosto ficou quente com a vergonha. Já era ruim o bastante que ela o tivesse beijado *daquele jeito*, mas era o mesmo impulso de pisar no acelerador em uma estrada coberta de gelo, e ela não conseguia se deixar esquecer disso.

Ele não a salvaria. Nem mesmo sabia onde ela estava, menos ainda que precisava ser salva. Eles não sairiam de fininho de Coldtown para vivenciar loucas e más aventuras juntos enquanto ele recitava muita poesia e os dois visitavam Pauline no acampamento do grupo de teatro. Se ele gostava dela de algum jeito estranho e selvagem, não era da forma como os humanos gostavam uns dos outros e também não era como as pessoas em livros de histórias gostavam umas das outras.

Deixa de ser imbecil, Tana disse a si mesma, embora fosse tarde demais para isso. Ela já havia sido mil vezes imbecil.

— Tana. — Aidan rolou para o outro lado em cima do colchão. Seu rosto estava com uma aparência suave devido ao sono, os cabelos, bagunçados, mas os olhos observavam-na com uma intensidade perturbadora. Lentamente ele se sentou, e ela notou que os lábios dele haviam assumido uma coloração azul. Ele soltou um longo e trêmulo suspiro. Já fazia quase quarenta horas desde que havia sido mordido, e seu aspecto piorava conforme as horas se passavam. — O que você acha que o Rufus, a Midnight e aquelas outras duas psicopatas vão fazer agora?

— Esperar — disse ela em tom sombrio. Depois de um instante, ele se deu conta do que ela queria dizer com isso. No entanto, Tana repetiu, só para ter certeza: — Eles vão esperar.

— Eu não vou... — ele começou a falar, e então se interrompeu. As palavras eram vazias mesmo. Ambos sabiam que ele faria aquilo, sim.

— Não se preocupe com isso. Nós vamos sair daqui — disse Tana a ele, embora seu tom de voz soasse superficial. Nem mesmo ela sabia ao certo se acreditava nisso.

Reclinando-se junto à parede, ele não parecia pronto para atacá-la ainda, mas ela se perguntava quanto tempo teria. Ele ainda estava apenas acordando.

— Você já chegou alguma vez a pensar nisso... em ser uma vampira? — ele lhe perguntou.

— *Todo mundo* já pensou nisso — respondeu Tana.

— Quero dizer, com todo o lance da sua mãe e tal... — Ele parou de falar abruptamente, como se tivesse acabado de perceber que havia entrado em território perigoso. Deu um de seus antigos e charmosos meios sorrisos, um sorriso provocador. — E você ***beijou*** um vampiro! Isso é loucura! Não é isso que eles geralmente fazem com as bocas, sabe? Estou meio que com ciúme.

— Ah, para — disse ela, revirando os olhos. — Como se você ligasse para o que eu faço. Você me largou, lembra?

— Em primeiro lugar — disse Aidan, abrindo seu mais despreocupado sorriso e erguendo um único dedo —, em momento algum eu disse que estava com ciúme *dele*. Talvez eu estivesse com ciúme de *você* por conseguir toda a atenção dele. Ele não é um cara feio, se você não se importar com uma porçãozinha lunática. Bela boca.

Isso fez com que Tana risse, uma risada verdadeira e relaxada, como nos velhos tempos.

— Em segundo lugar — disse ele, levantando outro dedo —, você me assustava pra caramba quando estávamos namorando, Tana. Eu estava acostumado a ter namoradas que gritavam comigo ou que ficavam chateadas com as coisas idiotas que eu fazia, ou que tentavam me salvar de mim mesmo. Você não era nada disso. Às vezes eu sentia como se você fosse um eu melhor do que eu mesmo.

— Na maior parte do tempo eu não sabia o que nós estávamos fazendo — ela protestou. — Eu nem mesmo...

Seguiu-se um som de farfalhar à porta, cortando as palavras dela. Uma garota estava enfiando a mão pela aba de plástico da porta, com uma dúzia de anéis prateados nos dedos e esmalte brilhante verde recém-passado nas unhas. Ela segurava uma tigela de madeira. Tigela esta tão cheia de um líquido vermelho que, ao colocá-la no chão, um pouco do líquido se espalhou pelas tábuas do assoalho, afundando nas ranhuras da madeira. O líquido cheirava a ferro e porões e à perda dos dentes de leite para que os dentes da garota crescida pudessem vir. Cheirava a joelhos ralados e à boca de Gavriel na dela. Era como paredes manchadas e olhos que a encaravam.

Tana fez um esforço para se pôr de pé.

Sangue.

Por um bom tempo, ela e Aidan ficaram olhando para a tigela. Tana sentia-se hipnotizada pela visão. A vermelhidão brilhante era tão escura e profunda quanto uma poça de granadas derretidas.

Se bebesse aquele sangue, ela se transformaria em um monstro. Permitiu-se imaginar isso por um instante, pensando em seu novo corpo de monstro, e olhos de monstro, e sede de monstro. Imaginou Midnight e Winter, Rufus, Christobel e Zara abrindo a porta e encontrando uma garota-monstro ali dentro.

E, se ela não bebesse o sangue e Aidan o bebesse, ele morreria e acordaria novamente, recém-transformado, faminto e sozinho com ela.

— Viram? — A voz desconhecida de uma garota falou do outro lado da porta. Provavelmente era Christobel ou Zara. — Nós não queremos que ninguém se machuque. Não queríamos ter que trancar vocês. Então doamos esse sangue, todos nós juntos, tirado de nossas veias com agulhas. E agora não podemos ir aos clubes hoje à noite, mas viram? Nós somos dignos. Bebam o sangue e vão poder sair do quartinho. Bebam e vamos todos ser amigos de novo.

Mais espesso do que água. Era isso que as pessoas falavam do sangue. A aparência também, era viscosa e semelhante à de um xarope. Tana podia imaginar a textura sedosa do sangue em sua língua, a sensação salgada e cálida, como mancharia seus lábios e dentes.

— Talvez devêssemos — disse Aidan, o tom de voz ficando baixo, sedutor e seduzido. Ele deu um passo em direção à tigela. — Poderíamos fazer isso juntos, como um pacto suicida. Só que nunca vamos morrer, Tana.

Caminhando rapidamente em direção à porta, com o coração martelando o peito, Tana pegou a tigela e jogou-a contra a parede com o máximo de força que conseguiu. A madeira rachou, e as duas metades da tigela voltaram da parede, de onde caíram no chão. Uma chuva de gesso seguiu-se a isso.

— Não acredito que você fez isso! — disse Aidan em tom de frustração, estupefato. Ele caminhou em direção à parede, como se estivesse atraído por ela.

Tana desmoronou, deslizando até o chão, onde ficou, sentada, encarando a pintura de sangue na parede. A mancha parecia criar a forma de um grande pássaro, com as penas voltadas para baixo, voando no céu.

Ela também não conseguia exatamente acreditar no que havia feito.

— Eu não vou ficar nem um pouco melhor. — Ele ergueu a voz, encarando o vermelho. — Estou tão Resfriado, Tana, e só vou ficar mais Resfriado ainda.

Ela socou o chão com uma das mãos, tentando encontrar um foco para os pensamentos.

— Gavriel deixou você beber o sangue dele, certo? Lá no Last Stop. E isso ajudou. Tudo de que precisamos é de mais sangue dele.

Aidan deu risada, mas não como se achasse isso divertido. Também não como se achasse que era uma possibilidade.

— A coisa mais preciosa em Coldtown e você vai só *pedir* um pouco... como se estivesse pegando emprestada uma xícara de açúcar? — Ele esticou uma das mãos em direção à parede, manchada com uma faixa de sangue. — Desista. Eu vim sabendo que viraria vampiro. Qual é o propósito de ficar esperando? Nós não vamos ficar bem, Tana. Nós nunca mais vamos ficar bem.

Ela se perguntou como seria morder alguém. Pensou na expressão na face de Gavriel quando ele havia afundado os dentes em Aidan, na forma como a boca dele havia se movido junto à garganta de Aidan e como seus dedos haviam afundado na pele dele. Era como se alguma espécie de frenesi sereno tivesse tomado conta dele. Parecia transcendente, um sonhador que ainda não havia acordado.

Tana sentiu um nó no estômago só de pensar nisso, em uma combinação de desejo e temor que faziam com que ela se perguntasse se era um sintoma da infecção. Não deveria achar a lembrança daquilo nada além de horrível. Porém, colocando de lado o que deveria sentir, ah, sim, ela entendia por que Aidan poderia ficar envergonhado com a lembrança de beber do pulso de Gavriel.

Esse pensamento não lhe saía da cabeça enquanto ela observava Aidan passar os dedos pela parede e trazê-los, pintados de vermelho agora, à boca.

— *Aidan* — disse Tana baixinho, sem esperanças, logo antes de ele lamber os dedos, um por um, até ficarem limpos.

Ele emitiu um som do fundo da garganta e ajoelhou-se, pressionando os lábios contra a parede, lavando-a com a língua. Já parecia inumano, uma criatura se alimentando, em vez do garoto que ela conhecera.

Tana afastou-se alguns centímetros, colocando o máximo de distância entre eles que o pequeno aposento lhe permitiria. Uma respiração tremida escapou de sua boca, soando como uma mescla de solúço e choro.

— Ok! — ela gritou, e sua voz saiu sem firmeza. — Midnight, você está aí fora? Ok, ele fez. Ele cedeu. Pode nos deixar sair agora. Pode deixar o Aidan sair agora.

Ela ouviu apenas o som de vozes murmurantes vindos das salas lá embaixo.

Havia um comercial que passava às vezes na televisão, especialmente entre os intervalos das novelas durante o dia, que eram vistas por mães. O comercial mostrava nuggets de frango em um prato na frente de um garoto humano e um milk-shake de sangue na frente de uma garota vampira que babava, amarrada com cordas a uma cadeira. O humano se empanturrava com os nuggets no momento em que a vampira tinha acabado de começar a beber o milk-shake. Então o locutor dizia: "Os nuggets da Shipton vão fazer seu filho ficar com mais fome do que um vampiro recém-nascido."

A piada é com você, ela disse a si mesma. *Nada é mais faminto do que um vampiro recém-nascido.*

Aidan ia morrer. E, antes que voltasse à vida como um vampiro, se Tana quisesse viver, ela teria que matá-lo, tal como seu pai matara sua mãe. Matá-lo antes que ele a atacasse com toda aquela nova força que teria.

Sua melhor aposta provavelmente seria a tigela de madeira, que já estava partida ao meio, e talvez pudesse tirar dela uma lasca grande o bastante para funcionar como uma estaca.

Porém, Tana sentia-se nauseada só de pensar nisso, só de pensar em pressionar uma estaca fundo o bastante a ponto de perfurar o coração dele.

Aidan sentou-se pesadamente, com as costas voltadas para a parede manchada de sangue. Os lábios estavam vermelhos.

— Eu sinto muito — disse ele, miseravelmente, e ela não pôde evitar imaginar se ele não estaria se desculpando apenas pelo que havia feito, mas pelo que inevitavelmente faria. — Eu sinto muito, Tana.

Ela assentiu.

— Eu sei. Eu também.

Eles ficaram lá sentados assim, em extremidades opostas da sala, observando o rio de luz se mover pelo chão enquanto o início da manhã ia cedendo lugar à tarde. Aidan começou a tremer, e seu olhar voltava à parede, repetidas vezes. Ocasionalmente, virava-se para olhar Tana, com uma luz selvagem nos olhos, e então desviava o rosto, com a respiração pesada, como se estivesse sentindo dor.

Pense, ela disse a si mesma, *pense*. Levantou-se, andando de um lado para o outro no aposento, forçando-se a olhar para as rebarbas dos batentes da porta e para as tábuas dos rodapés, considerando o que poderia ser solto e usado para matá-lo. É claro que havia outra maneira.

Se pegasse um pouco de sangue, o sangue dele, ainda humano, ou o sangue da parede, contanto que estivesse infectada, ela também se transformaria.

Você nunca pensou nisso? Em ser uma vampira?

Seria adeus, Pearl; adeus, Pauline; adeus, sonho de Los Angeles, palmeiras e o brilhante oceano azul. Adeus deitar-se em uma toalha no quintal dos fundos sob o sol do verão, com formigas rastejando pelos pés, a escorregadia manteiga de cacau reluzindo na pele. Adeus, coração batendo e hambúrgueres e olhos azuis acinzentados.

Matar Aidan ou a si mesma. Morrer e erguer-se.

Nós nunca vamos morrer, Tana.

Ela olhou para a parede, onde a tigela havia batido, considerando o pequeno buraco no meio do gesso, e teve um repentino e desesperado pensamento.

Cruzando a sala, Tana chutou a parede ensopada de sangue, logo acima da tabua do rodapé. Até mesmo com as botas com ponteira de aço, os dedos dos pés doeram, mas ela conseguiu rachar o gesso. Deu um chute de novo, alargando o buraco. Talvez não tivesse que fazer uma escolha terrível. Talvez pudesse adiar, por mais um dia, ser um monstro.

— O que você está fazendo? — quis saber Aidan, erguendo o olhar para ela.

— Eu não sei — foi o que Tana disse. — Isso pode não dar certo.

Ela foi andando até onde um pedaço caído da tigela, que parecia afiado, e pegou-o. Então, fechou os olhos, cerrou os dentes e bateu com o pedaço de madeira bem no meio do caminho entre o primeiro buraco e o amassado.

Sua pele e roupas ficaram cobertas de pó.

Em seguida, apoiando a bota no primeiro buraco, ela estendeu a mão para cima até o segundo buraco e até as ripas, agarrou-se à madeira e começou a subir. Era difícil manter o equilíbrio, e mais difícil ainda, com os pés fazendo pressão para baixo, criando mais destroços de gesso, não escorregar. E então, o mais difícil de tudo, bater com o pedaço da tigela na parede daquela posição, para abrir mais um buraco e continuar subindo.

— Tana? — disse Aidan.

Ela olhou para baixo, dando-se conta de que ele estava parado, em pé, debaixo dela. A fome estava expressa em seu rosto. A boca estava levemente aberta, a língua cor-de-rosa pressionando um dos caninos, como se estivesse testando, especulando se estava afiado.

— Eu acho que consigo chegar até a claraboia — disse ela. *Normal, normal, continue agindo como se tudo estivesse normal. Eu estou subindo uma parede como se fosse a super-heroína mais tosca do mundo e você está morrendo e tudo está normal.* — Se o candelabro me aguentar e eu conseguir mesmo pular para ele.

Tana lembrou-se de um exercício similar a este que eles faziam todos os anos na aula de educação física. Da última vez, ela havia subido até a metade da parede que estava escalando antes de pular e aterrissar em um dos tapetes, exausta. Pauline, enganando a enfermeira da escola e conseguindo com ela uma bolsa de gelo para seu pulso que não estava machucado, para que pudesse ficar sentada nas arquibancadas e evitar a coisa toda, havia chamado Tana de tonta por até mesmo ter se esforçado tanto assim.

Agora, gostaria de ter se esforçado um pouco mais. Gostaria de ter praticado todos os dias escalar aquela parede.

— Você vai me deixar aqui? — ele perguntou.

Tana alternou seu peso, os músculos repuxando.

— Quando eu subir no teto, vou ver se consigo encontrar alguma maneira de tirar você...

Ele balançou a cabeça em negativa, e sua voz estava estranhamente vazia.

— É tarde demais para isso. Posso sentir.

Não havia nada que ela pudesse dizer. A pele dele estava pálida a ponto de estar quase translúcida, a carne em volta dos olhos azuis parecendo machucada. A garota se perguntou se ele poderia sentir o ritmo do próprio coração diminuindo, se as falhas na voz eram porque ele estava achando difícil respirar.

— Eu vou tirar você daqui hoje à noite, então, depois que você tiver se transformado — disse Tana.

Ele não respondeu, ficou apenas observando-a resmungar enquanto ela se forçava a subir mais alto ainda. Ela desejava ser mais forte, desejava não ter acordado exausta. O suor começava a escorrer em seu cenho e nas coxas. Os braços ardiam. Ela ignorou tudo isso e concentrou-se em não cair.

Bem no alto da parede, olhou para o candelabro. O que parecera uma curta distância a ser pulada do chão agora parecia impossível. Debaixo dela, Aidan andava de um lado para o outro, como se fosse uma espécie de gato grande e faminto. Se Tana caísse, se torcesse o tornozelo ou quebrasse a perna, ela se pareceria muito com uma presa.

Pule, disse a si mesma. *Pule!*

Mas estava assustada demais. Olhando para baixo, sentia-se desequilibrada, e seus braços e pernas tremiam. Achou que não conseguiria.

Inspirando fundo, ela se exortou da seguinte forma: *Supere seu medo de fazer isso ou supere seu medo de assassinar a sangue frio alguém de quem você gosta, porque são essas as suas opções.*

Tana tinha que admitir que isso era um lixo de discurso de encorajamento. Mas funcionou.

Ela pulou.

Suas pernas atingiram os braços de latão do candelabro, as mãos agarrando a coluna central dele. Mal conseguiu fazer isso, com uma das pernas enganchadas, a outra pendurada, os dedos quase deslizando da pegada. A alça da bolsa lhe puxava a garganta.

Caiu gesso do teto, cobrindo-a com uma chuva de pó branco. A corrente deslizou um pouco, e ela também deslizou, e uma das mãos escorregou para longe do candelabro. Sua cabeça bateu em uma das lâmpadas enquanto a coisa toda girava de um jeito que lhe dava tontura.

Isso vai despencar do teto, pensou ela. *Eu vou cair.*

Fazendo força com o braço e com a perna que ainda estavam presos no candelabro, ela tentou se erguer novamente. Sentiu um arranco pungente e a alça da bolsa foi puxada com força contra sua garganta, chegando a sufocar. Então, seguiu-se o som de algo estalando e a tira de couro deslizou por ela, livre.

Olhando para baixo, Tana se deu conta de que Aidan estava com a bolsa em uma das mãos, segurando-a como se estivesse orgulhoso de si mesmo. Ele havia mordido a alça.

— Devolve a minha bolsa! — ela gritou. — Por que você...?

— Toma cuidado — ele disse, com um sorriso na voz. — Você não vai querer cair.

Ele estava com o sinalizador. Porém, se ela se soltasse agora, com o candelabro arrancado pela metade do teto, não haveria como aquilo aguentá-la uma segunda vez, de um segundo pulo.

Tana tinha que se concentrar em subir e chegar até aquela claraboia, mesmo que tudo o que quisesse fazer fosse chorar.

Com as mãos tremendo e a cabeça zunindo, ela empurrou-se para trás, para uma posição mais segura no candelabro. Toda vez que conseguia, desajeitada, subir mais, Tana tinha certeza de que ia cair. Toda vez que oscilava, tinha mais certeza ainda de que ia cair. Porém, conseguiu ficar ereta, com um dos pés balançando em cima de um dos braços do candelabro enquanto ela ficava de pé.

Esticando a mão para cima, tremendo e suada, ela segurou-se na alavanca da janela, que girou para dentro. Uma leve chuva de água suja caiu dali, junto com umas poucas folhas.

— E agora? — perguntou Aidan. Em seguida, ele começou a tossir.

Ela teria que se empurrar para cima. Se havia algo que fosse ajudá-la a sair dali, seria toda a força de seu braço e todo o seu desespero.

Ela esticou as mãos o mais longe que podia e segurou-se no peitoril da janela. Em seguida, lançou-se para longe do candelabro, lutando para fazer com que seu peito ficasse acima da borda da claraboia. Aquele instante, quando seus pés tinham apenas ar debaixo deles e ela ofegava, tentando se arrastar para cima, com o puro terror produzindo faíscas como se fossem ácido em suas veias, foi terrível. E, quando ela conseguiu, com a parte superior do corpo encostada nas telhas do teto, ficou ali, daquele jeito, por um bom tempo, temendo que estivesse cansada demais até mesmo para puxar as pernas para cima.

Por fim, arrastando-se para a frente, olhou para trás e para baixo, para Aidan. O candelabro pendia entre eles, em um ângulo, com os fios elétricos arrancados e soltos do teto.

Ele estava com um largo sorriso no rosto.

— Uau! Isso foi incrível!

Arfando, exausta, Tana disse:

— Por favor, por favor, me devolve a bolsa. Eu não sei por que você a pegou e não me importa. Só me devolve a bolsa.

— Sinto muito, Tana — disse ele, abrindo o zíper da bolsa, fuçando ali dentro e puxando o pequeno envelope. Com dedos pálidos e sem firmeza, tirou o pequeno disco prateado de dentro, aquele com um chip de computador no centro, e ergueu-o à luz brilhante. — Eu queria me certificar de que você *teria* que voltar. Estou com medo.

— Eu não vou deixar você aqui — respondeu Tana, olhando diretamente nos olhos dele, de modo que ele pudesse ver que ela realmente falava sério em sua promessa. — Você não precisa de nenhuma prova disso. Você me conhece. Eu sou louca... louca o bastante para voltar, com ou sem sinalizador.

— Então isso não importa, certo? — E ele lançou a ela um daqueles seus exasperadores olhares de cachorrinho. — Eu te entrego o restante da bolsa, só me deixa ficar com o sinalizador. É o meu desejo de moribundo.

Por favor, Tana. Por favor.

— Não — disse ela.

— Que pena. — Aidan fechou a bolsa e jogou-a para ela, que a pegou no ar, zangada e até mesmo mais zangada porque ele estava lhe dando algo por que ser grata.

— É melhor você não perder esse sinalizador — disse Tana, com o estômago revolto, resignando-se. — É melhor não dá-lo a alguém gostoso que você queira impressionar. Ele ainda é meu.

— Não farei isso — respondeu ele, levando-o à boca e beijando-o com os lábios manchados de sangue seco. — Venha me buscar depois que escurecer.

Ela rolou de costas, deitando-se no teto e olhando para o azul desbotado do céu. Estava exausta, a mente só lhe fornecia as palavras ***estou cansada, estou cansada, estou cansada,*** repetidas vezes, um cântico que soava mais verdadeiro a cada vez que ela pensava nisso.

Piscou e uma sombra caiu sobre ela. Sentou-se e viu um garoto latino caminhando em direção a ela, cruzando o pico do teto. Tana soltou um grito, surpresa.

Era o mesmo garoto que ela havia visto naquela manhã. Tinha cabelos curtíssimos e negros, tatuagens multicoloridas serpeando e subindo pela pele morena dos braços e brilhantes argolas douradas em ambas as orelhas, mas não havia pássaro algum com ele desta vez.

— Você está bem? — o garoto lhe perguntou.

Ela respondeu que sim com um movimento de cabeça.

Ele caminhou até a claraboia e olhou para baixo.

— Eles trancaram você ali dentro com aquele menino? O que há de errado com ele?

Ela assentiu.

— O Aidan está infectado. Deram sangue para ele se alimentar. Ele vai se transformar.

O garoto balançou a cabeça. Parecia pirata o bastante para se encaixar no grupo de Rufus, Zara e Christobel, e sabia que eram *eles*, e não uma pessoa só, mas não os havia chamado naquela manhã, no teto da casa. Ela realmente esperava que eles não fossem amigos.

O garoto esticou a mão. Tana aceitou-a, deixando-se ser posta em pé. O suave declive do teto tornava seus passos inseguros, mas ela não achava mais que corria o risco de cair, a menos que tentasse ir rápido.

— Eu vi você — disse ela. — Com o pássaro.

— Eu moro aqui perto — respondeu ele. — Moro aqui desde antes da quarentena. Mais alto é mais seguro. Meu nome é Jameson.

Tana olhou ao redor, para o oceano de tetos de edificações, alguns conectados e alguns não.

— Se você me mostrar como descer para a rua, eu te pago um jantar.

— O sol está se pondo — disse ele. — Por aqui, eles chamam essa refeição de café da manhã.

Ela ergueu o olhar para as nuvens, pintadas com o escarlate e o dourado do crepúsculo.

— Café da manhã, é?

Jameson deu de ombros, caminhando em direção ao pico do teto.

— Seja bem-vinda a Coldtown. Café da manhã ao crepúsculo. Almoço à meia-noite. E não espere que todo mundo seja tão legal quanto eu. Vem!

Hesitante, Tana olhou de relance de volta para a claraboia.

— Ele está morrendo lá embaixo. Sozinho.

— Todo mundo morre sozinho — disse Jameson, e continuou andando. — Nem todo mundo levanta logo depois de morrer. Vem.

Depois de um instante, não sabendo o que mais fazer, ela acompanhou o garoto. Ele a conduziu de um teto a outro, até que os dois chegaram a uma saída de incêndio, pela qual desceram ruidosamente.

Coldtown era uma cidade que funcionava às avessas, onde o dia era noite e a noite era dia. Conforme se aproximavam do centro da cidade, as ruas iam ficando mais cheias de lojistas e camelôs preparando-se para a noite vindoura. Crianças em cobertores rasgados vendendo latas amassadas de comida chamavam-na enquanto ela passava. Havia outras tendas improvisadas, uma delas cheia de pequenos geradores movidos a luz solar e operados por meio de uma manivela manual; outra com vestidos e casacos dispostos em cabides; e uma terceira com frangos e coelhos em gaiolas. Uma mulher atiçava um fogaréu aceso debaixo de dois imensos potes de sopa enquanto um homem em uma banqueta os mexia com fúria; uma placa atrás do casal prometia uma concha de caldo de vegetais pela metade do preço se você trouxesse a sua própria tigela. Um homem de cartola e suspensórios vermelhos chamava as pessoas, animado, atrás de uma grelha de churrasco da qual saía fumaça. Ele dizia:

— Rato no espeto, é melhor ser rápido, crocante e docinho, carne de ratinho!

O estômago de Tana rugia, mas ela não tinha certeza de que conseguiria comer. Imaginou se seria a infecção, se ela finalmente roubaria sua fome por qualquer outra coisa que não fosse sangue. Ao pensar nisso, seu estômago se revirou mais do que nunca.

Na hora em que chegou à High Street, sua cabeça estava girando.

— Vai sentar — disse Jameson, apontando para um lugar com mesas sujas de plástico e cadeiras diferentes. — Eu vou pegar alguma coisa pra gente. Você pode me retribuir depois.

Ela se perguntou qual seria a dele, mas, como estavam em um local público e fugir poderia levá-la a uma situação pior ou mais esquisita, Tana sentou-se. Ele voltou poucos minutos depois, com dois pratos cheios do que pareciam ovos mexidos com cebolinhas, algumas tortilhas quentes e duas canecas de café preto com uma camada de borra em cima.

— Ok — disse Jameson. — Eu ajudei você a sair *e* comprei comida pra você. Agora, talvez você possa me contar um pouco sobre o Espinho de Istra.

Tana o encarou.

— O que leva você a pensar que eu...?

Ele sacou o celular, apertou alguns botões e empurrou-o até o outro lado da mesa, na direção dela. Tana não entendeu o que era aquilo que estava vendo por um instante. Era um post em um blog com uma fotografia borrada que ela reconheceu como aquela que Midnight havia tirado com a câmera do celular. Mas era bem provável que ela tivesse mexido na foto com o Photoshop antes de postá-la, porque a imagem estava mais viva. As feições de Tana e Gavriel estavam reconhecíveis, inclinadas na direção uma da outra, em um momento antes de as bocas se tocarem. Ele estava com os olhos fechados.

— E, antes que você me pergunte por que eu acho que ele seja o Espinho de Istra, é porque é o que está escrito no post. A garota afirma que você e seus amigos, incluindo o Espinho, deram carona a ela e ao irmão em alguma porcaria de lugar de turistas.

Tana ficou encarando o celular.

— Você mesma pode ler, se quiser — Jameson enfiou uma garfada de ovos na boca. — Mas, basicamente, está escrito que você sobreviveu a um massacre, onde conheceu o Espinho. Ele não disse a ninguém quem era, mas o irmão da garota descobriu isso no portão quando viu um cartaz de "procurado". Digamos que muita gente ficou interessada nesse post. — A voz de Jameson soava neutra, e ele descansava os braços tatuados na mesa. Ela analisou-os, palavras em uma escrita grande e ornamentada que desaparecia debaixo de uma camiseta branca, rosas espiraladas em caules verdes e mariposas com asas em branco e marrom-claro. — Principalmente o Lucien Moreau.

Ela quase se engasgou com os ovos que estava comendo.

— O vampiro da TV?

Lucien Moreau. Cabelos de um dourado claro e um rosto que parecia uma pintura pré-rafaelita. Ancestral e imortal, ele aparecera durante a quarentena, entrando na cidade a dançar valsa, tomando posse da maior casa que conseguira encontrar e instalando câmeras por toda parte. As festas que rolavam em sua casa eram quase tão famosas quanto o Baile Eterno, mas eram mais elegantes e mais mortais. As pessoas podiam assistir às festas dele na internet e em alguns canais locais tarde da noite, mas nenhuma estação *mainstream* jamais haveria de transmitir esses eventos sem editá-los. Tana não os via, mas Pearl e suas amigas, sim. Ela havia ouvido a irmã e as amigas falarem aos sussurros sobre o que haviam visto: os contornos borrados de capas de veludo, braços e pernas trançados uns nos outros, e Lucien, charmoso como sempre, conversando com o telespectador pela câmera, prometendo com uma curva na boca e um brilho nos olhos que, não importava quão alto se gritasse, você haveria de gostar fosse do que fosse que ele fizesse, e nunca mais seria o mesmo depois que ele tivesse acabado.

— Eu tenho uma amiga que mora na casa do Lucien. Ela realiza missões e algumas coisas para ele. Supostamente, era para ela ficar de olho no portão. Aparentemente, desde que o Espinho conseguiu escapar da prisão em Paris, o Lucien anda com medo de que ele esteja vindo para cá.

— Por quê? — Tana forçou-se a pegar a caneca, ignorando suas mãos trêmulas. Tomou um gole de café, e o líquido quente deixou seus movimentos firmes o bastante para que ela comesse um pouco dos ovos. Com a primeira porção, deu-se conta de que estava com mais fome do que havia imaginado.

Jameson inclinou-se para a frente em sua cadeira de plástico.

— O Lucien é o motivo pelo qual o Espinho foi encarcerado. Aparentemente, seu amigo Gavriel deixou que o Caspar Morales escorregasse por entre os dedos dele. O Lucien, ou talvez a Elisabet, ou provavelmente os dois juntos, contaram a algum vampiro ancestral chamado de Aranha o que o Gavriel havia feito, e foi assim que o Espinho de Istra passou a última década sendo torturado em algum lugar sob as ruas de Paris.

Tana pensou no que Gavriel lhe dissera no carro depois que eles saíram do posto de gasolina. As palavras pareceram sem sentido naquele momento, mas agora pareciam uma espécie de charada.

Este é o mundo que eu refiz com a minha terrível misericórdia. Um ato de misericórdia do qual me arrependo, do qual vou me arrepender eternamente.

A cabeça de Tana estava girando de novo.

— Como você sabe de tudo isso?

— Eu disse a você — falou ele. — Minha amiga mora na casa do Lucien. O Espinho disse alguma coisa em relação a quais eram os planos dele? Ele falou algo sobre estratégias?

Eu também tenho um amigo. E pretendo matá-lo.

— Existe alguém que ele quer morto. — Tana raspou um pouco dos ovos para cima de uma tortilha e ergueu a mistura em direção à boca. Depois da terceira porção e de mais um gole da caneca de café, ela começava a se sentir bem melhor. — Eu não sei de nada além disso. Eu nem mesmo teria acreditado que Gavriel era o Espinho de Istra se Winter não tivesse me mostrado isto. — Ela tirou o cartaz amassado de onde o havia enfiado dentro da bolsa horas e horas antes, desdobrando-o sobre a mesa, pressionando-o nas dobras. Ao ver os cachos negros, a bengala com a ponta de prata e a violência em seus olhos, Tana ficou surpresa novamente com a lembrança da maciez de sua boca. — Ele não agiu como... quero dizer, ele era aterrorizante, mas foi estranhamente bondoso também. Nada do que a gente pensaria.

Jameson deu uma espiada no papel e soltou um assovio ao ver a quantia da recompensa.

— Como foi que você não o entregou no portão?

Tana balançou a cabeça.

— Ele me ajudou. Entregá-lo seria uma maneira bem porca de retribuir a ajuda dele. Mas eu não entendo: por que Lucien e Gavriel ao menos se conheceriam?

— Lucien é o *criador* de Gavriel — disse Jameson.

— O quê? — Ela não podia imaginar isso. Não conseguia imaginar que Gavriel, em quem ela pensava meio como o garoto que lhe prometera mais um dia, e meio como a criatura que gritava debaixo do Cemitério Père-Lachaise, tendo alguma coisa a ver com o trapaceiro Lucien Moreau, que havia vendido os direitos de licenciamento de sua imagem, de modo que pôsteres dele pudessem ser vendidos em shopping centers por todo o país. — Olha, obviamente eu não sei muita coisa. Tudo que eu posso dizer é que Gavriel está viajando sozinho, e há alguns vampiros à caça dele. Ele deixou que presumíssemos que eles haviam sido enviados pelo Espinho de Istra, mas acho que eles trabalham para esse tal de Aranha. O massacre que Midnight mencionou no post dela, aquilo aconteceu por causa deles.

Uma coisa branca desceu rapidamente do céu, surpreendendo Tana, que quase caiu da cadeira. O corvo estirou as asas albinas, olhando para ela com olhos de rubi. O animal andou pela superfície plástica, grasnando uma vez e então pegando com o bico pedacinhos de ovos que haviam caído.

Jameson começou a rir quando o pássaro pulou para cima de seu ombro. Batendo as asas, ele voou até a cabeça do garoto.

— Este é o Gremlin — disse ele, recolocando o corvo em cima da mesa.

Tana estirou os dedos, hesitante, e ficou surpresa quando o pássaro rapidamente subiu neles e esfregou o bico em sua pele. Ela abriu um leve sorriso, relaxando. Havia algo em relação a um animal que tornava difícil não sentir que a pessoa que cuidava dele era basicamente decente.

— Me deixe explicar um pouco sobre as coisas em Coldtown — disse Jameson. — Na maior parte, somos um ecossistema que funciona. Os vampiros precisam de muitas pessoas vivas para lhes fornecerem sangue, de boa vontade, por meio de doações. Se tivessem que sair por aí atacando as pessoas, eles se arriscariam a espalhar a infecção e perderiam sua fonte de alimento. Porém, quando algo abala Coldtown, nós entramos no caos com muita rapidez. Sejam humanos terroristas quebrando as janelas do Baile Eterno e colocando fogo em si mesmos ou guerras territoriais entre gangues de vampiros rivais, as coisas podem ficar tempestuosas bem rápido. Então, se Gavriel está aqui para atiçar as coisas, há um monte de vampiros e seres humanos que já odeiam Lucien e que se juntariam a ele...

Tana tentou imaginar Gavriel recrutando alguém e balançou a cabeça.

— Eu acho que, seja lá o que ele for fazer, ele vai fazer sozinho. Ele não é muito... ele é meio doido.

Jameson parecia levemente aliviado.

— Vou dizer para a minha amiga tentar se afastar de Lucien por alguns dias, mas duvido que ela vá fazer isso.

Tana tomou um último gole de café, bebendo junto a borra, sentindo a cafeína cantar em seu fluxo sanguíneo. O céu acima deles havia escurecido, e ela pensou em Aidan, lá na casa, morto e reerguido, esperando por sua volta.

— Por que ela está com ele, para início de conversa, se ele é tão terrível assim?

Jameson desviou o olhar de Tana.

— Ela é uma vampira — respondeu baixinho.

A forma como ele disse isso, como se estivesse envergonhado, fez com que Tana se perguntasse como seria crescer como um humano neste lugar. O que significaria nunca ter feito a escolha de ir até Coldtown, de nunca querer nada dos vampiros? O que ele faria por um sinalizador como o que ela perdera? E como ele se sentiria se soubesse da infecção borbulhando no sangue dela?

Esticando a mão, Jameson acariciou as penas brancas de Gremlin.

— Você sabia que os corvos gostam do elemento químico contido nas mordidas de formigas? Ácido fórmico, eu acho. Seja como for, eles começam a ficar tão viciados que estiram as asas em cima de formigueiros. Eu acho que ela, a minha amiga, acho que ela sabe que Lucien é horrível, mas acabou vindo a gostar disso.

Tana estremeceu ao pensar nessa imagem.

— Talvez ela apenas tenha se acostumado com isso.

— Pode ser — disse Jameson, mas não soou convencido.

— Minha vez de perguntar uma coisa a você — disse ela.

O lance em relação a Jameson era que ele parecia tão estranhamente normal. Tinha jeito de durão, com uma sombra de barba rala no maxilar e os músculos fortes de alguém que passava muito tempo subindo em tetos de edifícios, mas ele a havia ajudado e não pedira muita coisa em troca.

— Se você sabe de algum lugar onde eu possa comprar coisas como roupas e talvez uma arma, eu adoraria saber onde fica. Eu não vim exatamente preparada.

— Eu conheço alguém que tem uma casa de penhores bem decente. Posso levar você até lá. — Jameson ergueu as duas sobrancelhas, esperando.

— Obrigada novamente — disse ela, e levantou-se.

Esta noite, teria que dar um jeito de voltar até Aidan e recuperar seu sinalizador. E, assim que tivesse feito isso, teria que encontrar para si mesma uma nova prisão, uma em que pudesse se enfiar e esperar se livrar da infecção com bastante comida, água e cobertas para aguentar os oitenta e oito dias de tormento.

Oitenta e oito dias, a começar por este.

[illegible] que estavam [illegible] de formigueiros. Foi [illegible] ela a tinha [illegible], acho que ela sabe que [illegible] acabou vindo e gostei disso.

Tana estremeceu ao pensar nessa imagem.

— Talvez ela apenas tenha se acostumado com isso.

— Pode ser — disse Jameson, mas não soou convencido.

— Minha vez de perguntar uma coisa a você — disse ela.

O leve ar de [illegible] que ele parecia [illegible] estranhamente normal. Tinha feição de [illegible], com uma sombra de barba [illegible] os músculos fortes de alguém que passou muito tempo subindo em tetos de edifícios, mas ela [illegible] e não pediria muita coisa em troca.

— Se você sabe de algum lugar onde eu possa comprar coisas como roupas e talvez uma arma. [illegible] onde [illegible] exatamente preparada.

— Eu conheço alguém que tem uma casa de penhores bem decente. Posso levar você até lá — Jameson ergueu as [illegible], esperando.

— Obrigada novamente — disse ela [illegible].

Esta noite, Tana tinha de [illegible] de [illegible] Aidan e [illegible] seu [illegible]. Assim que tivesse feito isso, teria de encontrar para [illegible] uma nova [illegible], uma em que pudesse [illegible] livre da infecção com bastante comida, água e cobertores para aguentar os oitenta e oito dias de tormento.

Oitenta e oito dias [illegible] por esse [illegible].

Capítulo 22

Precisamos pagar um alto preço pela imortalidade
e morrer diversas vezes enquanto ainda estamos vivas.

— Friedrich Nietzsche

Na noite em que Gavriel foi mordido pela primeira vez, ele acordou em lençóis recém-engomados e em um quarto com teto alto que não lhe era familiar. Ele fedia a bebida alcoólica; até mesmo seu suor cheirava de leve a vinho Chartreuse, e achou que ainda poderia estar bêbado. Quando se sentou direito, a cabeça girava tanto que teve que voltar a se deitar. Do lado de fora das janelas, os lampiões a gás de Paris ardiam sob um céu sem lua.

— Beba isto — disse a voz de um homem, levando um copo à sua boca.

Ele engoliu o que acabou sendo água. Sentia-se estranho, com calor e frio ao mesmo tempo, como se uma febre estivesse a caminho. Estava tão acostumado a acordar em quartos imundos, tão acostumado com a vergonha na face da pessoa ou das pessoas que o tivessem levado até tais lugares, tão acostumado a voltar andando para seu minúsculo apartamento com um azedume no estômago e roupas amarrotadas no fim da tarde, escandalizando seu senhorio.

Mas não estava acostumado a se encontrar em um opulento hotel com um homem loiro à sua frente, um largo e maroto sorriso no rosto. Lembrava-se vagamente de um piano tocando e de uma picada na garganta, como se tivesse sido atacado por uma naja, e uma forte pressão no pescoço. Porém, havia passado a maior parte da noite em um dos mais extravagantes salões da *haut bohème*[12], e, embora tivesse ouvido falar que tais lugares

12. Alta boemia, em francês. (N.T.)

eram frequentados por cobras, ninguém queria dizer isso no sentido literal.

— Eu tenho que ir — disse Gavriel, confuso, tentando sentar-se direito novamente. — Não estou bem.

— Algumas doenças são piores do que suas curas — disse o homem, prendendo Gavriel no lugar com a pressão de apenas uma das mãos. Sob a luz difusa, as íris dos olhos dele pareciam vermelhas como sangue. Gavriel ergueu o olhar para ele, impressionado demais para sentir medo. Depois de cortejar a atenção do diabo por tanto tempo, parecia que, por fim, o diabo tinha ido até ele.

— Quando estiver feito, nós seremos como irmãos — disse o diabo.

— Eu já tenho um irmão — volveu Gavriel, com a fala arrastada. — Ele está morto.

O diabo assomou sobre ele, com o largo sorriso ficando ainda mais largo e exibindo os dentes afiados.

— Assim como eu.

Gavriel abriu a boca para gritar, porém, bêbado como estava, em vez disso, começou a rir.

Quando acordou novamente, a luz entrava em fluxo pela janela, fazendo com que suas lembranças da noite anterior parecessem ridículas. Um pesadelo particularmente tolo e indulgente, fruto de muitas bebidas e infortúnio demais. Nenhum homem assomava à sua frente, pronto para atacá-lo. Nada de sangue maculando os brilhantes lençóis brancos. O quarto do hotel estava vazio, sua camisa e seus sapatos estavam sobre um canapé próximo. Em uma mesa baixa, uma garrafa fresca de vinho Chartreuse estava preparada para ele, ao lado de uma taça lapidada de cristal e um prato com ostras assadas.

Ele piscou, na cama, para os lençóis amarrotados. Roçou os dedos pelo pescoço. Tocaram em pele tenra, como se tivesse sido machucado. Aquilo fez com que ele parasse por um instante, deixando-o nervoso o suficiente para pegar suas coisas e sair do quarto rapidamente, dirigindo-se à sua casa.

Sentia-se zonzo enquanto passava pelos covis de apostas e lojas de penhores cravadas no Nono Arrondissement, nos arredores do Folies

Bergère. Ele entrou em um *boucherie*[13] sem nem mesmo decidir fazer isso. Lá, gastou as parcas moedas que tinha com fígado de vitelo e comeu-o cru, direto do papel marrom em que estava embrulhado, nos degraus do edifício.

Gavriel dormiu durante a maior parte do dia, acordando à noite com um sinistro calafrio nos ossos. Do lado de fora do apartamento, ele escutava todos os sons da noite em Paris: pessoas apregoando mercadorias, fossem comida ou carne. Havia alguém jogando dados na viela dos fundos abaixo de sua janela; o som dos dados nas pedras de cantaria fazia com que ele pensasse em um esqueleto agitando-se dentro do caixão.

Deu-se conta de que não queria ficar sozinho. Felizmente, em Paris, Gavriel poderia encontrar companhia de baixo nível a qualquer hora. Em um cabaré onde uma garota de cabelos escuros dançava a chocante *danse du ventre,* ele encontrou-se com alguns de seus conhecidos. Sabia pouco sobre eles, para falar a verdade, exceto em relação a seus apetites, que eram prodigiosos. Ainda assim, as risadas deles afastavam os sonhos da noite anterior, pelo menos até que Gavriel se visse analisando a garganta de Raoul de Cleves, o filho de um *comte* dado a apostas e chafurdando em dívidas. Conforme a noite foi se arrastando, Gavriel foi se tornando cada vez mais ciente dos movimentos do sangue sob a pele de Raoul, da maneira como o coração o fazia pulsar, fresco e quente. Seria tão fácil rasgar sua carne e liberar aquele fluxo vermelho, brilhante como vinho tinto. Seria tão fácil pegá-lo sozinho, prometer-lhe o empréstimo de um pouco de dinheiro e então pressioná-lo contra a parede da viela e... Gavriel afastou o pensamento que veio em seguida. Tentou observar a garota no palco, mas, enquanto ela girava os quadris, fazendo retinir os sinos da saia, tudo em que ele conseguia pensar era na artéria que percorria a parte interna daquela coxa suada.

Foi cambaleando para casa, tão bêbado quanto possível. Quando abriu a porta do quarto, a fogueira estava acesa na lareira e o diabo estava sentado em uma cadeira surrada, vestido com muita elegância com um casaco cinza-escuro de botões forrados, como se tivesse vindo direto de Versalhes.

---

13. Açougue, em francês. (N.T.)

— Meu nome é Lucien Moreau — disse o diabo, com olhos brilhantes como o fogo do inferno. — Imagino que você tenha perguntas a fazer.

Gavriel ficou parado na entrada, paralisado.

— *Eu me sinto tão estranho* — disse Lucien em falsete, um sorriso esticando a boca, claramente divertindo-se muito com a própria atuação. — *O que está acontecendo comigo? Como você pôde fazer com que eu tivesse esses desejos terríveis? Saia daqui, Satã!*

Gavriel entrou, fechando a porta atrás de si.

— Eu peço desculpas — disse ele. — Estou muito bêbado e provavelmente não tão esperto em meus questionamentos quanto você imagina. Confesso que estou confuso, mas você pode ficar aqui por quanto tempo desejar. Venho procurando a danação pelas ruas de Paris, e agora ela veio sentar-se perto da minha lareira. Quem sou eu para dispensá-la?

Ele não estava tão indiferente quanto suas palavras davam a entender, mas a interpretação zombeteira que Lucien fizera de seus pensamentos o havia colocado nesta disposição de espírito: ele se recusava a deixar que a criatura visse quanto medo ele sentia.

Lucien inclinou a cabeça em agradecimento.

— Vocês nunca fazem o que espero que façam. Para mim, a surpresa é uma qualidade preciosa, acima dos rubis.

Ele estirou uma das mãos e Gavriel pôde ver que um dos anéis prateados que usava cobria a extensão do dedo como se fosse uma espécie de armadura, com uma perigosa garra em forma de gancho na ponta.

Ele passou esse anel pelo pulso, deixando o sangue brotar. Era mais escuro do que o sangue que Gavriel se lembrava de ter se espalhado pelo peito do irmão, mais escuro e com um matiz estranhamente azulado. O cheiro do sangue de Lucien parecia preencher o aposento inteiro, um aroma hipnotizante, como ozônio erguendo-se no ar depois de um raio, e Gavriel lançou-se para a frente sem querer.

— Beba — disse Lucien. — É por isto que você está sedento. Venha e beba.

E, enquanto Gavriel curvava a cabeça, prostrando-se de joelhos, com os dedos tremendo enquanto ele os fechava em volta do pulso de Lucien, alguma parte dele sabia que, antes desse instante, ele apenas vinha brincando com a maldade. Nunca tinha feito nada em Paris que fosse tão terrível a ponto de não poder voltar a ser o homem que uma vez fora.

Então o sangue de Lucien lavou-o e ele ficou perdido. Sugava a ferida, empurrando a língua para dentro da pele fendida do pulso de Lucien, e um som baixo começava a se formar nos fundos de sua garganta. Ele esqueceu-se de Aleksander. Esqueceu-se da mãe e do pai e da irmã. Esqueceu-se do som da arma sendo disparada e do cheiro da pólvora e da forma como o corpo do irmão tinha ficado estirado na neve. Apenas isso existia.

E, quando acordou, no fim da manhã, com sangue manchando os lábios e os dentes, sangue maculando o travesseiro no qual esfregara a boca à noite, tudo em que pensava era em conseguir mais.

Antes disso, Gavriel havia sido cheio de autodepreciação e desejos conflitantes, mas agora seus dias tinham um foco singular. Ele esperava pela noite e por Lucien, para beber do sangue dele e depois alimentá-lo com o sangue do próprio pulso. Nada mais importava muito. Ele ia passando pelos dias, não mais se importando com salões ou cabarés, não mais se importando com bebidas ou degradação.

A princípio, a alimentação o deixava exausto, mas depois o sangue pareceu ter operado alguma estranha alquimia. Sua fome foi diminuindo. Ele caminhava pelas ruas durante o dia, sentindo-se mais forte, mais rápido e mais alerta do que jamais estivera. Era capaz de partir um atiçador de lareira ao meio e pegar as rédeas de um cavalo assustado, fazendo com que parasse, sem nem mesmo se esforçar. Em seu quarto, sozinho, jogava uma faca na parede repetidas vezes, sendo perfeitamente capaz de controlar onde a lâmina acertaria. Seus caninos cresceram, ficando mais longos, fazendo as gengivas sangrarem. Ele estava em deleite, percorrendo com os dedos as pontas dos caninos, distraído, quando estava sozinho, para provar a si que estavam mesmo ali.

E, quando Gavriel se curvava sobre o pulso de Lucien, com os novos dentes fazendo perfeitos furinhos na pele, Gavriel sentia-se tão afastado de si mesmo quanto poderia ter desejado estar.

Na sétima noite, quando Gavriel retornou ao apartamento logo depois do crepúsculo, Lucien estava lá, reclinado em uma cadeira, trajando um smoking com lapela transpassada. Havia uma garota com ele, sentada em um de seus braços, com uma blusa fina e manchada e uma saia marrom que parecia pesada. Havia terra em suas bochechas, escurecendo a garganta e formando luvas nas mãos. Havia uma caixa sobre a mesa, da qual saía um cetim verde-maçã.

— Eu disse a ela que poderia tomar um banho aqui — contou Lucien. — Tudo bem?

Gavriel assentiu, entorpecido, o coração ficando acelerado enquanto entendia a cena.

— É claro, se for isso que ela deseja.

— Ela deseja isso, sim — disse Lucien, dando então um empurrãozinho na garota, que se levantou, obediente. — Eu disse a ela que precisaria estar bem limpinha antes que pudesse colocar o vestido que você comprou para ela.

Gavriel olhou de relance para a caixa de cetim verde e depois voltou a olhar para a garota. Ela estava olhando para o tecido com uma ferocidade ansiosa, o suficiente para fazer dela uma tola. Ele se lembrava do armário da irmã cheio de vestidos como esse e achava que era uma coisa tão pequena para desejar, mas, é claro, para ela, não seria.

Corra, pensou Gavriel, mas não disse isso em voz alta. ***Você sabe que deveria sair correndo. Por favor, corra!***

Ele apontou em direção aos fundos do apartamento e ficou observando enquanto ela erguia a caixa e caminhava devagar em direção à banheira de estanho no quarto, o jarro de água que ele havia deixado lá, junto com um pedaço quadrado de sabão de lixívia. Ela movia-se com leveza, e havia um balanço em seus passos que fazia com que ele pensasse na dançarina que havia visto apenas uns dias antes. Imaginou-se pressionando a boca junto ao pescoço dela, o coração da moça batendo como as asas de um pássaro, e estremeceu.

— Por que ela está aqui? — quis saber Gavriel.

— Ah, não seja enfadonho! — disse Lucien. — Certamente você pode adivinhar tanto a procedência dela quanto o propósito de sua presença aqui. Não há nenhum mistério nisso.

— Lucien — recomeçou Gavriel, falando-lhe em tom de advertência —, o que você pretende fazer com ela?

— Ela não é para *mim* — respondeu Lucien. — O meu sangue o deixou preparado, mas a transformação final está à sua frente. Esta noite é a sua última como um homem vivo. Beba o sangue dela e você nascerá de novo. A morte dela lhe comprará a vida eterna.

Gavriel balançou a cabeça em negativa, recuando.

— Ah, vamos lá. Não se pode ficar despejando vinho de um recipiente para o outro eternamente. — Lucien abriu um sorriso afetado.

— Já basta de sangue inocente nas minhas mãos — volveu Gavriel. — Tenho o bastante e mais do que o bastante.

Lucien riu.

— Então é disso que você está fugindo, não é? Ah, meu querido garoto, muito em breve isso não haverá de ser nada para você, eu prometo. Haverá rios de sangue onde se afogar, e uma única gota será tão insignificante quanto uma única estrela em toda a tapeçaria do céu.

— Eu não farei isso — disse Gavriel, caminhando em direção à porta. Lucien agarrou-o pelo braço, mas ele o empurrou para longe de si com toda a força roubada de seu sangue. — Não me importo com o que faço comigo mesmo, mas não serei a causa do sofrimento de outrem.

— Será, sim — retorquiu Lucien, os olhos vermelhos brilhando, os lábios curvados em um sorriso zombeteiro.

Gavriel escapou noite adentro, e o eco da risada de Lucien o seguiu.

Lucien encontrou-o uma semana depois. Gavriel havia saído de Paris em uma diligência e viu-se em uma pequena estalagem perto de Marselha. Ele tinha se deitado na noite anterior, suando e tremendo, ouvindo as batidas dos corações dos seres humanos como se fossem tambores pelas paredes. O frio se esgueirava cada vez mais a fundo em sua pele, até que, por fim, congelou seu coração.

Quando Lucien abriu a porta da frente e viu a sala comunitária estriada de escarlates, os corpos do estaleiro, da esposa e das crianças que mal haviam crescido, e que trabalhavam nas cozinhas e nos estábulos, ele sorriu. Gavriel, agachado perto de um dos corpos, ergueu o olhar para Lucien com um desespero tão profundo que mal era um sentimento.

É claro que Lucien havia matado a garota que Gavriel tentara poupar. Ele contou isso em detalhes a Gavriel enquanto os dois viajavam de volta a Paris.

Capítulo 23

A Morte tornou
Sua escuridão bela contigo.
— Alfred Tennyson

Depois de escurecer, as ruas eram roubadas pelos vampiros, que caminhavam com os olhos cor de rubi lampejando e os casacos movendo-se ao vento. Alguns tinham moicanos e argolas nos narizes, e faziam caretas para todos por quem passavam; alguns corriam pelas ruas, de braços dados, com vestidos esvoaçantes brancos agitando-se entre eles; alguns giravam bengalas de ébano, trotando em casacos de veludo, com longos cabelos de dândi; alguns viviam cercados por uma multidão; e alguns passeavam sozinhos.

Tana ficou perto dos prédios, abaixando a cabeça sob toldos para ficar longe do caminho deles. Seu coração estava acelerado, e ela não conseguia tirar os olhos da palidez antinatural deles e de sua graça despreocupada. Não conseguia parar de encarar aqueles olhos infernais.

— Você se acostuma com eles — disse Jameson, mas ela notou que, se um vampiro chegasse perto demais, ele se agachava e levava a mão em direção a algo em sua bota.

Por fim, Jameson parou diante de uma vitrine com barras de metal na frente exibindo brincos na forma de escaravelho, uma capa de chuva púrpura com um guarda-chuva combinando e diversas perucas de cores chamativas. Uma placa feita de contas de vidro e pedaços de espelho quebrado por cima da porta dizia: RESTOS & COISAS PERDIDAS.

Havia uma grade com um interfone de metal ali. Jameson puxou um sino.

Alguns instantes depois, uma garota abriu a grade. No momento em que avistou Jameson, ela abriu um largo sorriso, embora este tenha diminuído levemente quando viu Tana.

Ela mexeu nas trancas da porta e abriu-a, permitindo que eles entrassem no edifício parcamente iluminado.

A garota era alta, tinha longos cabelos de um castanho-dourado, como a juba de um leão, soltos em volta dos ombros, e olhos de um verde brilhante como o de uma garrafa de vidro. As bochechas estavam maquiadas com dourado e os cílios estavam pintados da mesma cor. Ela vestia um robe no estilo de um quimono, parecendo ter acabado de acordar.

— Oi — disse Jameson, abrindo um sorriso tímido. Parecia um pouco fascinado com a beleza dela.

— Oi — ela respondeu. Parecia estar prendendo a respiração, esperando que ele fizesse ou dissesse alguma coisa. Fosse o que fosse, ele não o fez.

Já era o garoto despreocupado e confiante que havia levado Tana para tomar um café da manhã e lhe explicara a política de Coldtown.

— A gente pode conseguir quase tudo aqui — ele disse a Tana. — A Valentina tem o poder mágico de se lembrar de onde foi colocada, um ano atrás, uma caixa velha exatamente daquilo que a gente está procurando.

A garota, Valentina, sorriu.

— Há um ano eu não estava trabalhando aqui — protestou ela.

Os lábios do garoto curvaram-se, mas ele não olhou para ela.

— É por isso que é mágica.

Tana olhou de relance para os cabides com roupas encostados em uma das paredes, com malas abertas perto delas, cada uma lotada de camisas e casacos. Uns poucos manequins haviam sido dispostos de forma que parecessem amarrados, trajando um sortimento de vestidos cintilantes e chapéus. Lamparinas a óleo ardiam em diversas superfícies, fazendo as sombras dançarem.

Uma mulher desceu as escadas, os sapatos de salto alto fazendo barulho na madeira. Ao som de sua chegada, Valentina afastou-se de Jameson. A mulher era a pessoa mais velha que Tana havia visto até o momento dentro dos portões, com longos e grisalhos cabelos, finos o bastante para que parecessem teias de aranha ao caírem no vestido preto. Um medalhão pesado de ouro rosé pendia em volta de seu pescoço, e ela usava brilhantes brincos azuis quase da exata cor de seus olhos.

— Bem, não fique aí parada, Valentina — ela disse para a garota. — Tranque as portas depois que nossos clientes entrarem. Nós queremos que todo mundo tenha a experiência de compra mais segura possível.

Valentina deu alguns passos em direção à porta antes que Jameson pusesse a mão na maçaneta.

— Então eu vou indo — disse ele, girando a maçaneta e dando um passo para a rua. — Boa sorte, Tana. Tchau, Valentina. Tchau, sra. Kurkin.

— Ah, fique — disse a sra. Kurkin. — Tome uma xícara de chá conosco.

— Eu não posso — disse Jameson. — Mas a Tana é nova na cidade. Provavelmente ela gostaria de uma.

A sra. Kurkin abriu um sorriso.

— Sempre com as pessoas perdidas.

Valentina virou as trancas depois que Jameson saiu, dando uma única olhadela de relance pela abertura da vitrine com barras. Tana ficou pensando na partida rápida dele, imaginando se ele odiava ficar trancado tanto quanto ela. Porém, devido ao fato de que ela era a pessoa que tinha sido mordida cerca de vinte e seis horas atrás, provavelmente ela representava mais perigo para eles do que o contrário. Só estava feliz porque eles não sabiam disso.

— Bem — disse a sra. Kurkin. — Então, o que eu posso fazer por você? Suponho que tenha algo para vender. Algo que roubou lá da casa da sua mãe? Um precioso pequeno medalhão que sua avó lhe deu quando você era um bebê? Relíquia de família?

— No geral, eu preciso comprar coisas — respondeu Tana, imaginando que a mulher não se importava muito com as crianças que se agrupavam em sua loja. Mas então pensou no colar de granada que Gavriel havia lhe dado, aquele que fazia barulho enquanto se mexia de um lado para o outro no fundo da bolsa, que fazia Tana estremecer quando considerava de onde deveria ter vindo. Ela enfiou a mão dentro da bolsa e puxou-o para fora, colocando-o sobre um balcão de vidro que continha diversos itens brilhantes, desde brincos com pedrarias a anéis de diamante. As granadas tinham um brilho embotado, como se fossem dúzias de puncturas cheias de sangue. — Para falar a verdade, eu tenho mesmo uma coisa para vender. Mas o fecho está quebrado.

— Hummmm — disse a sra. Kurkin, andando para trás do balcão e tirando de lá uma lupa de joalheiro, segurando-a na frente do olho esquerdo. — Estas são granadas da Boêmia, do latim *granatum*, de romã, por causa de sua semelhança com as sementes da fruta. Provavelmente são da República Tcheca, embora a montagem do colar seja russa. Dá para ver o símbolo em russo para ouro. — Ela ergueu o colar, pesando-o em sua mão. — Bem adorável. Antigo. Sólido. Eu poderia lhe dar seiscentos dólares por ele, metade em dinheiro, metade em crédito, embora ele valesse quatro vezes esse valor se vendido para o comprador certo.

Tana sugou o ar de forma abrupta o bastante para emitir um som ao fazer isso.

— Infelizmente — prosseguiu a sra. Kurkin —, é bem provável que você não vá encontrar o comprador certo para ele dentro de Coldtown.

Um colar antigo da Rússia. Qual a probabilidade de que o Espinho de Istra tivesse puxado isso da garganta de alguém em um estacionamento e que tivesse, totalmente por coincidência, vindo do país onde ele nascera? Porém, se Gavriel não havia roubado o colar, então era algo que lhe pertencera, algo que trouxera consigo lá de Paris, algo que ele tivera durante muito tempo antes daquilo.

E ele o havia dado a ela.

A mulher olhou para Tana de um jeito estranho.

— Ou, por trinta dólares, eu poderia arrumar o fecho enquanto você faz compras aqui e você poderia usá-lo para sair na cidade hoje à noite. É uma bela joia. Você não tem que vender a sua alma imediatamente.

Assentindo, sem falar nada, Tana enfiou a mão dentro da bolsa e entregou à mulher atrás do balcão duas notas de vinte dólares do estranho sortimento de cédulas manchadas que Gavriel havia lhe dado. E, como uma dona de loja normal em uma loja normal, a mulher apertou algumas teclas da caixa registradora e contou dez dólares de troco.

— Vou começar a trabalhar no colar agora — disse ela. — Valentina vai lhe mostrar o restante da loja enquanto você espera.

Valentina sorriu ao ouvir o tom de comando altivo da sra. Kurkin e então deu de ombros para Tana. Ela acenou em direção aos degraus e ao segundo andar, onde havia mais roupas, empilhadas em cima de mesas desgastadas de madeira e penduradas em guarda-roupas espelhados. Fazendo jus às palavras ditas por Jameson, Valentina realmente parecia ter a insana habilidade de entender o padrão da bagunça e pescava coisas belas de lugares improváveis.

— Então, de onde vêm todas essas coisas? — quis saber Tana, vestindo uma calça jeans *skinny* preta que ficara apenas um pouquinho apertada demais. O preço marcado nela era de cinco dólares. — É muita coisa.

— A sra. Kurkin começou com este lugar depois da quarentena, como um local para que as pessoas viessem trocar aquilo de que não precisavam por coisas de que precisassem. Logo depois, catadores começaram a trazer para ela coisas que encontravam em casas abandonadas, na esperança de conseguir dinheiro em troca. E então vieram outros, procurando quinquilharias e vestidos. Muitas pessoas vieram para a cidade e não tantas assim saem daqui. É um negócio muito bom. — Valentina puxou de um gancho uma jaqueta de couro, com os cotovelos um pouco gastos, e estendeu-a para Tana. — Esta parece ser do seu tamanho.

Tana vestiu-a, gostando de seu peso. Usá-la lhe dava a sensação de que estava com uma armadura.

— É perfeita.

Valentina sorriu para ela.

— Esta é uma cidade com um código de vestimenta muito particular.

Tana deu risada, curvando-se para olhar em meio a uma pilha de roupas. Encontrou uma camiseta com uma carinha Smiley com presas, outra camiseta com os dizeres PROCURA-SE A MORTE DESESPERADAMENTE, shorts improvisados feitos de calças jeans, a parte de baixo de um pijama com estampa de xícaras de chá fumegantes e uma blusa transparente com gola alta e pequenos botões de pérolas falsas prendendo-a nas costas e nos punhos.

— E quanto a você? Como acabou vindo parar aqui?

A expressão de Valentina mudou sutilmente, como se estivesse tentando determinar o que Tana realmente estava perguntando. Então, ela soltou um suspiro e se jogou em uma das cadeiras cheias de coisas, ignorando as roupas em cima das quais estava se sentando. Valentina tinha um corpo longo e esguio, como o de uma modelo, com mãos grandes e expressivas. Suas unhas estavam pintadas com o mesmo tom de dourado dos cílios.

— Jameson me trouxe até a sra. Kurkin e disse a ela que valia a pena confiar em mim para ajudá-la com a loja. A última funcionária dela havia desaparecido, o que acontece por aqui, então ela precisava encontrar uma pessoa nova. Eu não consigo decidir se Jameson estava tentando ser incrivelmente legal ou apenas se livrando de mim. Talvez os dois.

— Faz tempo que você o conhece?

Valentina balançou a cabeça em negativa.

— Eu vim para Coldtown com um amigo cerca de um ano atrás. Nós éramos da mesma cidade pequena. Não nos encaixávamos por lá e achávamos que estávamos fugindo para um lugar em que todo mundo seria como nós e que seríamos transformados e...

Valentina fez uma pausa, como se estivesse confusa em relação ao que deveria dizer em seguida. Tana assentiu, incentivando-a a continuar. Era legal conversar. Não havia nada que pudesse fazer pelas próximas horas, enquanto Aidan estaria recentemente transformado e com uma sede desesperadora. Sua melhor aposta seria voltar lá e pegar o sinalizador mais perto da alvorada, depois que eles o tivessem alimentado. Até então, ela poderia muito bem desfrutar das roupas e da companhia.

— Acabamos sendo uns imbecis. Meu amigo quase foi morto pelos vampiros que encontramos. Ele saiu sozinho com aquelas três garotas de olhos vermelhos e, quero dizer, ele nem mesmo gostava de garotas. Depois, pelo que eu me lembro, eu o encontrei em uma viela com as vampiras em volta dele, fatiando a pele dele. Elas lambiam o sangue dele como se fosse doce e tomavam o maior cuidado para não mordê-lo em momento algum, as vadias. Ele teria morrido se o Jameson não tivesse aparecido naquele momento.

Valentina tinha uma expressão distante nos olhos enquanto continuava a falar:

— Ele tinha um lança-chamas imenso e barulhento, daquele tipo que os guardas usam. Não há muitas regras em Coldtown, mas uma coisa que deixa os vampiros bem irritados é quando parece que alguém os está caçando.

— E ele estava? — quis saber Tana.

Valentina deu de ombros.

— Eu não sei, mas ele fez churrasquinho das três e nos levou para a casa dele, como se fôssemos gatos abandonados ou algo do gênero. — Ela soltou um suspiro. — Ele nos levou até uma toca, no alto do beiral de uma igreja, onde estavam morando outras crianças, algumas muito pequenas e outras mais velhas. O lugar está vazio agora, mas nós moramos lá por um tempo. O Jameson é meio que o herói do pessoal por aqui.

Tana pensou nas roupas empilhadas ali e perguntou:

— Onde estão as outras crianças que moravam lá?

— Duas delas se tornaram simpatizantes dos Patifes, incluindo o meu amigo — disse Valentina. — É uma gangue de vampiros, basicamente anarquistas, e eles transformam em vampiros pessoas que provem ser psicóticas o bastante para impressioná-los. Meu amigo ainda é humano, mas tem esperanças de ser transformado. Uma das crianças pequenas foi transformada por uma vampira e mora com ela agora. Outra saiu um dia e nunca mais voltou. Jameson procurou bastante por ela, mas às vezes as pessoas simplesmente desaparecem na cidade.

Tana avistou dentro de um jarro uma faca que parecia bonita, longa e afiada, junto com algumas penas e uma caneta-tinteiro.

— Jameson deve ter um relacionamento complicado com os vampiros.

— Jameson? É, acho que sim. A namorada dele é uma vampira.

Tana ergueu o olhar para Valentina, surpresa.

— Ah, certo — disse ela depois de um instante, lembrando-se do que ele lhe havia dito no café da manhã. — Ela deve ser a amiga de que ele estava falando. Aquela do Lucien Moreau.

— Não diga nada a ele se você o vir, ok? Ele nunca me falou sobre ela, mas esta é uma cidade pequena. Eu fico sabendo de coisas. E eu os vi uma vez, perto da Velvet Road, discutindo. Ela era linda! E definitivamente eu não quero que ele ache que eu me importo. Ele sabe o que eu costumava ser, então poderia ser esquisito para ele.

— O que você costumava ser? — Tana ecoou, franzindo o cenho, confusa.

— Eu não nasci menina — disse Valentina, mexendo as pernas longas e elegantes para ficar em pé. — Pelo menos, não por fora. Ele sabe que eu vim até aqui porque não tinha dinheiro para pagar a cirurgia. Se eu fosse transformada, imaginei que pelo menos poderia continuar com a aparência que tenho agora. Pelo menos meu rosto não mudaria, mas as coisas não deram exatamente certo.

Por um instante, as feições de Valentina assumiram um quê de masculino, mas então Tana piscou e viu apenas a garota à sua frente.

Esse era um motivo que Tana nunca sequer havia considerado para alguém desejar ser jovem para sempre.

— Eu não vou dizer nada — prometeu. — De qualquer forma, eu mal o conheço.

Valentina sorriu, um sorriso um pouco amargo.

— Coldtown é um lugar pequeno e está ficando cada vez menor, o tempo todo. Logo, logo você vai conhecer todo mundo.

Tana acabou comprando a longa adaga, a calça jeans e a jaqueta de couro, três camisetas e quatro pares de calcinha e sutiã que Valentina jurou terem sido alvejados e depois lavados. Ela imaginou que precisaria de roupas — embora quarenta e oito horas já quase tivessem se passado, mesmo que ela não ficasse Resfriada, teria que vestir alguma coisa ao sair dali. Pegou a faca porque estava desejando uma fazia um tempinho. Também comprou um grande e feio poncho cor de ferrugem que parecia quente e que seria mais fácil de carregar do que um cobertor; um alicate de cortar metal; uma chave de fenda; uma corda de náilon; um carregador solar de celular; e uma mochila para colocar tudo isso dentro. Tudo que ela comprou custou-lhe 132 dólares. Havia ainda sobrado um pouco de dinheiro, pelo menos mais uns cem dólares, talvez mais, porém ela não queria contá-lo ali, na loja.

Valentina baixou o olhar para a faca enquanto registrava as compras de Tana.

— Você sabe usar uma dessas?

— Estou com esperança de que ela vá parecer assustadora o bastante para as pessoas recuarem se eu a balançar no ar.

Valentina ergueu as sobrancelhas, sem palavras.

Então a sra. Kurkin voltou com o colar com o medalhão e seu novo fecho. Tana escondeu-o na bolsa e foi até um dos grandes espelhos antigos encostados na parede, fazendo uma trança nos cabelos, bem rente à cabeça, e prendendo-a com um fio. Olhou para si mesma no vidro ondulado, tentando se convencer de que era durona o bastante para encarar qualquer outra coisa que fosse ou estivesse no quartinho em que Aidan esperava por ela. Então, despediu-se de Valentina e da sra. Kurkin e dirigiu-se à rua, reconstituindo mentalmente seus passos, voltando ao perigo.

Subir no teto foi fácil; porém, uma vez que Tana conseguiu chegar lá, ela estava em um lugar que não lhe era familiar, especialmente no escuro. Seguiu devagar, certificando-se de colocar cada pé com cuidado nas telhas de betume. Quando saíra dali acompanhando Jameson, estivera preocupada demais para notar isso, mas, agora que estava sozinha sobre a cidade, Tana percebia que alguém havia construído recentemente muito daquilo que ela estava usando para cruzar os edifícios. Escadas de mão e tábuas, soldadas no lugar ou fixadas com pregos, formavam pontes entre as lacunas, criando assim um labirinto acima das ruas.

Ela precisou de um tempinho para encontrar a claraboia no escuro. Enquanto procurava por ela, Tana ficou extremamente tentada a parar de procurar e encontrar um lugar onde pudesse se entocar pelo resto da noite. Dormir um pouco mais. Talvez isso desse a Aidan uma chance de se acostumar com seu novo eu. Talvez, quando ela aparecesse, um ou dois dias depois, ele fosse capaz de controlar a fome e estivesse ansioso para exibir os novos olhos vermelhos.

É claro que, a esta altura, talvez ele tivesse vendido o sinalizador também. Talvez ela mesma tivesse ficado Resfriada.

Ou talvez ele estivesse morto. A história de um garoto infectado no Centro-Oeste estivera em todos os noticiários havia uns meses. Ele havia confessado à namorada que tinha sido mordido e queria que ela o trancasse em um velho abrigo na propriedade da família dela para sobreviver à infecção. Ela prometera que o faria, mas, em vez disso, reunira um bando de amigas da escola e amarrou o garoto, abrirei com facas e beberei o sangue dele — não entendendo que a infecção não poderia ser transmitida dessa forma, porque ele ainda não era um vampiro e seu sangue não poderia fazer com que ela e as amigas ficassem Resfriadas.

No entanto, Midnight era esperta o bastante para esperar até que Aidan fosse um vampiro para abri-lo com uma faca. Ela sabia que poderia engarrafar o sangue dele e vendê-lo para quem oferecesse mais dinheiro.

Tana estremeceu, desejando ser como Jameson com seu lança-chamas, desejando ter algo maior do que uma faca, um alicate e uma jaqueta de couro que a deixava com jeito de durona. Ela gostaria de ser uma lenda local.

Por fim, conseguiu discernir a claraboia pela qual havia saído. Ela ainda estava aberta, e o candelabro estava no mesmo estado em que ela o deixara.

Umas poucas e brilhantes folhas verdes desciam em espiral para dentro da sala escura.

A porta estava escancarada, deixando que a luz do corredor entrasse. Luz esta que mostrava que o cômodo estava vazio.

— Aidan — sussurrou ela, mas não havia ninguém ali para ouvi-la.

Olhando ao redor, viu uma chaminé ali perto e passou uma das pontas da corda em volta dela, desejando que tivesse sido uma escoteira. Elas não aprendiam a fazer nós?

Desceu para dentro da sala. Descer era fácil, tirando o fato de que era difícil fazer isso devagar, quando sua corda era apenas uma corda, sem intervalos de nós onde poderia apoiar os pés. No meio do caminho, Tana escorregou e caiu no assoalho, emitindo um som que todo mundo lá dentro deve ter ouvido.

Imbecil, imbecil, imbecil! Ela apoiou-se, esperando pelos sons de pés correndo, mas a única coisa que ouviu foi um gemido baixo vindo de algum lugar bem nas entranhas da casa.

Tana entrou sorrateiramente no corredor.

Um homem vestindo uma camisa de boliche, calça jeans e sandálias estava sentado e apoiado na parede, com a cabeça inclinada para trás e os olhos abertos. Tinha cabelos curtos, castanhos da cor de pele de coelho, e usava óculos redondos com aro prateado, e uma das lentes estava manchada com marcas de dedos sangrentas. Os braços estavam estirados e o pulso tinha sido rasgado e aberto, deixando à mostra uma zona de pele rasgada e entranhas cor-de-rosa. O chão estava lavado por uma poça grudenta de vermelho que havia começado a ensopar o tapete, deixando-o enegrecido ao longo de uma das bordas. Muito, mas muito sangue, e mais ainda borbulhando preguiçosamente de suas veias.

No outro pulso havia marcas de dois pequenos orifícios de punctura.

Uma das pernas se contraía espasmodicamente. Ele olhava para ela com os olhos castanhos sem vida. O cheiro de sangue ergueu-se, recaindo sobre ela como uma onda, intenso e quente. A língua de Tana pressionou ansiosamente os dentes. A bílis se ergueu no fundo da garganta.

— Coo-orra! — disse o homem, entre rápidas respirações que lhe moviam o peito para cima e para baixo, e depois simplesmente parou, como um brinquedo que tivesse sido desligado. O som de algo chocalhado saiu de dentro de suas costelas.

O coração de Tana espancava o peito, batendo como socos de um punho cerrado.

Naquele instante, ela se deu conta de quem ele fora antes: visualizou-o, de qualquer forma. Ele deveria ser o vizinho de quem eles tinham falado. Bill Story, aquele que vinha contando as crônicas da vida dentro dos muros, aquele que se recusara a sair até mesmo depois que os amigos arrumaram passagem para fora da cidade. Tana tinha certeza de que, fosse qual fosse a forma como ele imaginara que morreria, não seria assim.

Ela retirou com cuidado os óculos de Bill. Em seguida, pressionou os dedos nas pálpebras dele, fechando seus olhos e esperando que continuassem fechados. Em seguida, cruzou as mãos dele sobre o peito, da forma como posavam os faraós mortos em seus sarcófagos.

Não importava qual fosse o aviso que ele lhe houvesse dado junto com o suspiro final, ela não poderia sair correndo dali. Não poderia ir a lugar nenhum sem o sinalizador. Com cuidado, ela deslizou a longa faca para fora da bota.

Avançando um pouco mais à frente, virou em um canto e viu Christobel, em pé perto de uma janela, com uma lata de tinta e um pincel. Ela estava pintando os painéis de preto e chorando ao mesmo tempo; os ombros estreitos tremiam e os olhos estavam injetados. Ela olhou para Tana e começou a chorar mais ainda.

— O que você está fazendo? — perguntou-lhe Tana em um sussurro.

— Deixando tudo pronto para amanhã. — Sua maquiagem manchava as bochechas inchadas em rastros de cinza e prateado brilhantes. A voz soava vaga e sonhadora, quase uma cantilena. — Nós vamos ser vampiros, e a casa tem que estar preparada para nós. Não era para ser assim. Você não deveria ter ido embora. Por que você foi embora?

Visto que Tana tinha sido prisioneira deles, ela havia presumido que, se fosse vista esgueirando-se de volta para a fortaleza deles com uma grande faca na mão, isso seria um motivo para alarmá-los. Mas Christobel a estava olhando como se ela tivesse ido fazer compras na mercearia e demorado demais para voltar, e agora toda a festa do jantar deles estava arruinada.

Seguiu-se outro baixo gemido vindo de trás de uma porta descendo o corredor e o som de vozes sussurradas, frenéticas. Christobel olhou nervosa naquela direção, depois voltou a olhar para Tana.

— Depois que você foi embora, nós pensamos... quando não ouvimos mais você, parecia que o Aidan havia se alimentado de você. Então achamos que estávamos em segurança. Nós ficamos tristes, mas...

Tana assentiu e fez um gesto para que ela continuasse a falar, para que acelerasse e passasse logo daquela parte. Ela sabia por que fora trancada na sala com ele, mesmo que nem todo mundo do outro lado da porta estivesse disposto a admitir isso.

— Midnight e Zara brigaram para ver quem entraria lá primeiro. Zara disse que a casa era dela, então ela entrou lá e ele... ele drenou todo o sangue dela.

— Ah! — disse Tana, pensando no Aidan humano que ela conhecera. Aidan, que era tolo e egoísta, mas que nunca poderia ter sido um assassino.

— Eu sei que ele não tinha a intenção de matá-la. — Christobel começou a chorar ainda mais, deixando cair a lata de tinta e chutando-a com o pé. A tinta preta borrifou a parede e escorreu em filetes, como sangue podre. — Ele ficou tão chateado depois disso. Mas era para você ter morrido, e não a Zara. Isso não é justo. Nós demos você para ele comer, como o sacrifício para o vampiro recém-nascido. Era para ter sido *você*.

— Onde está ele agora? — perguntou Tana, tentando não estapear a garota. — Lá embaixo? — Ela apontou em direção à sala de onde vinham os sons, e a garota assentiu.

Será que é seguro?, queria perguntar, mas não achava que Christobel lhe daria uma resposta honesta. Com Bill Story e Zara mortos, era difícil imaginar que Aidan ainda estivesse com fome, mas o que sabia ela sobre vampiros recém-nascidos? Na casa da fazenda, aquelas criaturas haviam se alimentado até ficarem inchadas como percevejos.

Tana desceu mais no corredor, e seus passos criavam um rastro maior de tinta preta enquanto ela seguia em frente. Quando olhou por cima do ombro, Christobel estava olhando janela afora, mesmo que ela tivesse pintado a janela com uma camada de tinta tão espessa que não havia nada ali a ser visto.

Era para ter sido você.

Naquele instante, com a mão na maçaneta, Tana desejou que sua vida fosse como uma gravação, em que a gente pudesse acelerar todas as partes assustadoras, em que tudo ficou de ponta-cabeça, e pular para o que quer que viesse em seguida, não importando quão ruim fosse. Inspirando fundo, com a respiração rascada, ela empurrou a porta e abriu-a. Então o quadro se revelou a ela e não havia mais o que desejar.

Aidan estava agachado no chão com uma imobilidade inumana. Isso e a palidez antinatural de sua pele deixavam claro que ele havia se transformado, até mesmo antes de ele erguer os novos olhos escarlates. Ao lado dele, Midnight segurava o corpo do irmão, embalando-o para a frente e para trás.

Os cabelos da franja azul de Winter pendiam sobre o rosto, e a boca parecia rachada, seca e calcária, da forma como ficava a boca de Pearl às vezes, quando ela havia escovado os dentes e não tinha limpado toda a pasta de dente. Duas puncturas brilhantes marcavam sua garganta, e de uma delas vazava uma fina linha de sangue. Os olhos de Winter estavam fechados, mas os de Midnight estavam abertos e vermelhos como carvão no coração de uma fogueira. Ao avistar Tana, ela emitiu um horrível som de lamento e apertou o irmão mais para junto de si.

Rufus estava encurvado em um canto da sala, vestindo apenas a calça de um pijama. Havia um pequeno celular com câmera de vídeo ao lado dele, como se ele o tivesse deixado cair e houvesse se esquecido de onde estava. A luz piscante mostrava que ainda estava gravando.

Capítulo 24

Quaisquer relíquias dos mortos são preciosas,
se em vida eles foram valorizados.

— Emily Brontë

Pearl estava sentada na frente da televisão, como havia ficado o dia inteiro, com o laptop aberto enquanto comia espaguete com um monte de queijo ralado. Seu pai estava na cozinha, limpando o fogão. Ele vinha fazendo a limpeza desde que Tana partira: lavando a roupa, esfregando as partes internas do micro-ondas, até mesmo puxando o refrigerador para fora e prostrando-se de joelhos para lavar, à mão, os azulejos. Vinha fazendo isso fazia tanto tempo que, embora passasse das dez, ele ainda não havia jantado. As únicas vezes em que havia parado foram quando o telefone tocara com ligações da Segurança Nacional e, depois, dos pais de Aidan.

No laptop de Pearl, a festa de Lucien Moreau estava apenas começando a engrenar de vez. Três garotas vampiras dançavam em uma mesa com um garoto que poderia ser um cadáver. Na televisão, a âncora de um noticiário vestindo um terno azul estava em pé na frente da manchete BANHO DE SANGUE ADOLESCENTE, com um grande respingo vermelho por cima das letras.

— Agora, para as últimas atualizações sobre a festa ao pôr do sol que se transformou em tragédia — lia a apresentadora no teleprompter —, ficaremos com Mitch Evans no posto de gasolina na Autoestrada Noventa e Três, onde um trio de sobreviventes adolescentes foi avistado tarde da noite no domingo. Aidan Marinos e Tana Bach, junto com uma terceira pessoa jovem, não identificada, foram gravados em vídeo, correto, Mitch?

Então a tela exibiu um jornalista com uma peruca mal ajustada, parado na frente de um posto de gasolina e segurando um microfone para um adolescente que parecia estupefato.

— Corretíssimo, Tiffany — disse o homem com a peruca. — Nós estamos aqui com Garrett Walker, que trabalha atrás do balcão do Global Gas há quase um ano. Você pode nos descrever o que viu na noite passada?

Pearl moveu-se para a frente no sofá.

— Pai! — ela gritou. — Pai, estão falando sobre a Tana na televisão.

— Claro que posso — disse Garret, o garoto com cabelos espetados e vermelhos. — Dois adolescentes entraram no mercado. Ela estava toda arranhada, e o garoto parecia um pouco evasivo, então, por isso, eu fiquei de olho nos dois. Achei que talvez eles fossem roubar alguma coisa.

— O que você quer dizer com *evasivo?* — perguntou Mitch Evans, na tela da TV.

Garrett deu de ombros.

— Ele ficava olhando para as coisas durante tempo demais. Encarando como se olhasse através da gente.

— E quanto à garota? — quis saber o repórter.

Garrett apertou os olhos para olhar o céu, como se estivesse tentando se lembrar de como fora.

— Ela comprou um sanduíche, eu acho. Belos olhos azuis. Saia curta. Para falar a verdade, eu não prestei muita atenção nela até depois do que aconteceu lá perto das bombas de gasolina.

Pearl esticou a mão e pegou o celular, que estava a seu lado, sobre as almofadas de couro no sofá. Ela havia olhado para ele cerca de umas cem vezes desde que vira a mensagem de texto enviada pela irmã naquela manhã: uma foto de uma rua que parecia normal, logo depois do nascer do sol, e as palavras *Coldtown é uma porcaria & eu amo você & estou bem.*

Todas as vezes que Pearl olhava para aquela mensagem, ela podia ouvir Tana dizendo aquelas palavras, podia ouvir o exato tom da voz da irmã. Ela até mesmo sabia o que aquelas palavras significavam, porque irmãs falavam em um certo tipo de linguagem tão profunda que era quase em código. Aquilo queria dizer que Coldtown era ok e não tão assustadora assim, mas também queria dizer que Tana estava provocando a irmã por pensar em Coldtown como sendo um lugar romântico. Aquelas palavras queriam dizer que Tana ainda não era uma vampira, porque podia tirar fotos do nascer do sol. Queria dizer que Tana estava tentando esconder como se sentia de verdade, que não era nem um pouco bem.

O pai de Pearl entrou na sala, com a esponja em uma das mãos.

— Sobre o que você está gritando?

Ela apontou para a tela:

— Veja. Estão falando sobre a Tana.

— Desliga isso — disse o pai, com dureza na voz.

— Não, eles estão falando sobre a Tana — repetiu Pearl, porque provavelmente ele não a ouvira.

— A polícia já explicou o que aconteceu no posto de gasolina. Agora, faz o que eu digo e desliga isso.

Ele soava austero, mas Pearl não estava nem aí. Queria ouvir.

Na tela, Mitch Evans parecia muito sério.

— Conte-nos sobre aquilo. Você conseguiu ver a coisa toda?

— Sim, e eu nunca tinha visto nada como aquilo — disse Garrett. — Aquele garoto parece que vai arregaçar a garganta dela quando outro garoto surge do nada. O novo garoto ergue o primeiro no ar e morde o pescoço dele. Vai logo mordendo, como se não fosse nada demais. Que nem na TV. A garota está deitada lá, ela nem mesmo tenta sair correndo. Então, por fim, ela se levanta, se limpa, e o vampiro... ele devia ser um vampiro, certo?... coloca o garoto na parte de trás do carro e eles todos saem, com ela dirigindo, como se nada tivesse acontecido.

Nada disso soava como algo que Aidan faria. Ele, que era divertido, legal e costumava provocar Pearl até que ela desse risada. Nada disso era a cara de Tana, que teria saído correndo ou lutado ou algo do gênero.

— A garota entrou no carro voluntariamente? Ela estava cooperando com o vampiro?

— Parecia que sim — disse Garrett.

Depois que notara a mensagem de texto naquela manhã, Pearl havia ido até a cozinha e tirado uma foto do pai, adormecido à mesa, e outra foto de sua tigela de cereal quase vazia. Enviara ambas a Tana, junto com uma mensagem: *Tudo esquisito e um tédio aqui. É melhor vc estar se divertindo-indo-indo e me mandar fotos p eu poder ter ciúme.*

Ela não havia recebido nenhuma resposta.

— Pearl... — disse o pai, em tom de aviso.

— Não! — ela gritou, arremessando o prato de espaguete para cima dele. O molho se espalhou pelo chão de madeira e o prato se estilhaçou. — Não! Eu quero ouvir sobre a Tana.

— E você não conseguiu ver se a garota estava Resfriada? — perguntava Mitch Evans na televisão.

Um pouco do espaguete ficara preso na parede e outros pedaços caíram no chão. Pareciam vermes.

— Eu não consegui perceber nada. Você viu a gravação, não viu? — perguntou Garrett, o cara do posto de gasolina.

— Infelizmente, a polícia não liberou o vídeo ao público ainda, mas esperamos mostrar alguns clipes a nossos telespectadores em breve. Mas eu posso dizer que Tana Bach, Aidan Marinos e seu companheiro não identificado são os únicos sobreviventes do massacre que nos deixou com quarenta e oito adolescentes mortos, eliminados em uma festa que deveria ter marcado um dos momentos mais felizes em suas vidas. A polícia se pergunta: como três adolescentes escaparam, que horrores eles aguentaram durante as dezessete horas em que ficaram cativos na casa da fazenda e aonde estão indo agora?

"Telespectadores, nós queremos que vocês liguem para o número que está piscando na parte inferior da tela se virem qualquer um que bata com as descrições ou se avistarem um Ford Crown Victoria, 1995, cinza com faixas verdes. Lembrem-se: não se aproximem deles. Pelo menos um deles já foi transformado, os outros dois provavelmente estão infectados e o estado de espírito deles não é claro. Eles são considerados altamente perigosos. De volta com você, Tiffany."

Eles voltaram à sala da redação.

— Obrigada, Mitch — disse Tiffany, com um sorriso rígido. — E lembre-se de que, se entrarem em contato físico com um vampiro, vocês têm a obrigação legal de se reportar às autoridades. Não tentem esperar para ver se vão ficar infectados. Não tentem fazer autoquarentena. Liguem para a emergência, expliquem a natureza do ataque e esperem por mais instruções sobre o que fazer.

— A seguir, vamos ouvir um especialista discorrer sobre a melhor forma de tornar sua casa à prova de vampiros, e, depois disso, teremos uma entrevista exclusiva com um caçador de vampiros que alega ter detalhes sobre um dos três vampiros que perpetraram essa chacina. Porém, primeiro, uma palavrinha dos nossos patrocinadores.

O pai dela não havia saído de onde estava, parado, em pé na frente da televisão. Mesmo tendo mandado que sua filha a desligasse, ele ficara assistindo ao noticiário até o final.

Pearl pensou em finalmente dizer as palavras que não havia falado o dia inteiro, desde que vira a mensagem de texto enviada por Tana: *Eu sei onde ela está, pai.*

Mas não disse nem essas e nem outras palavras. Pegou o controle remoto, solenemente clicou nele, desligando a televisão, apanhou o laptop e subiu as escadas para vestir o pijama e dormir.

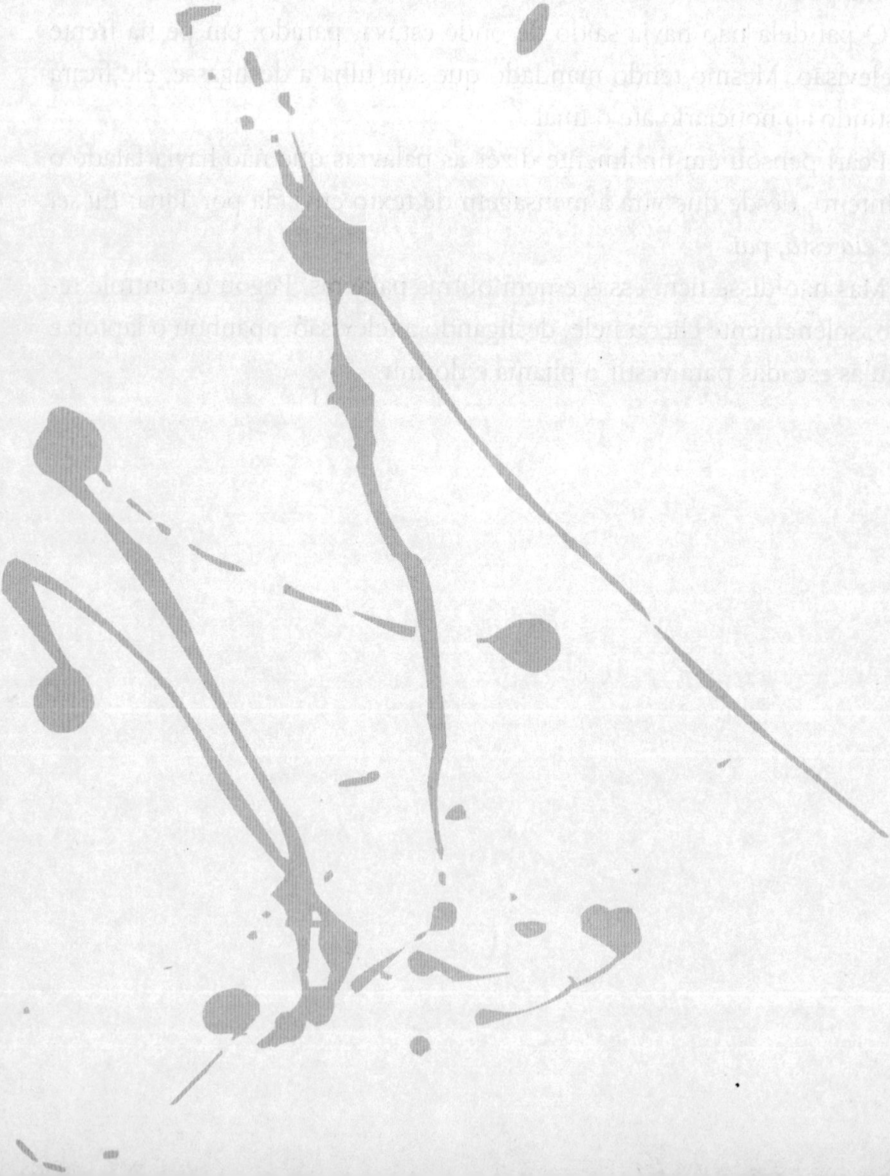

Capítulo 25

O homem morre de frio, não de escuridão.

— Miguel de Unamuno

O medo de Tana era uma coisa viva, com as garras em sua garganta, enquanto os olhos vermelhos de Aidan estavam focados nela. Engoliu o terror em seco da melhor forma que pôde sem engasgar. Sem querer, recuou um passo, levantando a faca. Parecia uma coisinha frágil contra dois monstros.

— Você voltou — disse Aidan, um pouco perplexo, esticando a mão, como se nem mesmo tivesse notado a arma dela. Parecia aliviado ao vê-la, aliviado e esperançoso. — Eu achei que seria... eu não sei... não assim. Eu fiz coisas ruins, Tana.

Ainda segurando a faca, ela agachou-se e agarrou os dedos dele com a outra mão. Embora a pele dele estivesse fria, ela apertou-lhe os dedos de um jeito que esperava que fosse reconfortante.

— Vai ficar tudo bem. Vamos sair daqui.

Ele não se mexeu.

— Tudo parece diferente, prateado e borrado, como manchas de aquarela e... eu consigo ouvir o seu coração, Tana. O seu sangue, seu calor. Está emanando de você, brilhante, vermelho e mais doce que tudo. Mas isso não é... não tem a ver com a sua aparência. Eu não consigo mais ver as coisas direito.

— Muitas coisas também parecem diferente para mim agora — disse Tana, tentando agir como se ele não a estivesse aterrorizando.

A boca de Aidan havia mudado. Os dentes caninos ficaram um pouco mais longos e mais afiados. Mas ele tinha aquele mesmo jeito persuasivo de falar.

— Foi um acidente. Ela ia transformar o Winter, mas acabou bebendo sangue demais dele. Agora ele não acorda. Mas, se a gente o deixar descansar, então...

O olhar de Tana voltou-se para Midnight, que estava com o corpo de Winter nos braços. Era a esse acidente que ele estava se referindo, e não a Bill Story ou Zara.

— Você sabe que isso não é verdade — disse Rufus, a um pé de ficar histérico. — As coisas não funcionam desse jeito.

— Cala a boca! — gritou Midnight. Suas presas reluziam na boca. — Cala a boca, cala a boca, cala a boca!

— Há um homem morto no corredor. — Tana tentou soar perfeitamente calma, mas o tremor na voz a traía.

— O Bill nunca tinha visto uma pessoa morrer e acordar como um vampiro recém-nascido. Ele queria gravar o que aconteceria. *Todos* nós queríamos. — A voz de Rufus continuava com um quê de maníaco. — As coisas só fugiram do controle.

— Ele trouxe alguns dos equipamentos dele para me filmar mordendo-a — disse Aidan. — Eu não queria fazer isso. Estava com medo de machucá-la da mesma forma como eu... — Ele parou de falar abruptamente.

Midnight pressionou os lábios na pálida bochecha de Winter e sussurrou algumas palavras junto à sua pele.

— O que deu errado? — quis saber Tana, para que eles continuassem falando. Estava tentando pensar em meio ao medo, tentando formar um plano. Se quisesse o sinalizador, teria que ficar sozinha com Aidan. Não seria seguro que ele o entregasse na frente deles.

— Midnight finalmente convenceu Aidan de que ficaria tudo bem — disse Rufus. — Nós esperamos um pouco, até notarmos que a infecção estava no sistema dela, e então usamos os equipamentos para punção de veia que ela trouxe para extrair um pouco de sangue de Winter. Nós o esterilizamos com um isqueiro, que eu sei que não é o ideal, mas ambos são irmã e irmão, então, que fosse. Ela bebeu o sangue dele e ficou esperando. Então ela morreu.

— Ela *morreu* — disse Aidan. — Que nem eu. Ela morreu e nós ficamos observando-a. Até mesmo filmamos a morte dela. Demorou quarenta minutos até terminar.

Tana estremeceu, pensando em Aidan sozinho na sala, ouvindo as batidas do próprio coração fazerem a contagem regressiva, batendo até ele morrer. Havia algo mudado nele, algo que transformava seu rosto familiar em uma máscara. Ela podia ver uma coisa recém-nascida espreitando pelos olhos dele.

— Foi horrível — continuou Rufus. — Mas era isso que ela queria. Foi isso que ela nos mandou fazer, e ela continuou gritando para que seguíssemos em frente, para que continuássemos filmando.

— E, quando ela se levantou, estava realmente com fome. — Uma expressão estranha passou pela face de Aidan, como se ele estivesse se lembrando daquela fome, como se a sensação estivesse acordando novamente dentro dele. — Ela estava ardendo de fome.

— O Bill chegou perto demais e ela *se lançou* para cima dele — disse Rufus, abaixando o tom de voz, como se isso fosse ajudar.

— Ele tentou escapar dela — acrescentou Aidan. — Mas isso só fez com que o ferimento se rasgasse mais ainda. Eu a agarrei e tentei puxá-la para longe dele. Eu *tentei*. Mas, então, o cheiro do sangue foi demais para mim e...

Tana lembrou-se das feridas no outro pulso de Bill e achou que sabia o que ele queria dizer. Imaginou se ser transformado havia trazido alguma mudança interna em Aidan, ou se esse seria o verdadeiro eu dele, o verdadeiro eu sem nenhum motivo para hesitar.

— A gente não queria fazer aquilo — disse Midnight, erguendo o olhar abruptamente. — Isso ainda está me correndo as entranhas. A fome. Tudo que eu consigo ver é sangue. O único cheiro que consigo sentir é o do sangue. — Ela chacoalhou Winter, e a cabeça dele foi para a frente e para trás, uma marionete com os fios cortados. — Acorda, Winter. Chega de aniversários, lembra? Aconteceu exatamente como eu falei que seria, e tudo que você tem que fazer é acordar.

Tana inspirou, sugando o ar. Sentia-se como se estivesse cambaleando na lâmina de uma navalha.

— Depois Winter se ofereceu para ser o primeiro a ser transformado — estava dizendo Rufus, e Tana tentou se concentrar nele, no que estava acontecendo aqui e agora. — Ele confiou nela. E então, ela simplesmente não parou de beber... ela continuou e continuou e nós não sabíamos como fazê-la parar. Winter parecia perdido, desmaiado nos braços dela. Ele fazia esses sons de que estava respirando, e depois foi ficando cada vez mais silencioso. Christobel percebeu que algo havia dado errado antes do restante de nós. Ela tentou fazer Midnight soltar Winter.

— E o que vocês estavam fazendo esse tempo todo? — perguntou Tana a Rufus.

Ele engoliu em seco.

— Eu ainda estava filmando. Eu não tinha percebido...

Ele parou de falar antes de explicar algo de que não tinha se dado conta. *Que Midnight havia enlouquecido? Que Winter estava morrendo?*

— Então, o que aconteceu depois disso? — prontificou-se a perguntar Tana, e os olhos ensandecidos de Midnight encontraram os dela.

— Eles querem tirar Winter de mim — disse Midnight. — Nós não devemos nos separar.

— Você sabe o que acontece com os cadáveres? — gritou Rufus. — Eles incham. Eles atraem moscas-varejeiras e fedem. Quanto mais a gente esperar, pior vai ser.

Tana se perguntou quantos corpos ele havia visto antes, quantos havia levado de um lugar a outro e quantos haviam pertencido a pessoas com quem ele uma vez se importara. Ele soava totalmente prático, mas havia algo em sua face que traía essa indiferença.

Ela imaginou onde estaria o corpo de Zara, se eles já a haviam enterrado ou se a tinham levado até o portão ou se ela estava esperando, enrolada em uma coberta em outro aposento. Tana se perguntou se ele mesmo havia feito alguma dessas coisas, ou se fora Christobel, antes de começar a pintar a casa.

Principalmente, Tana se perguntou se os dois ainda queriam ser vampiros.

— Eu ajudo — disse ela, soltando a mão de Aidan e levantando-se. Se eles se movessem pela casa, talvez ela conseguisse conversar com Aidan sozinho. E, se isso fosse impossível, então ela teria que sair dali, com ou sem sinalizador.

— Winter fica comigo — disse Midnight a eles, acariciando os cabelos do irmão.

— Isso é nojento! — disse Aidan.

Ela desferiu um olhar terrível para ele.

— Ele é meu!

— Ok, vamos deixá-lo quieto — disse Rufus a ela, caminhando em direção à porta.

Tana foi atrás dele, prendendo a respiração enquanto andava, segurando a faca bem apertado na palma da mão, esperando que mãos frias a segurassem e a puxassem para trás. Quando isso não aconteceu, ela olhou por cima do ombro para Aidan e ergueu ambas as sobrancelhas.

— Você também. Nós vamos precisar de ajuda para erguer os corpos.

Ficou provado que, até mesmo como vampiro, Aidan gostava de ser um pouco intimidado, mas não o bastante para entregar o sinalizador a ela.

— Quando você voltar — ele prometeu a Tana, no corredor —, eu quero conversar com você.

E, assim, ela ajudou a embrulhar e carregar o corpo de Bill Story, e depois o de Zara, cujo corpo estivera descansando no divã na sala da frente, posando como um manequim prestes a ganhar vida.

Todas as noites, em todas as Coldtowns, pessoas morrem. Pessoas são frágeis. Elas morrem devido a erros, overdoses, doença. No entanto, a maior parte delas morre... de Morte.

A Morte bebe a calidez das pessoas até que suas veias estejam secas. A Morte se esquece do controle. Os vampiros mais velhos podem ficar gastos e cuidadosos, mas aqueles recém-transformados querem se empanturrar e, às vezes, tolamente, eles cedem à Morte e o fazem.

Sendo assim, a cada manhã, os cidadãos de Coldtown que permanecem vivos devem levar seus mortos para fora. Eles são levados até a frente de uma das guaritas e, à tarde, os guardas vêm da segurança de seu muro e pregam dois pregos de prata nos cadáveres: um na cabeça, um no coração. Se os corpos ainda estiverem lá no dia seguinte, apodrecendo ao sol, são enviados para casa, para suas famílias.

Na hora em que Tana, Rufus e Christobel haviam terminado de enrolar os corpos de Zara e Bill em lençóis e colocado os dois ao lado dos outros cadáveres, o sol estava alto no céu, quente e implacável. Os três voltaram andando para casa, passando por ruas iluminadas demais, cheias dos restos da noite: diversas crianças tombadas e juntas em uma viela, embaladas umas nas outras em busca de calor, como ursos em uma caverna; penas e lantejoulas espalhadas em um bueiro; cabelos de milho e bitucas de cigarros de cravo com batom azul manchando os filtros; garrafas quebradas de uísque; e flores brancas murchas. Eles pisaram em cima de tudo isso sem falar nada, cansados demais para fazer qualquer outra coisa. Ruídos distantes de pássaros e pétalas sopradas de jardins de terraço enchiam o ar com sons e cheiros que vêm com a luz do dia. Tana queria dormir, mas era provável que Aidan não ficasse mais vulnerável que isso. E, depois de arrastar os corpos de quem ele havia matado pela rua, ela queria aquele bendito sinalizador!

Ela o queria de volta e queria dar um soco na cara de Aidan.

O garoto estava sentado em um colchão sem cobertas em um quarto no andar de cima, com janelas cobertas com sacos de lixo, um eco perturbador daquele com que ela se deparara na festa de Lance. Ele folheava um livro amarelado que tinha arrumado em algum lugar na casa. Dylan Thomas. Aidan ergueu o olhar para ela, abriu um largo sorriso e jogou o livro de lado. Ela lembrou-se do rosto mole de Bill, da face transformada e da pele azulada à luz implacável do dia. Bill, que ela nem conhecera, mas que ainda estaria vivo se não fosse por Aidan. Aidan, com sua constante necessidade de agradar a todos ao redor, que havia transformado uma garota em monstro para deixá-la feliz.

E Zara, a bela Zara, com duas marcas de punctura no pescoço. Tana havia prendido os cabelos dela no alto da cabeça e escolhera um belo vestido para ir para o túmulo com ela. Zara, que eles tiveram que colocar para fora como se fosse lixo.

Aidan, que era em parte responsável pela morte de três pessoas. Aidan, que era um monstro.

— Eu não posso ficar — disse Tana, pairando na entrada.

Aidan balançou a cabeça, apertando os olhos contra a luz indireta vinda do corredor, que obviamente o incomodava, mas não parecia machucá-lo.

— Ela está assistindo à gravação que Rufus fez de novo e de novo. Está me vendo mordê-la e ouvindo a si mesma falar sobre a refinada dor e a transmutação e "este é o meu corpo e este é o meu sangue". Assistindo a si mesma matando Winter. De novo e de novo e de novo. Com o corpo de Winter ainda lá, apodrecendo ao lado dela. Eu não consigo aguentar isso. Eu continuo pensando em Kristin morrendo e em como sou horrível e simplesmente não consigo parar. — Ele bateu com as mãos na cabeça três vezes, como se estivesse tentando trazer os demônios para fora. — Eu a vi morrer, e foi a pior coisa que já vi na minha vida, ela morrendo com os outros, todos eles morrendo, quero dizer, foi o pior, inimaginavelmente ruim. Mas, agora, quando eu penso nisso e me lembro de todo o sangue, é horrível e, ainda assim, eu quero lambê-lo todo, lamber as paredes da festa, e não consigo parar, Tana, eu não consigo...

— Kristin? — disse Tana, mas então voltou-lhe à memória que esse era o nome da nova namorada de Aidan, aquela de cabelos cor de morango que estivera usando a coleira de cachorro na festa de Lance.

Tana sentou-se na beirada do colchão e pôs a mão nas costas dele, sentindo a camiseta escorregar pela pele fria dele.

— Vai melhorar. Você não está acostumado ainda com o que é, só isso. Leva um tempo, mas você tem um tempo infinito, Aidan.

— Eu não quero me acostumar com isso — disse ele.

Tana pensou nos três vampiros lá na praça, queimando ao sol, e no que Winter havia dito sobre não ser capaz de lidar com o que eles haviam se tornado. Ela ouvira gritos distantes, porém distintos, naquela manhã também, enquanto eles caminhavam pelas ruas.

— Você *tem que* se acostumar — respondeu Tana, fazendo com que a voz saísse firme. — E tem que me devolver aquilo que está guardando para mim.

— Porque você não confia em mim — disse ele.

— Você não é o que costumava ser — ela explicou. — Só isso. Amigos não chantageiam uns aos outros.

— Você não pode me deixar aqui, Tana — replicou ele. — Prometa que não vai me deixar.

Depois de um longo instante, ela disse:

— Eu vou estar aqui por pelo menos oitenta e oito dias. Estou infectada, lembra? É bastante tempo.

Tana não sabia ao certo se ***estava mesmo*** infectada, não mais, porém imaginava que seria mais seguro se ele achasse que ela certamente estava Resfriada.

Mais seguro porque, se houvesse algum modo, ela haveria de deixá-lo. Iria para casa, para se esconder debaixo das cobertas que cheiravam a alvejante e violetas e dormir até esquecer os últimos três dias. Queria tomar um banho tão quente que a deixaria como que com queimadura solar. Queria chorar até não ter mais lágrimas, até que o sal delas tivesse secado em suas bochechas e ela o soprasse para longe.

— Nós poderíamos encontrá-lo novamente... *Gavriel* — disse Aidan, pronunciando o nome de um jeito provocativo, porém sem maldade. Ele o dissera da forma como Pauline fazia às vezes quando estava provocando Tana em relação a um garoto, do modo como uma vez fizera ao provocar Tana em relação a Aidan. — Eu aposto que poderíamos encontrá-lo se o procurássemos, e eu sei que você gostaria de vê-lo de novo, mesmo que você não diga isso.

Tana se permitiu sorrir aliviada com o fato de que Aidan havia mudado de assunto, falando de algo que não envolvesse morrer. Ele poderia deixá-la sair do aposento sem briga, poderia deixá-la sair com o sinalizador.

— Ok, certo. Vamos procurar por ele.

— Eu aposto que ele também quer ver você. — Com um suspiro, Aidan enfiou a mão na calça jeans e tirou dali o envelope de manilha, colocando-o na mão dela. — Vamos começar amanhã. Você confia em mim agora, certo?

Ela queria abrir o envelope e verificar o conteúdo, mas não queria tirar o olhar de Aidan. Pôde sentir o peso do sinalizador, pôde traçar com o dedo do contorno dele através do papel. Isso teria que bastar. Ela o deslizou para dentro de um dos bolsos com zíper da jaqueta, enquanto Aidan a observava.

— Eu confio em você — disse ela, e entrou no corredor.

As fracas faixas de luz solar que entravam através das janelas pintadas ofereciam pouco conforto. Assim que havia caminhado alguns passos, Tana começou a descer correndo as escadas. Estava pra lá de cansada, cansada da adrenalina, exausta por ter sido drogada na manhã anterior e exaurida pelo medo tão profundo que parecia viver em seus ossos. Forçou-se a sair andando pela porta da frente, a descer a rua e andar sete quadras em uma direção aleatória antes de exalar o ar. Então, procurou uma casa de janelas com tábuas pregadas. Usando seu alicate de cortar metal para forçar a entrada, ela fez uma busca na casa, tão completa quanto podia em seu estado de exaustão, subindo até o aposento mais alto. Lá, empurrou uma penteadeira para junto da porta, fez um ninho com as cortinas empoeiradas e aninhou-se enrolada no centro delas, feliz pela calidez do sol em sua face, feliz porque isso queimaria e levaria para longe tudo sobre a noite anterior.

Quando Tana acordou, já era noite, plena e negra. Ela saiu do sono como uma trovoada, acordando de sonhos tão profundos e sombrios que não conseguia se lembrar de nada que não fosse terra e mãos puxando-a para dentro de túmulos com cidades dentro deles. Estava coberta de suor, como se houvesse dormido em meio a uma febre.

Do lado de fora da janela, as luzes de Coldtown reluziam como medusas luminosas flutuando em um vasto oceano, velas em algumas janelas e luzes elétricas em outras, geradores bombeando energia e o tatalar de turbinas eólicas. As roupas de Tana estavam endurecidas e com cor de ferrugem por causa do sangue seco. Ela tirou as roupas e envolveu-se no poncho como se fosse um robe.

Tinha sido dois dias atrás, por volta do pôr do sol, quando o vampiro havia raspado sua panturrilha com os dentes. O que queria dizer que haviam se passado quarenta e oito horas desde então, um tempo que havia se completado enquanto ela dormia. Aquilo tinha sido na noite de domingo e era noite de terça-feira agora. Se os sintomas não haviam piorado ainda, então, contra todas as expectativas, ela havia conseguido se livrar da infecção.

Queria gritar de alegria e pular para cima e para baixo. Contentou-se em dar um giro pelo aposento, não se importando por estar vestindo apenas um poncho esquisito, não se importando com nada, exceto com o fato de que continuaria a ser humana. Ela ia ficar bem.

Parecia quase perigoso algo tão bom ter acontecido. Porém, se ela se preparasse rápido, poderia estar fora do portão e colocar o pé na estrada antes da alvorada.

O andar de cima da casa tinha vários quartos, a maioria dos quais estava sem móveis. Ela encontrou o banheiro no fim do corredor e, quando girou as torneiras na banheira, um fluxo de água começou a sair. A água era escura a princípio, e fedia a ferro, mas, depois que Tana deixou-a escorrer um pouco, ela ficou clara. A garota tomou um banho debaixo do borrifo gélido, provavelmente devido ao fato de que o aquecedor de água devia ter parado de funcionar havia anos, encontrando um antigo e rachado pedaço de sabão e esfregando a pele até que conseguira tirar todo o sangue dos joelhos e de sob as unhas. Então, sem nada mais para vestir, ela colocou de volta a calça jeans, junto com as novas roupas de baixo e a nova camiseta.

De volta ao quarto, vestiu a jaqueta, deslizando uma das mãos para dentro do bolso.

O envelope ainda estava lá. Com dedos trêmulos, ela abriu a aba do envelope e tirou de dentro dele uma página dobrada que havia sido arrancada do livro de Dylan Thomas. *Meu herói expõe seus nervos ao longo de meu pulso*. Sobre o poema, Aidan havia escrito com canetinha vermelha: *Eu ainda não estou preparado para deixar você me abandonar.* Inclinando o envelope, uma moeda de um quarto de dólar deslizou de dentro dele, caindo no meio da palma de sua mão.

O peso estava certo, e a forma — só o objeto em si era errado.

Ele deveria ter escrito isso enquanto ela carregava os corpos pelas ruas, sabendo o que diria quando ela voltasse. Sabendo o tempo todo que a enganaria. Tana deu um soco na parede, não se importando em ferir os nós dos dedos. Ela socou a parede repetidas vezes, até o sangue manchar o reboco.

Nunca mais, prometeu a si mesma. Não importava o que acontecesse, nunca mais permitiria que alguém levasse a melhor sobre ela. *Chega de erros.*

Quando Rufus abriu a porta, parecia mais lúgubre do que ela jamais o vira antes. Ele piscou, surpreso, ao vê-la. Estava usando uma simples calça jeans e uma camiseta, em vez de suas costumeiras roupas espalhafatosas. Os olhos estavam injetados.

— Aidan e Midnight saíram há cerca de uma hora — disse, apoiando-se no batente da porta. — Com o corpo de Winter. — Atrás dele, Tana ouviu Christobel falando algo, sonolenta, perguntando quem era que estava à porta. Ele ignorou-a, mas uma ponta de sarcasmo voltou ao tom da voz quando ele se pronunciou novamente, com uma das sobrancelhas erguidas: — Eu acho que eles não precisam mais da gente. Zara está morta e foi tudo em vão. Mas Midnight, bem, ela estava vestindo as roupas mais refinadas, embora surradas, planejando se apresentar a Lucien Moreau.

Tana socou a parede de novo.

— Droga! — ela gritou, olhando para o céu. As estrelas piscavam para ela como se estivessem rindo de quão tola havia sido. — Bem, acho que é para lá que eu vou, então.

— Você não pode ir até a casa do Lucien vestida assim. — Rufus soou pesaroso. — Se você não for uma vampira, a única maneira de entrar lá é vestindo-se da forma mais deliciosa possível, como uma costeleta de porco crua e vibrante, e ficar lá, em volta dele, como todos os outros humanos, esperando que seja boa o bastante para ser escolhida. A menos que conheça alguém que possa colocá-la na lista muito exclusiva dele.

Tana não conhecia ninguém que pudesse fazê-la entrar em uma pomposa festa de vampiros. Mas conseguia pensar em uma pessoa que poderia estar nessa lista, um garoto com uma namorada vampira, que deveria ir visitá-la às vezes, talvez até mesmo sem subir em nenhum teto.

Tana continuou olhando para cima enquanto caminhava pelas ruas, na esperança de avistar o corvo branco de Jameson ou algum sinal de que ele estivesse por perto. As chances de realmente encontrá-lo por sorte eram baixas, mas, visto não ter nenhuma outra forma de entrar em contato com ele, ela imaginou que deveria passar pelos lugares aonde ele a havia levado, comer no carrinho de lanches em que tinham comido antes e perguntar a Valentina, na loja Restos & Coisas Perdidas, se ele havia levado mais alguém perdido por ali.

Ela comprou café na banca Uma Dose de Depresso, onde grãos esmagados e cozidos de café eram agitados na água fervente em imensos barris de cobre, e o proprietário ficava em uma banqueta para servir um pouco do líquido em uma xícara. Por cinquenta centavos a mais, a pessoa poderia obter um esguicho de leite fresco de cabra, de uma cabra sonolenta que mascava um canteiro de trevos perto de um quiosque repleto de garrafas de um verde brilhante onde se lia LÁUDANO.

Ficando na fila, Tana notou que eram muito poucas as pessoas na sua frente que pagavam com dinheiro vivo. Algumas pareciam ter uma conta ali, dando o nome e tendo uma anotação feita em uma caderneta. Outras trocavam tomates, um coelho despelado, um punhado de maconha amarrada com um fio e até mesmo um punhado de aspirinas em troca dos pedidos.

Além do café, Tana comprou um gigantesco copo de chá de menta gelado e dois burritos de carne de esquilo, que, surpreendentemente, eram bons. O *queso* era fresquinho e o molho vermelho era picante, delicioso, cobrindo a carne fibrosa e de gosto meio forte. Ela sentou-se ao luar, na beirada de uma clareira, onde havia um grupo de mesas e cadeiras diferentes umas das outras, e comeu até se sentir satisfeita e ter plena certeza de que Jameson não apareceria por ali. Adolescentes agasalhados com camadas e mais camadas de roupas dividiam cigarros, passando-os uns para os outros, e caçavam em seus bolsos coisas a serem trocadas. Um homem velho, de cabelos brancos, estava sentado ao lado de um tabuleiro de xadrez, convidando todo mundo que tivesse uma agulha no braço a jogar com ele pelo preço de um jantar.

Quando terminou de comer, Tana limpou as mãos na calça e levantou-se, dizendo a si mesma que se lembraria de comer mais de uma refeição no dia de hoje.

Então, foi andando em direção à Restos & Coisas Perdidas, batendo à porta e espiando pela grade. Ouviu o som do metal se mexendo nas travas, e então Valentina estava lá, conduzindo-a para dentro da loja.

— Tana, certo? — disse ela, sorrindo. Hoje, usava um vestido-camisola azul-esverdeado brilhante, com sandálias verdes, os cabelos puxados para trás em um rabo de cavalo no alto da cabeça.

Tana inalou a poeira perfumada da loja e olhou ao redor com um novo olhar. Ela não havia se dado conta de quão cansada estivera no dia anterior, acordando após ter sido drogada e depois se exaurindo de terror. Agora, tinha raiva e se sentia bem acordada, e muito melhor!

— É — respondeu, jogando para trás os fios de cabelo que haviam se soltado da trança atrás da orelha. — Por acaso você não saberia onde encontrar o Jameson, saberia?

Valentina balançou a cabeça em negativa.

— Às vezes ele simplesmente aparece aqui do nada, com alguma coisa que ele encontrou... um saco de grãos de café decente ou, certa vez, um anel de menina que ele achou que poderia servir em mim... mas não é como se ele viesse muito aqui ou algo do gênero. Ele tem um celular, ou, pelo menos tinha. Ele me deu o número, mas eu nunca liguei pra ele.

— Podemos tentar? — quis saber Tana.

Valentina abriu as gavetas de madeira desgastadas da escrivaninha, examinando o conteúdo. Ela tirou dali um celular, cuja tela estava rachada e o plástico, arranhado. Quando apertou um botão, porém, a tela ganhou vida. Ela apertou mais algumas teclas, e Tana ouviu o fraco som de chamada do outro lado. Valentina levou o aparelho ao ouvido. Depois de um instante, balançou a cabeça e desligou.

— Caixa postal.

Tana soltou um suspiro e pegou o celular da mão de Valentina, anotando o número do telefone de Jameson.

— Ele tem aquela namorada na casa do Lucien Moreau, então eu esperava que ele pudesse me ajudar a entrar na festa. Mas, se eu não conseguir encontrá-lo, pelo menos você pode me ajudar a encontrar um vestido sexy pra caramba, certo?

Valentina fez um gesto na direção da parede, onde havia dezenas de vestidos pendurados, um por cima do outro, de seda e *chiffon*, com contas e lantejoulas.

— Totalmente. Eu ouvi dizer que o Lucien gosta de cores brilhantes que ficam bem na televisão. Mas você tem certeza de que quer ir lá *esta noite?*

Tana balançou a cabeça, confirmando.

— Tem que ser esta noite. Por quê?

— Vampiros novos. Um bocado deles.

Valentina foi até uma arara de roupas nos fundos e voltou com três vestidos em cabides: um branco, um dourado e um vermelho.

— O que você quer dizer com isso?

Por um instante, Tana pensou em Aidan e Midnight. Porém, com certeza dois novos vampiros não seriam o bastante para chamar nenhuma atenção.

Valentina jogou as roupas sobre uma cadeira e puxou um pesado laptop de detrás do balcão. Ele estava coberto de adesivos e ligado a um dispositivo com uma aparência estranha, com tiras de metal.

— Você não viu mesmo? Ah, provavelmente você não trouxe um laptop.

— Eu não trouxe muita coisa — disse Tana, dando a volta no balcão para olhar.

A tela de fundo do laptop de Valentina apareceu, uma foto de um grupo de amigos com roupas de formatura. Tana procurou por Valentina dentre eles, mas, antes que pudesse achá-la na foto, a garota abriu o navegador.

— Aqui está; olha, este é um site que compila os melhores links de todas as Coldtowns, e esta é a página com os links da nossa Coldtown. — Ela foi clicando, curvada sobre a tela, com o rabo de cavalo espiralando sobre uma das bochechas. — Springfield.

Clicou em um link e uma tela ganhou vida. Era o interior de um teatro, mas alguém havia tirado do lugar a maior parte dos assentos e uma festa estava em andamento. As pessoas subiam no palco, declamando poemas e sorvendo goles de garrafas, com rendas e babados nos punhos das camisas bufantes.

Valentina apertou o botão para avançar o vídeo, passando rapidamente por mais dois performers, antes que um garoto vestido de preto subisse no palco. Ela apertou a tecla para voltar o vídeo à velocidade normal, e Tana viu Gavriel abrindo um largo sorriso para o público, com os olhos de granada reluzindo, os cachos negros selvagens em volta do rosto, parecendo tão louco como quando estivera enjaulado debaixo de um cemitério em Paris.

Ele fez uma reverência extravagante, mexendo um dos braços em um floreio. Em seguida, virando-se, arrastou uma única cadeira para cima do palco, cujo estofamento havia sido arrancado e o brocado pendia em farrapos.

— Eu tenho uma apresentação a oferecer a vocês esta noite. Não é um talento único que eu tenha, mas nós não ficamos maravilhados com o homem que come apenas uma refeição, nem com o que bebe uma mísera dose de álcool. Nós nos maravilhamos com o excesso. E é isso que darei a vocês.

"Venha, permita-me morder você. Sempre desejou ser como eu? Ser imortal? Eu transformarei você. Qualquer um de vocês. Todos vocês, se quiserem. Esta noite. Venham a mim. — Ele lançou os braços no ar, bem abertos. — Eu estou sedento. Permitam-me beber. Permitam que eu me empanturre!"

Por um bom tempo, ele ficou à espera de algo. A multidão havia ficado completamente em silêncio. Então, uma única mulher de pele escura irrompeu de entre as fileiras de pessoas e começou a caminhar em direção à escada. Ela subiu devagar os degraus, olhando para trás, para seus amigos. Trajava um vestido estilo arlequim, prata e preto, e havia pintado um dos olhos com um losango preto. Tana pôde ver o medo estampado na face dela enquanto a mulher caminhava lentamente até a cadeira e se sentava. Lágrimas reluziam em seus olhos quando ela esticou o longo e elegante pescoço.

Valentina parou o vídeo, congelando a tela enquanto Gavriel se curvava na direção dela.

— Ele faz isso também. Morde todos eles, bebe uma tonelada de sangue e depois sai cambaleando. Deixa-os vivos, todos e cada um deles. Estão dizendo que ele é o Espinho de Istra.

— Ele é o Espinho de Istra — respondeu Tana, baixinho.

Valentina olhou surpresa para ela.

— Não era o trabalho dele acabar com a disseminação da infecção? Fazer com que os surtos parassem *matando* novos vampiros?

Tana não conseguia parar de encarar a tela congelada, não conseguia parar de fitar a expressão voraz na face de Gavriel. Então ela abriu um largo sorriso de lado para Valentina.

— Eu acho que ele largou esse trabalho. Quero dizer, isso aí está mais para um daqueles concursos baratos tipo "vamos ver quem come mais hambúrgueres".

Elas olharam uma para a outra por um instante e então começaram a dar risadinhas incontroláveis.

— Então você ainda vai à casa do Lucien Moreau? — perguntou Valentina, seguindo até uma arara e tirando dali um longo vestido preto com uma das mãos e um vestido dourado com a outra.

Tana assentiu e foi passar a mão na superfície macia do veludo.

— Mas, se Jameson vier até aqui, é melhor você mostrar esse vídeo a ele. O motivo pelo qual ele me falou dessa amiga que vive com Lucien foi porque ele estava preocupado com a possibilidade de ela ficar presa no fogo-cruzado, caso Gav... caso o *Espinho* fosse atrás de Lucien. Ele queria avisá-la disso.

Tana lembrou-se do que dissera a Jameson sobre Gavriel... que, fosse o que fosse fazer, ele o faria sozinho. Porém, então, por que transformar tantos novos vampiros? Talvez ela estivesse errada.

— Eu acho que vou com você — disse Valentina.

— À festa? Você não acabou de me dizer que era perigoso? — Tana inclinou a cabeça para um dos lados, tentando resolver o mistério por trás da mudança de ideia de Valentina.

— Eu vou avisá-la — disse Valentina. — Eu a vi uma vez, então consigo encontrá-la de novo. Devo isso a Jameson.

— Bem, essa é uma boa notícia para mim. — Tana curvou-se para baixo e começou a desamarrar o cadarço das botas. — É sempre mais divertido aparecer em uma festa com amigas.

Capítulo 26

POST POR: MIDNIGHT
ASSUNTO: VAMPIRA TRISTE

Eu achei que estaria escrevendo um post diferente. Sei que prometi que contaria a vocês o que realmente existe além das muralhas de Coldtown, mas não sei ao certo se consigo suportar fazer isso. Em todos os cenários que imaginei, nunca achei que seria nem um pouco parecido com isso.

Agora, Winter está morto e eu sou uma vampira.

Eu ia apenas postar a gravação em vídeo que fizemos e não explicar nada, mas isso não é justo com todos vocês que vêm sendo minha verdadeira Família Sombria, me apoiando em tudo, me encorajando a prosseguir nesta jornada. Sei que vocês gostariam de ler sobre o que aconteceu, e não apenas ver.

Eu postei muitas vezes sobre que odiava a forma como, a cada segundo, estava envelhecendo. Vocês viram todos os meus surtos sobre o fato de que as minhas células estavam morrendo e os meus cabelos estavam caindo. Todas as vezes que eu acordava com fios no meu travesseiro, tinha certeza de que aqueles cabelos se foram para sempre e que eu ficaria careca e feia. Às vezes eu pensava que podia sentir a decadência dentro de mim, que podia sentir a podridão na minha boca antes de escovar os dentes todas as manhãs. Durante dias antes de partir para Coldtown, eu não consegui comer, porque a ideia da comida me dava repulsa, a forma como eu poderia senti-la pesada no meu estômago.

Sei que vocês se sentem do mesmo jeito que eu às vezes, como se houvesse algo errado conosco, porque não somos os monstros magnificentes que deveríamos ser. Bem, vocês estão certos. Eu posso lhes dizer isso agora que estou do outro lado, que nós estávamos certos. Tudo parece certo agora.

Foi gravada a cena em que fui mordida, e vou fazer o upload desse vídeo assim que eu o editar. Foi tão incrível quanto eu havia esperado que fosse. A dor não foi tão ruim assim. A pele da gente fica meio que amortecida em volta de onde entram as presas, e a gente tem essa sensação incrível, como se alguém estivesse puxando para fora toda a fraqueza e a podridão, abrindo espaço para alguma outra coisa.

Mas tem a parte sobre a qual é difícil falar. Eu fiz uma coisa ruim. Uma coisa realmente ruim.

Fui eu que matei Winter. Eu não pretendia fazer isso. Eu apenas queria transformá-lo, mas as coisas fugiram ao meu controle quando as minhas novas presas deslizaram para dentro da veia dele. Beber o sangue de alguém não é nada parecido com ter o sangue extraído da gente. Beber sangue é como uma explosão de pétalas de rosas, é como mel e leite e todas as coisas cálidas no mundo. É como se a gente estivesse bebendo luz pura.

Eu o abracei e bebi e bebi e bebi. Era como se eu estivesse me afogando nele, era como estar mais perto dele do que nunca, juntos, dentro das minhas veias. Mas agora Winter não está aqui para dar risada comigo, nem para me ajudar a escolher roupas, nem para me entender da forma como ninguém mais me entendia. Talvez ninguém mais vá, algum dia, me entender tão bem assim.

Eu nunca serei a irmã gêmea de ninguém. Ninguém me reconhecerá como a mortal que eu já fui. Os últimos resquícios da garota de quem abri mão morreram junto com ele. Agora há apenas Midnight.

Acho que eu não teria chegado a este ponto se não tivesse desejado ser uma vampira, se não tivesse querido ser um monstro maravilhoso e belo como a alvorada. Mas, mesmo que eu vá sentir a falta de Winter em todos os minutos de todos os dias pelo resto da eternidade, sei que ele queria isso para mim. Então, *in memoriam* dele, eu vou arregaçar a garganta desta cidade.

Ah, e vocês, meus fiéis amigos e leitores, merecem um aviso. Os vídeos são perturbadores, mas nós sempre queremos que vocês vejam a coisa de verdade, então, aqui está ela.

Capítulo 27

Verso, Fama e Beleza são
intensos de fato,
Mas a Morte é mais intensa:
É o alto hidromel da Vida.

— John Keats

Os portões da casa de Lucien Moreau estavam abertos, e os leões-de-chácara escolhiam os convidados dentre uma multidão humana reunida na frente deles. Tana olhou ao redor, para as garotas com vestidos vermelhos brilhantes e vestidos pretos como nanquim, com olhos que brilhavam com delineador, sombra e cílios postiços, e os rapazes com seus casacos justos. Valentina havia dito que seria difícil se destacar, e era mesmo.

Tana havia escolhido um longo vestido de seda cor de marfim, com um baixíssimo decote, do tipo que era usado por estrelas iniciantes em filmes antigos, com uma fenda na coxa que ocultava seu arranhão, mas deixava à mostra muito do resto da perna. Ao contrário da maior parte dos festeiros em festas de vampiros, ela não tinha orifícios recém-feitos nas dobras dos cotovelos, onde agulhas deslizavam e entravam para a punção das veias, não tinha nenhuma marca além de sua velha cicatriz no braço e nutria esperanças de ser única o bastante para conseguir entrar na festa, se o nome de Jameson não lhe desse entrada. Tana havia prendido a massa dos cabelos pretos no alto da cabeça, com dois pentes de prata que ela havia comprado na casa de penhores, de modo que todo mundo pudesse ver que a única coisa que havia em sua garganta era o colar de granadas de

Gavriel, em que cada pedra reluzia como se fosse uma única gotícula de sangue. Esperava parecer limpa e fresca, não saboreada, embrulhada como um pequeno e tolo sacrifício.

Ela havia deixado as botas, a jaqueta e a mochila na loja, escondendo o restante de suas coisas em uma bolsa de mão vintage, feita de latão batido, esculpida na forma da cabeça de um leão dourado, com buracos grudentos no lugar dos olhos, onde antes houvera pedras incrustradas. Ela havia prendido a faca na coxa com duas tiras de couro.

Tana levara quase uma hora para montar seu visual e passara mais quinze minutos lutando em frente ao vidro turvo de uma janela para arrumar os cabelos para cima e fazer com que ficassem daquele jeito. Então, Valentina havia feito com que ela se sentasse na frente de um espelho enquanto passava rímel nos cílios dela, e dava destaque ao arco de suas sobrancelhas com dourado, e pintava-lhe os lábios de um leve tom de rosa-pérola. Enquanto ela caminhava em direção ao portão, a bolsa de leão batia em sua coxa, presa em uma fina corrente, fazendo com que os trocados dentro dela emitissem ruídos de um som oco e metálico.

Valentina trajava um vestido cor de bronze que brilhava com pedrarias e exibia a longa extensão de suas pernas. Os cabelos, que pareciam a juba de um leão, pendiam em volta dos ombros, e a maquiagem dourada estava mais brilhante do que nunca. Tana abriu um largo sorriso para ela enquanto as duas cruzavam com dificuldade a multidão em direção ao portão.

O leão-de-chácara era um homem grande e musculoso com cabelos longos puxados para trás e presos com uma fita de veludo preta. O olhar dele parou em Tana por um instante, mas, em vez de acenar para ela, ele acenou para uma garota alta, desnuda exceto por um repulsivo casaco de *vison*. Tana avançou alguns centímetros enquanto um trio de meninos trajando calças de couro passava sorrateiramente por ela. Então o leão-de-chácara escolheu duas garotas com vestidos *cheongsam* verdes de seda, os cabelos estilizados e coloridos em cortes curtos idênticos, cor de cobre, de modo que parecessem gêmeas.

— Nosso amigo está na lista — gritou Tana por cima do barulho, apontando e na esperança de que o leão-de-chácara pudesse ouvi-la.

— Seu amigo? — repetiu ele, com ares de dúvida. — É mesmo? Qual é o nome dele?

— Jameson — disse Tana, ficando nas pontas dos pés, tentando ver a prancheta.

— Ele tem mais algum nome além desse? — perguntou o leão-de-chácara, com um sorriso de superioridade contorcendo-lhe os lábios.

Valentina deu um passo à frente, conseguindo projetar uma impressionante aura de arrogante impaciência.

— Você sabe o nome dele. Jameson Ramirez Alonso. Agora, ele nos disse para encontrá-lo aqui e que não teríamos nenhum problema para entrar. Isso é ridículo.

O homem parecia querer causar um pouco mais de inconveniência a ela, mas havia algo nos braços cruzados e na boca da garota, virada para baixo, que o fez desistir disso.

— Tudo bem, sigam em frente.

Tana foi lavada por uma onda de alívio, e então, antes que pudesse acreditar direito nisso, as duas estavam passando pelo portão ornamentado em forma de arabescos e com mourões afiados como faca, entrando na festa de Lucien Moreau.

— Ótimo trabalho — disse ela, baixinho.

Valentina sorriu, com o queixo erguido.

— Bom plano. Nós somos como uma dupla de garotas espiãs gostosas.

A casa era uma imensa residência vitoriana, cuja varanda a circundava. O edifício agigantava-se, alto e estranho, com diversos tetos de telhas e vidro. Havia festeiros no gramado inclinado além dos portões, e alguns poucos estavam deitados na grama ou riam enquanto corriam, provocantes, em círculos. Um cheiro intenso e enjoativo de incenso perfumava o ar, e, quanto mais perto Tana chegava da porta colossal, aberta acima dos degraus, mais forte o cheiro ficava. Mirra e almíscar, encobrindo algum fedor imundo e doce por baixo.

Ela subiu os degraus, passou pela porta aberta e entrou no vestíbulo. Estavam tocando música em algum lugar, o som diluído e torturado de violinos, acompanhado de dissonantes e distantes gritos humanos. Seu coração começou a acelerar-se e a respiração lhe vinha instável. Teve a sensação imediata de que aquela não era uma festa para seres humanos, não importando quantos estivessem presentes nela ou quem estivesse assistindo às gravações de suas casas.

Havia câmeras voltadas para baixo nos cantos dos tetos, piscando com luzes verdes para mostrar que estavam ligadas. No canal a cabo local lá na cidade de Tana, das três até as quatro e meia da manhã, passava um programa em que uma garota chamada Asphodel, que usava uma longa peruca púrpura, exibia clipes da festa com momentos que ela achava que valia a pena destacar e os discutia com pessoas que ligavam para o programa. Barras pretas cobriam quaisquer penetrações reais de presas, de modo a não ofender a Comissão Federal de Comunicações. Uma garota de olhos vermelhos em um vestido prateado passou por Tana, salpicada de sangue, impedindo-a de fingir que aquilo fosse algo além de um perigoso aquário de monstros, uma jaula de cobras cheia de camundongos.

Uma risadinha fraca e insana ameaçou irromper dos lábios de Tana, porém ela apertou os dedos com força o suficiente para as unhas afundarem nas palmas das mãos, e esperou que aquela sensação passasse.

— Você está bem? — perguntou Valentina.

Ela estava olhando para cima, para as escadas, para as pessoas que lá estavam, segurando taças de champanhe diferentes umas das outras nas mãos. Um vampiro trajando fraque olhava para baixo do patamar da escada, agarrando o corrimão de madeira com as pálidas mãos. Ele sorria como um barqueiro que fosse conduzi-la até o reino dos mortos.

Tana assentiu. *Acalme-se,* disse a si mesma. *Simplesmente encontre Aidan, consiga o sinalizador de volta e caia fora daqui.*

Tana decidiu que, quando saísse de Coldtown, ela e Pauline colocariam o pé na estrada. Ela não iria direto para casa, não com seus pensamentos cheios de sangue e dentes e olhos cor de rubis. Em vez disso, as duas seguiriam em uma aventura — uma aventura normal, em que nada de muito aventuroso fosse acontecer. Poderiam dirigir-se ao sul até que o dinheiro acabasse. Ela se imaginou dirigindo durante o dia com os vidros das janelas abaixados, bebidas geladas derretendo nos porta-copos do carro, o rádio no último volume e Pauline cantando junto, no banco do passageiro.

Tana forçou-se a se mexer, a caminhar em direção à primeira das salas de uma verdadeira colmeia formada por salas com alto pé direito. Era um cômodo com paredes púrpura, onde havia um garoto estirado em uma mesa coberta com um tecido branco. Uns poucos vampiros reuniam-se ali ao redor dele, lambendo os filetes de sangue que se brotavam de cortes rasos nos braços e nas pernas do garoto. A pele dele já brilhava com a baba. Os olhos estavam cerrados, mas às vezes tremeluziam como se ele estivesse sonhando.

— Você a está vendo em algum lugar? — perguntou Tana a Valentina em um sussurro.

Valentina balançou a cabeça. Estava tentando parecer blasé, mas não conseguia bem tirar os olhos do garoto e do sangue. Pegando-a pelo braço, Tana conduziu-a até uma segunda sala. Lá, garotas e garotos humanos, pintados com látex, com mordaças de metal cobrindo-lhes as bocas, estavam acorrentados pelos pulsos diretamente nas paredes, que estavam cobertas de um padrão de placas de aço de modo a parecer a moldura de um quadro. Tana ficou observando, assombrada, enquanto um homem seguiu andando até uma delas, agarrou o pulso da garota e afundou os dentes diretamente na pele.

— Eles estão infectados — disse uma vampira com um longo vestido de cetim vermelho intenso, espartilhado sobre sua barriga e bordado com pedaços de âmbar negro. Ela exibia uma longa e irregular cicatriz em forma de meia-lua no ombro. Os cabelos cor de café estavam puxados para trás em um coque apertado e brilhante, e os lábios estavam pintados com o mesmo tom de escarlate dos olhos. — Não faz diferença se forem mordidos. Eles não podem ficar *mais* infectados, podem?

Tana abafou um grito ao ver a mulher. Ela era famosa; Tana reconheceu-a instantaneamente dos clipes que vira de Coldtown e de dezenas de gifs do Tumblr que mostravam a expressão mais austera dela com legendas como OMGWTF?, I'M FREAKING **DEAD** SERIOUS ou NOMNOMNOM[14]. Ela era Elisabet, a amante de Lucien, que, segundo os rumores, era bem mais insensível e cruel do que ele. Parecia jovem, só um pouco

---

14. Ah, meu Deus, que merda é essa? (de "Oh, my God, what the fuck?); ESTOU MORTALMENTE SÉRIA / ESTOU FALANDO MORTALMENTE SÉRIO — trocadilho com dead(ly), de mortalmente/totalmente, e dead, de morta; NHAMNHAMNHAM. (N.T.)

mais velha do que Tana, mas os olhos eram antigos e frios como chumbo. E havia algo mais em relação à face dela...

— Eles também nunca vão ficar menos infectados — disse Valentina, baixinho.

— Você fugiu com o meu prêmio. — Elisabet pressionou um dedo frio no queixo de Tana, fazendo com que ela se encolhesse de pavor.

— Ah — disse Tana, o temor causando um arrepio espinha acima. Ela se deu conta, com uma onda súbita de náusea, de que havia visto Elisabet antes, na casa de Lance, com o rosto tão inchado por haver se alimentado que, até este instante, não tinha se dado conta de quem ela era. Pensou nas paredes manchadas com faixas de sangue coagulado, e houve um retinir em seus ouvidos, e o choque afogou todos os outros sons.

— Onde está ele? — sussurrou Elisabet junto a seu ouvido, impaciente, como se talvez estivesse se repetindo.

Tana não fazia a mínima ideia do que dizer em resposta àquilo. O medo a deixara imbecilizada.

— Eu não sei do que você está falando — forçou-se a dizer, não se dando ao trabalho de disfarçar o terror.

— Engano meu — disse Elisabet, com os lábios frios encostados na pele de Tana. — Aproveite a festa, doce garota.

E, com isso, a vampira deu um giro e afastou-se dali.

Ainda tremendo, Tana fechou os olhos e deixou que os barulhos da festa a lavassem, a música, as conversas e os gemidos. Livrou-se de todos os pensamentos, com a esperança de que o medo fosse embora junto com eles.

— Que diabos acabou de acontecer? — quis saber Valentina.

— Por favor, diga que *ela* não é a namorada de Jameson — disse Tana e, por fim, sugando o ar, abriu os olhos.

— É lógico que não. Você está doida? — Valentina não parecia preparada para acalmar-se. — Eu achei que a Elisabet fosse te matar e te comer bem na minha frente. Vamos.

Tana balançou a cabeça com veemência, mas pensou em tubarões que batiam com os corpos em suas vítimas diversas vezes antes de mordê-las. Talvez fosse melhor Valentina se afastar dela, caso Elisabet estivesse apenas circulando.

— Nós duas precisamos encontrar pessoas diferentes. Que tal se nos separarmos, fizermos uma varredura rápida na festa e nos encontrarmos perto das escadas? Vamos levar dez minutos, no máximo. E, se uma de nós não aparecer, a outra volta à sua loja e fica esperando.

— E se uma de nós *nunca* aparecer? — perguntou Valentina, olhando para Tana como se soubesse exatamente o que ela estava pensando.

— Então eu acho que a outra pode se sentir bem sortuda — disse Tana, com um dar de ombros apático.

— Tome cuidado — recomendou Valentina.

— Você também.

Tana inspirou fundo e continuou movendo-se por entre as salas, olhando para trás apenas uma vez. Queria se virar e dizer a Valentina que havia mudado de ideia. Não queria ficar sozinha. Mas era mais seguro assim.

Encontre Aidan, Tana disse a si mesma. *Depois caia fora, saia daqui, saia.*

Em seguida, ela chegou até um imenso salão de baile, com um teto formado por janelas, como um belvedere colossal, com todas as janelas pintadas de preto. Os painéis reluziam e lampejavam como prismas com a luz refletida de três candelabros de latão, cada braço deles na forma de um dragão. Durante o dia, o teto devia inundar a sala com uma estranha luz cinza. Tana ainda não havia visto Aidan nem Midnight, mas a multidão era maior aqui, então ela seguiu cuidadosamente em meio às pessoas, procurando por eles.

Vinda de trás dela, Tana ouviu uma voz rascada, tão frágil quanto folhas secas.

— *Ele está aqui* — disse a voz.

Ela ficou paralisada, mentalmente transportada para a festa na casa de Lance, ouvindo o eco dos vampiros no outro lado da porta. Tinha certeza de que era um deles que estava falando, e os outros também estavam ali, não apenas Elisabet. Talvez aquele que a havia arranhado. Teve que se encostar em uma das paredes por um bom tempo, tentando não hiperventilar. Com o canto do olho, Tana viu o vampiro que havia falado. Ele tinha cabelos brancos e unhas longas e irregulares. O outro parecia mais jovem; tinha cabelos castanhos, um queixo pontudo e sardas que se destacavam em contraste com a palidez da pele. Ambos vestiam ternos pretos combinando, com golas mandarim.

Um tremor visceral passou por seu corpo inteiro. Ela lembrou-se de que não era por ela que eles estavam procurando. Estavam caçando Gavriel. Para levarem o Espinho de Istra de volta até o Aranha e a prisão, para fazer com que ele pagasse por deixar Caspar Morales escapar. Para garantir que Gavriel permanecesse lá, louco como sempre, como se o mundo não tivesse sofrido transformação alguma e os antigos vampiros ainda estivessem no comando, como se nos dias de hoje eles regessem aquilo que mal compreendiam. E, se Elisabet estivera com eles, então talvez Lucien estivesse ajudando o Aranha, enviando seu próprio pessoal para certificar-se de que Gavriel acabaria voltando direto para a cela.

Ele está aqui, eles haviam dito.

E era por Gavriel que estavam procurando, então isso queria dizer que ele estava na festa? Ela ergueu o pescoço, tentando avistá-lo em meio à multidão.

O que viu, porém, foi Lucien Moreau entrando na sala, inconfundível e estranhamente atraente. As pessoas se voltavam na direção dele automaticamente, como flores alinhando-se em direção ao sol. Elisabet estava nos braços dele, parecendo tão remota quanto nas transmissões de Coldtown.

Se a beleza dela era sombria, a de Lucien era brilhante. Ele era todo de uma elegância negligente, com cabelos loiros desgrenhados que brilhavam como ouro e um terno cor de marfim, com os dois botões de cima da camisa branca abertos. Os ossos da face eram dispostos de forma que ele era ao mesmo tempo belo e austero. Tinha um nariz aquilino, lábios belamente desenhados, certa magreza em nas bochechas que falava de mais idade ou alguma enfermidade, mais do que o restante dele deixava transparecer.

Olhando além de Lucien e Elisabet, Tana finalmente viu Aidan. Ele estava vestido em desacordo com a festa, apoiado e relaxado em uma parede, com uma camisa preta de seda por cima de uma calça jeans. Tana se perguntou se Midnight havia escolhido aquele traje para ele e então imaginou se eles teriam pegado as roupas emprestadas com Rufus.

Pondo-se forte como o aço, Tana foi caminhando em direção a ele, mantendo distância de qualquer outro vampiro que ela via.

— Tana! — disse Aidan, incrivelmente contente ao vê-la, bem até o momento em que ela lhe deu um soco na cara.

Ele foi cambaleando para trás, e diversas pessoas olharam para eles de relance, dando risadinhas. Elisabet estava olhando em sua direção novamente, o que enervava Tana, mas não o suficiente para que ela se arrependesse de ter socado Aidan. Não se arrependia nem um pouco disso.

— Ai! — disse ele. — Eu acho que uma das minhas presas bateu na minha bochecha. Isso doeu de verdade.

Tana colocou as mãos nos quadris e só o encarou. Sabia que ele era mais forte do que ela e cerca de um milhão de vezes mais mortal, mas ainda era Aidan e ainda odiava quando alguém ficava com raiva dele.

Ele esfregou o queixo, onde o punho cerrado dela o havia atingido.

— Vamos, Tana. Eu não ia ficar com aquilo. Eu só queria que você ficasse aqui por mais um tempo. Você sabe como eu odeio ir aos lugares sozinho.

— Você é um tremendo babaca — disse Tana. — Falando sério. Um imenso e inacreditável babaca!

— Eu sei — respondeu ele, parecendo ao mesmo tempo arrependido e brincalhão. — Mas você se arrumou toda e veio a uma festa, então, não quer se divertir? Quero dizer, você já está aqui mesmo.

— Você tem Midnight pra curtir a festa com você. — Tana estendeu a mão, com a palma voltada para cima. — Devolve. Agora.

— E se a gente desse uma voltinha primeiro? Eu tenho coisas pra contar que você vai querer ouvir.

— *Por favor.* — A raiva dela estava sendo drenada, transformando-se em medo. Ele poderia mantê-la em Coldtown para sempre. Ela não conseguiria forçá-lo a devolver o sinalizador. Não seria capaz de forçá-lo a fazer nada.

Aidan soltou um suspiro, observando a expressão dela se transformar, e então enfiou a mão no bolso de trás, mantendo a mão em concha, e colocou o sinalizador na mão dela.

— É melhor você tomar cuidado para não deixar ninguém ver isso.

Ela soltou o ar, surpresa e indescritivelmente aliviada. Apesar dos olhos vermelhos dele, apesar de tudo, ela supunha que ele ainda era o Aidan, ainda era seu ex-namorado, ainda era seu amigo, ainda era uma pessoa. O mesmo garoto que ela havia conhecido na aula de artes, o mesmo garoto com os cabelos soltos que sempre estava apaixonado e sempre era sincero, até mesmo quando estava brincando. Ela enfiou o disco dentro da bolsa de cabeça de leão, mas não antes de olhar sorrateiramente para ele para certificar-se de que era mesmo o sinalizador.

— Obrigada.

— O único motivo pelo qual eu o peguei foi porque queria ter uma chance de falar com você de novo, quando as coisas estivessem menos horríveis. Para fazer você me perdoar por tudo que eu fiz.

Ela não se deu ao trabalho de apontar para o fato de que deixá-la ainda mais enfurecida em prol de obter o perdão dela não fazia lá muito sentido. Isso não vinha ao caso agora.

— Não foi culpa sua. Bem, uma parte disso não foi culpa sua.

Ele sorriu.

— Você sabia que Gavriel está nessa festa? Era isso que eu ia te dizer. Eu o vi antes, mas acho que ele não me viu.

Tana virou a cabeça mesmo sem querer, mas todas as faces que viu pertenciam a estranhos. Ela viu os aterrorizantes vampiros de terno preto conversando com Lucien e Elisabet, e, apesar de seu idiota e incorrigível desejo de ver Gavriel mais uma vez, ela esperava que Aidan estivesse errado. Aqueles vampiros estavam caçando-o. Ela lembrou-se das vozes deles, sussurradas pela porta. Lembrou-se da dor dos dentes deles encostados em sua panturrilha, e os olhos mortos e fixos de seus colegas de classe. Não importava do que Gavriel fosse capaz, ela não queria que ele tivesse que encará-los.

Aidan assentiu.

— É. Quero dizer, eu ia dizer oi e tal, mas, quando cheguei mais perto dele, já era. Eu nem vi para onde ele foi.

Tana não queria considerar o que Aidan poderia ter dito a Gavriel sobre ela.

— Nós deveríamos ir embora daqui — ela disse. — Midnight está com você? Porque eu acho que essa festa vai ficar muito insegura dentro de um minuto.

— Ela está aqui procurando um novo lugar para nos entocarmos. Ela quer achar uma família de vampiros para nós. Colegas de ninho ou alguma porcaria do gênero, é como ela se refere a eles.

— E quanto a Rufus e Christobel? — quis saber Tana.

Ele balançou a cabeça em negativa.

— O que tem eles? Ela vai continuar matando seres humanos. Ela diz que, quando o coração deles para, as almas dos humanos arrastam a gente a meio caminho da eternidade enquanto eles morrem e, por um instante, a gente é como algum tipo de deus sombrio encarando o mundo lá embaixo. Que inferno, morro de medo dela, Tana. Eu não quero que ela seja a única amiga que eu tenho aqui.

Ela não sabia o que dizer em resposta a isso. Não era justo que Aidan tivesse se tornado um vampiro. Ele não era como Lucien Moreau ou como os jovens que iam até ali com esperanças de serem transformados. Ele não deveria ter que lutar contra seus impulsos. Ninguém na casa de fazenda deveria ter morrido. Partes inteiras de cidades não deveriam ser isoladas por muralhas como prisões governadas pelos detentos. Crianças não deveriam ter que ficar presas ali dentro, sem ter como sair. Nada disso era justo, e ela não conseguia pensar em uma maneira de consertar nada disso; e a impotência era pior do que qualquer outra coisa.

— Aidan, você tem que... — Tana começou a dizer.

De uma extremidade da sala, por trás de Elisabet e Lucien, uma faca prateada veio voando pelo ar.

A multidão se abriu, ofegando em uníssono. O vampiro sardento da casa da fazenda soltou um guincho, e a adaga curva ficou presa e funda em seu peito. Ele enfiou as garras ali, tentando tirá-la, e depois começou a se encolher, como um balão com todo o ar que continha saindo rapidamente, e a pele foi ficando dessecada, escura e semelhante a papel.

Seu companheiro de cabelos brancos esticou uma das mãos com longos dedos como se fosse possível ajudá-lo. Como se já não fosse tarde demais.

O vampiro de terno estava se encolhendo, e seus dedos se apertavam em garras secas. Ele caiu no chão, e pedaços dele despencaram, rachados, como se ele fosse feito das fibras de um ninho de marimbondos, vazando um líquido que se parecia mais com âmbar do que com sangue.

Todas as cabeças estavam viradas para assistir ao espetáculo, inclusive a de Tana. Ela nunca havia visto nada do tipo, nem no YouTube, nem em documentários, nem na Praça do Suicídio. Nunca havia visto um vampiro ancestral degenerando-se e secando até os restos mortais estarem diante de seus olhos. Eles eram cuidadosos, espertos e quase nunca morriam, certamente não assim. Ela estava tão estupefata que quase não captou o som baixo como o sussurro de um passo impossivelmente rápido.

Foi capaz de registrar a presença de Gavriel logo antes de ele ter alcançado o vampiro de cabelos brancos. Gavriel tinha mais duas facas, cada uma reluzindo em uma das mãos. Lâminas curtas, cruéis, curvas. Ele jogou os braços em volta do vampiro, por trás, puxando-o para perto de si no que parecia um abraço, antes de lançar os braços para os lados, descruzando as lâminas e, como tesouras, decepando a cabeça do vampiro com elas.

O sangue gotejou, escuro e espesso como xarope, antes que ele também começasse a fenecer. O sangue borrifou o terno claro de Lucien, e as faces de quem por ali passava, assim como suas roupas elaboradas, ficaram manchadas com pontinhos escuros, como se o sangue houvesse caído em uma chuva do céu, como uma tempestade de verão em um pesadelo. Tana sentia-o nas bochechas, úmido e ainda quente, como se ele tivesse acabado de se alimentar.

A face do vampiro de cabelos brancos permaneceu congelada em choque ou pesar, sua última expressão preservada enquanto a cabeça saía girando dos ombros. A cabeça atingiu o chão reluzente de mármore de Lucien e saiu rolando para o meio da multidão.

Gavriel voltou-se num giro para Lucien e Elisabet. Foi somente neste momento que Tana percebeu que Lucien havia se mexido, tomando a adaga do corpo do primeiro vampiro caído.

Elisabet deixou escapar um leve som de surpresa.

— Boa entrada, certo? — perguntou Gavriel, e depois olhou para Elisabet. — E que deleite é ver você aqui com ele.

Gavriel estava tão belo como sempre fora, e suas feições estavam acentuadas pela raiva, mas era impossível olhar para ele, salpicado de sangue coagulado, e acreditar que uma vez essa boca estivera na dela. Ele parecia algo saído de uma alucinação sombria, agora, algo terrível e irreconhecível, um deus traiçoeiro do assassinato.

— Nós nos perguntávamos quanto tempo demoraria para que você chegasse — disse Lucien, segurando a adaga como se fosse meramente algo com que gesticular. — Você tomou um caminho tortuoso.

Gavriel deu de ombros.

— O tempo era meu, eu poderia demorar o quanto quisesse.

— Aquele seu pequeno festim na noite passada foi uma coisa e tanto — disse Lucien. — Você sabe que espécie de caos desatou, infectando toda aquela gente?

O canto dos lábios de Gavriel ergueu-se. Seus olhos brilhavam com um deleite insano.

— Não faço a mínima ideia, mas estou ansioso para descobrir.

Com isso, Lucien deu risada. Poderia até mesmo ter sido uma reação honesta.

— Você mudou.

Gavriel reconheceu as palavras dele fazendo uma leve reverência com a cabeça.

— Em uma década, como eu poderia não ter mudado? E que década foi essa!

Lucien encolheu-se.

— Você está zangado porque nós o traímos, e tem todo o direito de se sentir assim. Foi minha culpa e falha minha. É com frequência que eu lamento por isso. — Ele fez um gesto, varrendo o ar com a mão. — Mas olhe para o mundo que você construiu. Quão belo e vibrante ele é. Nós estávamos errados em nos prendermos às sombras e rastejarmos em meio à noite. O seu erro nos libertou a todos. Agora, por fim, você pode ver o que os velhos vampiros temiam.

— Você me deixou acorrentado para apodrecer! — disse Gavriel. Ele e Lucien travaram os olhos um no outro. O primeiro prosseguiu, em voz suave: — E tentou me recapturar para o Aranha. Você nega isso?

— O meu pessoal estava com medo. Elisabet estava preocupada que ele houvesse quebrado você, enviando-o para nos caçar. Os vampiros ancestrais odeiam qualquer um de nós que tenha se adaptado. Eles me odeiam acima de tudo, por televisionar segredos. Nós tentamos capturar você, mas não pelos motivos que imagina.

— Vocês não deveriam se preocupar comigo — disse Gavriel. — Não mais. Todos os pedaços foram costurados de volta quase nos lugares certos.

— O que podemos dar a você, Gavriel? — perguntou Elisabet. — O que podemos fazer para lhe mostrar o quanto lamentamos? Seja lá o que for, nós sabemos que devemos isso a você.

Gavriel lambeu o sangue da faca, limpando-a, varrendo com a língua até a pontinha da lâmina.

— Eu quero ver as cinzas de vocês dois soprarem na face de uma lua vermelha como sangue. — Ela cantou a próxima parte, e sua voz estava repleta de loucura: — ***À luz, à luz, à luz da lua vermelha como sangue.*** Vocês se lembram dessa canção? Eu alterei a letra um pouco.

— Então, nada haverá de satisfazê-lo, exceto a morte? — quis saber Lucien, claramente sem saber ao certo como falar com este novo Gavriel.

— Eu vim trilhando um longo caminho por isso. Odiaria voltar de mãos vazias.

Ele soava realmente louco, pensou Tana. Louco como algum poeta ou profeta. Louco e letal. Ele deu de ombros e abriu um largo sorriso.

— Permita que mostremos, realmente, quão grande é o nosso pesar — disse Lucien, com a voz que havia encantado tantas crianças famintas pelo túmulo, a voz que hipnotizava telespectadores pelo mundo todo. Colocou a mão no ombro de Elisabet, apertando-o levemente. — Permita-nos fazer um pedido formal de desculpas. Vamos nos ajoelhar e implorar pelo seu perdão. Você conseguiria pensar em qualquer outra criatura perante a qual nos ajoelharíamos?

Elisabet olhou de relance por cima do ombro para Lucien, como se estivesse procurando ler na face dele o que estava planejando, mas então, devagar, ela se prostrou de joelhos, com a saia formando uma espécie de lagoa de tecido a seu redor. Ela parecia uma bela suplicante em um santuário.

Até mesmo Gavriel pareceu petrificado de espanto, baixando o olhar fixo nela. Ele juntou as sobrancelhas e ergueu o queixo enquanto tentava se arrancar do controle que Elisabet tinha sobre ele naquele instante.

Lucien moveu-se atrás dela, levando carinhosamente os cabelos negros dela para trás, tirando-os da frente do rosto.

— Ela pegou os meus homens e foi atrás de você. Eles queriam me proteger. Isso não é doce? Mas eu juro a você que não tive nada a ver com isso.

Elisabet ergueu o olhar e lutou para se levantar, mas Lucien segurou um punhado de cabelo e levou a cabeça dela para trás. Então, com a faca do próprio Gavriel, Lucien abriu a garganta de Elisabet. O rio de suas veias se abriu, e o sangue jorrou como água. Ele cortou mais a fundo, separando a cabeça do corpo.

A sala inteira ofegou quando o corpo de Elisabet tombou para a frente, e Tana ofegou com eles. Lucien estava com um minúsculo e estranho sorriso no rosto enquanto o corpo de Elisabet começava a se curvar e murchar, e sua pele cor de mel se enrugava como se fosse cortiça. A boca suculenta feneceu, e as cavidades onde antes estavam os olhos ficaram tão fundas quanto os buracos com cola na bolsa de Tana. Lucien deixou a cabeça dela cair.

Um instante antes, Elisabet havia sido uma das pessoas mais perigosas no salão de baile. Agora ela estava morta. Uns poucos festeiros ajoelharam-se ao lado do corpo como se houvesse ainda alguma coisa a ser feita por ela, como se houvesse apenas desmaiado. Uma mulher com um piercing no nariz e tranças de sereia acariciou a bochecha da vampira, que já fora macia. Um garoto passou o dedo pelo sangue de Elisabet, enfiando-o na boca depois.

— Você vale mais para mim do que ela poderia valer, Gavriel — disse Lucien, afastando-se do corpo dela. — Agora que eu a puni para você, talvez você veja quão sério eu falei. Eu amava Elisabet à minha maneira, mas você é como um filho para mim. Perdoe um pai por seus pecados.

Gavriel deu um passo para trás, e o choque em sua face era evidente.

— Ela realmente merecia isso?

— Você pediu nossas mortes — disse Lucien. — Eu lhe dei a dela. Peça-me mais alguma coisa e eu a darei também. Eu soube, desde o momento em que você conseguiu escapar daquela jaula debaixo do Cemitério Père-Lachaise, que viria até aqui, fosse como meu prisioneiro ou por livre e espontânea vontade. — Abruptamente, Lucien ergueu a voz. — Cortem as transmissões desta sala! Cortem-nas!

Uma a uma, as luzes nas câmeras em volta da sala passaram de verdes a vermelhas.

A multidão que havia se reunido ali começou a murmurar. Tana se perguntou o que significava o fato de Lucien ter deixado o vídeo ser transmitido ao vivo enquanto ele matava Elisabet e somente agora mandar que desligassem as câmeras. O que poderia ser pior do que isso? Ela avançou alguns centímetros em direção à porta, empurrando em meio à multidão.

Gavriel parecia incandescente, tremendo com a prontidão.

— Nós nunca teríamos machucado você — disse Lucien. — Nós sabíamos que, assim que o tivéssemos capturado, poderíamos começar a planejar. Planejar um glorioso futuro e uma vingança muito melhor do que você sonhara, meu querido e perdido amigo. Os modos antigos estão mortos, e está na hora de os velhos morrerem junto com eles.

— Começando por você? — provocou Gavriel, mas seu olhar continuava passando de Lucien para Elisabet, como se ainda estivesse surpreso com o cadáver dela.

— Você não quer realmente me matar — respondeu Lucien. — Olhe para você, está até mesmo lamentando porque Elisabet se foi. Você só quer voltar para casa.

— Ah, é? — perguntou Gavriel.

— Você sabe por que, nos filmes, o vilão hesita antes de matar o herói? Sabe por que ele explica seu plano vil inteiro? Sabe por que você está hesitando agora?

Gavriel curvou de súbito os lábios em um sorriso.

— Sei, sim. Mas aposto que você nunca vai adivinhar.

Lucien seguiu em frente:

— Porque o vilão sabe que, sem o herói para odiar, sua vida será vazia. Uma vez que ele tenha matado o adversário, estará sozinho.

— Então você é o herói? — perguntou Gavriel.

— Todo herói é o vilão de sua própria história, você não acha? — Lucien estava falando com Gavriel, mas fazia a voz soar alta para que chegasse até a multidão dos festeiros ali reunidos. Sabia como atraí-los para si e fazer com que se prendessem a cada uma de suas palavras.

— Eu não acho. — No entanto, Gavriel parecia divertir-se, como se esse estilo retórico lhe fosse familiar. Como se o encantasse; não o show em si, mas a lembrança de Lucien agindo dessa forma.

— Todo herói não está ciente de todas as razões terríveis pelas quais realizou todas aquelas boas ações? Não está ciente de todos os erros que já cometeu e de como boas pessoas se feriram por causa das decisões dele? Não se lembra dos momentos em que não foi nem um pouco heroico? Os momentos em que seu heroísmo levou a mais mortes do que a vilania deliberada jamais poderia ter feito?

Gavriel fitava Lucien como se estivesse fascinado, como se finalmente uma das tentativas de Lucien de conseguir sua atenção tivesse funcionado.

— Você está sozinho há dez anos, talvez há mais tempo do que isso, mas não ficará mais sozinho. Eu conheço você. Eu o conheço melhor do que qualquer um no mundo, e, se você me perdoar, hei de lhe servir vingança o bastante para saciar até mesmo você. Juntos, nós mataremos o Aranha.

A força da mão de Gavriel na faca afrouxou-se.

Tana deu-se conta de que ele ia fazer isso. Ele ia deixar um homem que tinha acabado de matar a namorada convencê-lo a fazer uma aliança com ele, com o cadáver dela ainda no chão entre os dois. Ela virou-se, com repulsa, passando por uma porta e seguindo até o lado de fora da casa.

No gramado, sentiu-se zonza por causa dos cheiros mesclados de incenso e sangue, e sua cabeça havia começado a latejar. Apoiou a mão na parede, perto de um agrupamento de latas de lixo e ferramentas de jardinagem, esperando para ver se ia vomitar. Depois, caminharia até a frente para ver se Valentina ainda estava lá.

— Tana? — chamou a voz de uma garota. Ela ergueu o olhar e viu Midnight, vindo em sua direção do pátio da frente, em um vestido de vinil brilhante. Os cabelos azuis pendiam em volta dos ombros, e ela parecia tão doce e tão calma como se os dois últimos dias nunca tivessem acontecido. — É você?

— É — respondeu Tana, inspirando, tremendo. — Estou bem. Só me dê um minuto.

— Eu tinha esperança de que você viesse à festa — disse Midnight, aproximando-se. O cheiro de podridão emanava dela. — Eu queria agradecer por tudo que você fez na outra noite.

Tana estava prestes a responder "de nada" quando Midnight a agarrou e se lançou à sua garganta.

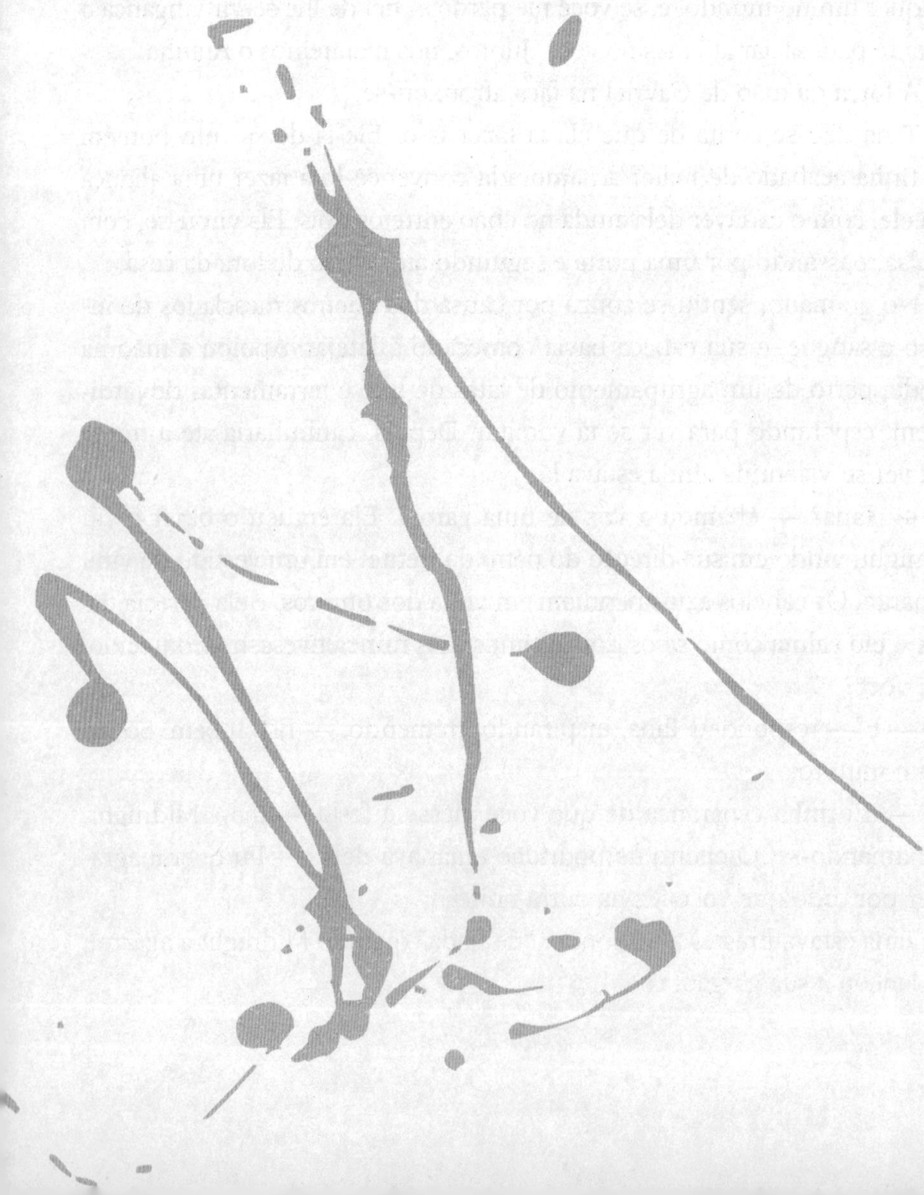

Capítulo 28

Quão chocantes devem ser os teus apelos,
Ó, Morte!

— Robert Blair

Viena, em 1912, era bem diferente de Paris meros vinte anos antes. As ruas eram cheias de automóveis e bicicletas durante o dia e, à noite, a cidade inteira brilhava com luzes elétricas. Os telefones tocavam e os elevadores levavam rapidamente a burguesia acima nos andares de seus palácios alugados ao longo da Ringstrasse, onde os muros da antiga cidade costumavam ficar. Sigmund Freud já havia publicado ***Drei Abhandlungen zur Sexualtheorie***[15] e Carl Jung estava prestes a publicar ***Wandlungen und Symbole der Libido***[16]. A era moderna estava bem avançada, e todo mundo acreditava estar marchando em direção a um melhor amanhã. Porém, prostitutas ainda vagavam pelo chão sobre o qual as forcas haviam ficado penduradas, dispostas a deitar em cima de tumbas pelo preço de um jornal. Outras coisas também vagavam por ali. Viena era uma cidade com as luzes acesas, e ninguém queria admitir o que acontecia no escuro.

Lucien Moreau caminhava pelas ruas à noite em um casaco de lã abotoado até em cima, com Elisabet a seu lado em um vestido de renda com contas e gola alta, todo em creme, dourado e preto. Gavriel estava do outro lado, com um casaco cor de carvão que era quase igual ao do próprio Lucien.

Eles eram criaturas lindas, totalmente fascinantes e inequivocamente quebradas, ponderava Lucien enquanto caminhavam.

---

15. Três ensaios sobre a teoria da sexualidade. (N.T.)
16. Transformações e símbolos da libido. (N.T.)

Provavelmente seriam executados antes do fim da noite, tudo por causa dele. Um vampiro deveria pedir permissão antes de criar uma progênie, e Lucien não havia feito isso. Ele nunca teria recebido tal permissão para nenhuma de suas crias, instáveis como eram.

Gavriel estava meio apaixonado pela morte. Ele havia perdido uma amante para ela, e colocara o próprio irmão em um túmulo, então talvez não fosse nenhuma surpresa que perseguisse assassinos pelas ruas da cidade, afundando as presas em suas jugulares e sorvendo-lhes o sangue. Todas as noites, era como se ele vingasse o irmão, matando alguém em seu lugar.

E só seria necessário olhar para ela para ver a loucura que reluzia por trás dos olhos de Elisabet. Lucien a havia descoberto em Portugal, no julgamento pelo assassinato de seu marido. Ele ficara impressionado com a forma como ela cuspira no chão e declarara que não apenas o havia matado como, se o Senhor reerguesse o marido naquele mesmo tribunal, ela haveria de matá-lo novamente. Lucien e Gavriel tiraram-na da prisão naquela noite; ela fora com eles sem nem olhar para trás, ao menos uma vez que fosse. Quando caçava, ela usava uma navalha em vez dos dentes e atacava as vítimas com tamanha ferocidade que seria amedrontadora em um homem duas vezes o tamanho dela.

E agora ele teria que sofrer o luto por eles. Tentava dizer coisas divertidas enquanto caminhavam pelas ruas, tentava fingir que seria possível que o Aranha, ancestral e terrível como era, os deixasse viver, mas Lucien sabia que, muito provavelmente, sua progênie seria destruída. Vampiros ancestrais regiam sua parte do mundo como senhores feudais, utilizando os mesmos tipos de punições. Talvez Lucien devesse tê-los mandado fugir, mas sabia que nem Istambul, nem Xangai, nem qualquer outro lugar seria longe o bastante para se esconder de uma criatura como o Aranha, que poderia mexer os pauzinhos em sua rebuscada teia de conexões e causar a falência dos bancos em Luxemburgo ou uma revolução na Espanha. Se eles fugissem, ele haveria de rastreá-los pelo mundo.

Além disso, se fugissem, a fuga deixaria Lucien bem encrencado.

Elisabet lançou-lhe um olhar feroz.

— Nós deveríamos matar o Aranha — disse ela. — Matá-lo e drená-lo. O sangue nos concederia todos os séculos de poder dele. Mesmo partilhado, seríamos capazes de estabelecer as regras em vez de darmos ouvidos a elas.

— Não seja idiota — respondeu Lucien, irritado, embora, na verdade, ele tivesse ouvido que houvera um Aranha antes deste, que fora morto da forma proposta por Elisabet. — Se você der um passo sequer contra ele, todos nós estaremos mortos. É importante que você mostre a ele que eu lhe ensinei o devido respeito por seus anciãos.

— Então talvez você devesse ter nos ensinado isso — disse Gavriel, em sua voz suave e controlada.

Lucien desferiu um olhar pungente a ele. Uma das coisas que o haviam atraído a Gavriel era que, por mais que o jovem estivesse perdido em seu lamaçal de pesar, havia vezes em que ele pensava e via as coisas com uma clareza enervante. Mas Lucien não gostava de ter uma visão tão afiada voltada contra ele.

Lucien sabia quem era, quão profundamente havia mergulhado na depravação e na crueldade, quais ambições o impulsionavam. Ele se orgulhava de saber dessas coisas — mas isso não queria dizer que precisava que qualquer outra pessoa as visse também.

Eles seguiram em direção a uma mansão fortificada na velha cidade, cuja fachada era toda em mármore e pedra entalhados. Os portões estavam levemente abertos, e Lucien entrou sorrateiramente, passando com cautela pelas cercas-vivas cuidadosamente aparadas, seguindo em direção a uma grande porta dupla vermelha com uma aldrava de latão na forma do rosto de uma mulher agonizante. Conforme Lucien erguia a aldrava, percebeu que a dobradiça do mecanismo de bater à porta ficava entre os dentes dela, fazendo com que parecesse um freio de montaria.

Gavriel ergueu ambas as sobrancelhas para Elisabet, que revirou os olhos.

Isso deveria deixar Lucien satisfeito, o fato de que eles se comportavam como irmãos, mas ele se ressentia disso. Fazia com que ele sentisse que, por mais que os comandasse, os dois ainda mantinham seus segredos.

— Ele gostaria de ver você assim, eu aposto — disse Lucien, apenas para ver Gavriel ficar embaraçado e Elisabet bufar de desdém, apenas para mostrar a eles que tudo, até mesmo as piadas deles dois, pertencia a ele. A Morte poderia roubá-los logo, mas, até então, eles eram dele.

Uns poucos instantes depois, uma mulher de ombros caídos veio até a porta. Ela trajava um vestido escuro, e os cabelos grisalhos estavam puxados para trás, em um coque trançado.

— *Guten Tag*[17] — disse ela, e conduziu-os mansão adentro.

Acompanhando-a, eles passaram por muitos aposentos com tetos pintados com afrescos, retratando imagens de batalhas, os mortos e os moribundos olhando para baixo de recessos em linhas douradas. Globos elétricos pendiam como frutas de candelabros, refletidos em painéis espelhados. Passaram por sofás de brocados e mesas com entalhes tão elaborados quanto as molduras de gesso nas paredes.

Ela conduziu-os até outro pátio, este com um único espinheiro no centro. Uns poucos guardas pessoais do Aranha, um tanto quanto pretensiosamente conhecidos como a *Corps des Ténèbres*[18], estavam parados, em pé, ali nos arredores, conspícuos em seus longos robes. Também em pé, ao lado da árvore, estava um vampiro muito alto e magro, trajando um casaco de botões cor de carvão com colete e calça. A corrente de um relógio corria de seu bolso até debaixo do colete, e um anel com um sinete com um entalhe vermelho-dourado, ainda cheio de cera, reluzia ao brilho das lamparinas a gás. Os olhos vermelhos e velados miravam-nos de uma face saturnina com uma testa alta e uma boca de envenenador. Não havia como se enganar quanto a quem ele era, apesar das vestimentas e do comportamento comuns. Ele exalava uma espécie de poder que era quase um empuxo gravitacional.

Elisabet olhava-o fixamente, com uma terrível espécie de fascinação. E Gavriel parecia estar tentando não olhar para lugar nenhum que fosse.

— Ah, Lucien — disse o Aranha, caminhando na direção deles, tirando as mãos dos bolsos para acender a ponta de um cigarro com um reluzente isqueiro dourado. Seus dedos terminavam em unhas longas e amareladas, como as garras de algum pássaro, e Lucien se perguntou quantos séculos mais se passariam antes que ele acordasse com mãos como aquela. — Foi bondade sua ter vindo.

A criada retirou-se dali, com um olhar reverente de relance na direção do mestre.

17. Bom dia, em alemão. (N.T.)
18. Tropa das Trevas, em francês. (N.T.)

— Eu sempre estou às suas ordens — disse Lucien, com uma reverência curta. Ele odiava vampiros antiquados, odiava os tolos palácios deles e a forma como esperavam que alguém se mostrasse demasiadamente solícito. Aqui, dentre todos os paramentos da moderna Viena, alguém poderia ficar tentado a pensar que a era dos monarcas ficara no passado, mas, quaisquer que fossem as revoluções em qualquer outro lugar no mundo, nenhuma provavelmente ocorreria entre a sombria governança dos vampiros.

O Aranha bufou de desdém.

— Você é o filho de um fazendeiro que cultivava maçãs em uma cidadezinha na Normandia, não importa o quanto brinque com as consequências.

Oh, e havia ele mencionado o quanto odiava a ridícula obsessão deles com a ancestralidade, como se importasse que sangue corria nas veias de alguém quando todo esse sangue era roubado? Lucien mordeu a língua e não disse nada.

O Aranha voltou-se para Gavriel, apontando para ele com uma unha que parecia uma garra, fazendo com que se encolhesse.

— À primeira vista, eles não parecem tão indignos assim para que você os tenha ocultado de mim, Lucien. Por que não os apresenta como deveria ter feito? Existe algum motivo pelo qual eu teria proibido que você os transformasse?

Apenas que um deles é um psicopata e o outro tem o que Freud chamaria de uma poderosa ânsia pela morte? Mas qual é qual?

— Eu sou impulsivo — disse Lucien, prontificando-se a fazer um discurso de arrependimento. — Mas não tinha más intenções. Eu os ensinei a caçar e matar, ensinei-os a deixarem poucos traços de sua passagem pelo mundo. Eles não fizeram nada de errado além de terem nascido, e nisso também são inocentes. Eu sou o criador deles. Este crime é meu.

— Sim — disse o Aranha.

Lucien teria dito mais, porém essa única palavra fez com que ele repensasse. Nunca havia achado que receberia uma verdadeira punição. Olhou de relance para os dois membros da *Corps des Ténèbres* à vista e reconsiderou o plano de Elisabet. Não, ainda seria melhor sair correndo se as coisas chegassem a esse ponto.

— Lucien Moreau, eu aceito a sua confissão. O nosso poder vem de nossos pequenos números, de nossa discrição, de nossa fidelidade às poucas regras que temos. A sua morte é justa, pois servirá de aviso para outros como você, que são igualmente impulsivos.

O vampiro ancestral colocou de leve a mão com garras sobre o ombro de Lucien, que se virou e olhou no rosto do Aranha, perplexo por um instante. Porém, então ele sentiu um tremor percorrer-lhe o corpo. Pois viu, naquele instante, que todas as roupas refinadas e as palavras civilizadas do Aranha não passavam de uma máscara. Por baixo disso havia algo antigo e selvagem, que nada temia e apenas *tinha fome*. Lucien sentiu os joelhos fraquejarem e se curvarem como se alguma força invisível o oprimisse. Ele foi para o chão com um gemido.

Gavriel ofegou.

— Não! — gritou Elisabet, jogando-se no chão ao lado de Lucien em um oceano de saias e rastejando em direção ao Aranha. — Não, por favor, poupe-o! Ele é o nosso pai, nosso irmão, nosso mestre. Foi ele quem nos concedeu a vida eterna. Por favor!

O Aranha ergueu uma das mãos e ela se acalmou. Pela primeira vez em uma centena de anos, Lucien realmente estava com medo.

— Que um de vocês tome o lugar dele, então. Algum de vocês fará isso?

Por um longo instante, a progênie de Lucien ficou em silêncio. Ele cerrou os olhos, amaldiçoando a ambos em seus pensamentos.

— É certo e bom — disse o Aranha — que um pai morra antes dos filhos. Vocês estão certos em deixar que ele siga seu fado.

— Não — disse Gavriel. — Espere. Eu tomarei o lugar dele. Levante-se, Lucien.

Lucien olhou para Gavriel, cujos cachos negros caíam por sobre as bochechas, e agradeceu a qualquer que fosse a sabedoria que lhe fizera transformar em vampiro um homem capaz de aproveitar toda e qualquer oportunidade de jogar sua vida fora. Lucien esperava não ter que assistir à execução dele.

— Você tem certeza? — disse o Aranha, e seus mesquinhos olhos perfuraram o garoto, despindo-o com o olhar.

Gavriel assentiu com rapidez, claramente enrijecendo-se como aço. Ele começou a ajoelhar-se.

O Aranha balançou a cabeça, sorrindo.

— Pode permanecer em pé. Você é leal e corajoso, duas qualidades que não se encontram com frequência entre os de nossa espécie. Que desperdício seria matar tão rara criatura. Não, a minha sentença é que você caçará para mim; caçará outros como nós. Você será um dos meus Espinhos, e seu tempo de serviço durará por toda a sua vida ilicitamente concedida.

— Eu não vou morrer? — perguntou-lhe Gavriel, claramente confuso.

Ele olhou na direção de Lucien, mas este estava incapaz de falar, a possessividade inflamando-o como a uma chama. Gavriel era *seu*, feito de seu sangue, vivo por causa de seu capricho, era seu para zombar, adorar ou destruir. E, se Gavriel não fosse seu, então Lucien preferiria que ele fosse riscado da face da Terra.

— Não. — O Aranha deu uma longa tragada no cigarro, parecendo uma espécie muito moderna de monstro, apesar da idade. Apesar do que Lucien havia visto em seu rosto. — Ah, não, você me dará o presente dessa lealdade.

O que Lucien mais odiava em relação aos vampiros ancestrais, decidiu ele, era a forma como haviam estudado a crueldade por tanto tempo a ponto de saberem como ferir ainda mais os outros.

Não será sempre assim, pensou Lucien, como em uma promessa solene.

E não foi.

[illegible]

O Aranha balançou a cabeça, [illegible]

— Pode [illegible] em [illegible] você [illegible]. Mas qualidades que não se [illegible] com [illegible] de [illegible]. [illegible] [illegible] para mim, [illegible] [illegible]

— Eu não [illegible]

Ele [illegible] de [illegible] mas este [illegible] [illegible]

[illegible]

[illegible]

Não era sempre [illegible] [illegible]

Capítulo 29

Enquanto eu achava que estava aprendendo
a viver, eu vinha aprendendo a morrer.
— Leonardo da Vinci

Midnight levou Tana ao chão, seu peso e a rapidez do ataque bastando para deixá-la sem equilíbrio. Ela caiu em meio às latas de lixo, com o acre fedor do entulho envolvendo-a.

Tana ergueu o olhar para o céu por um estranho e lúcido momento, vendo as estrelas se espalharem nele como um tapete acima delas. Então, deu um chute no estômago de Midnight.

Surpresa, a vampira soltou a garganta de Tana, que foi correndo para trás. Porém, antes que ela conseguisse se pôr de pé, Midnight se jogou novamente para cima dela, agarrando seus braços e sentando-se em cima de suas pernas. Imobilizada, Tana pôde apenas tentar esticar a mão para pegar o cabo de madeira de um ancinho que parecia pouco além do alcance.

— Qual é o problema com você? — Tana exigiu saber, mexendo os dedos pela terra. — Eu te ajudei!

— Me ajudou? Eu não precisava de você e dos seus olhos, só observando e julgando. Você vai tentar levar Winter para longe de mim de novo. Deixá-lo ao sol para assar e apodrecer. Ele é meu. Vou enterrá-lo onde eu quiser. — Tana não sabia se essa energia e violência maníacas sempre estiveram em Midnight ou se ter sido transformada a havia deixado desse jeito, mas Midnight parecia a garotinha que havia se esquecido de alimentar o seu hamster e então, tendo encontrado o bichinho morto, se importava mais com a decoração da caixa de sapatos que serviria como caixão dele do que com o que ela havia feito. — E agora você está tentando tirar Aidan de mim também. Isso não é justo.

Tana por fim conseguiu segurar no ancinho e trouxe-o abaixo com o máximo de força que pôde. O objeto atingiu o ombro de Midnight, que não era exatamente o que Tana pretendia, mas isso fez com que a vampira se encolhesse, rosnando. A garota atingiu-a novamente. Desta vez, a madeira acertou a cabeça dela. Midnight apanhou o ancinho e partiu-o ao meio, jogando as duas pontas irregulares em meio ao lixo.

Naquele instante, Tana conseguiu soltar-se e começou a correr em direção à casa, mas Midnight a pegou, arrastando-a de volta em meio à terra. Tana tentou se virar, fazendo força junto ao chão. Ela ergueu-se no exato momento em que a vampira afundou os dentes em seu pescoço.

A dor se espalhou pelos nervos de Tana. Aquilo doía, doía mesmo. Era como sua mãe arregaçando-lhe o braço, tudo de novo. Porém, enquanto ela gritava, uma espécie de dormência gélida começou a se espalhar por suas veias e, depois disso, um prazer aveludado que a consumia. Aquilo corroía as bordas de seus pensamentos, fazendo pressão sobre ela para que caísse mais a fundo nas trevas. Ela ainda sentia a boca de Midnight movendo-se em seu pescoço, ainda sentia a ferroada dos dentes e o puxão do sangue sendo drenado, mas todas aquelas sensações estavam ficando cada vez mais indistintas. Em vez disso, era como se ela estivesse sendo devorada por chamas frias, e cada lambida daquele fogo negro fazia com que Tana estremecesse com uma agonia arrebatadora.

Ela chutava e arranhava com as unhas, raspando inutilmente os braços de Midnight. A vampira mantinha Tana presa com firmeza, puxando-a mais para perto de si. A bolsa de leão estava presa entre a cintura de Tana e o chão, mas ela mal se deu conta desse pequeno desconforto.

Era tão difícil irromper dentre as sensações e *pensar.* Tudo estava ficando mais nebuloso. As sombras estavam se aproximando dela. Quando Tana abriu os olhos, tudo que viu foi o borrão dos cabelos azuis de Midnight.

Pense, disse a si mesma, confusa. *Pense.*

Tana forçou sua mão a se fechar na carapaça de metal da bolsa e empurrar a fechadura, deixando que o dinheiro, o sinalizador e tudo mais caíssem na terra. Ela tateou em meio às coisas caídas, procurando por algo, mas não mais se lembrava do que era.

Foi lavada por uma onda de abençoada fraqueza. Estava tão cansada. E seus ouvidos, cheios de um som abafado e distante que parecia lento demais, como a batida do tambor no momento em que a música estava prestes a acabar.

Então, seus dedos se fecharam em um objeto que ela reconheceu. A água de rosas que havia pegado de uma das bolsas na festa de Lance. Puxando e tirando a tampa, desajeitada, ela borrifou o conteúdo do frasco na cara de Midnight.

A vampira soltou um grito.

Tana voltou com tudo à realidade. Ela estava deitada na terra, prestes a morrer. O pânico atingiu-a com tudo e ela lutou para levantar-se, mesmo que estivesse oscilando, sem firmeza nos pés. Apanhou o que conseguiu encontrar no chão, segurando a arma patética erguida enquanto caía de encontro às latas de lixo e, depois, de encontro à parede.

O rosto de Midnight estava vermelho ao longo de um dos lados, como se ela tivesse sido escaldada. Retraindo os lábios sobre os dentes, ela sibilou como um gato e foi correndo para cima de Tana.

A garota teve uma lembrança súbita e vívida do professor na aula de arte explicando como o entendimento da anatomia era importante para desenhar modelos vivos. Ele havia pegado emprestado um esqueleto da sala de biologia e começara a falar sobre ulnas e tíbias, quando Marcus Yates, o traficante de maconha mais confiável da escola, falara alguma coisa sobre dar uma facada em alguém de modo a acertar o coração da pessoa. *Logo abaixo da quinta costela,* ele havia dito.

Ela não teve tempo para contar, mas lembrou-se daquelas palavras enquanto levava para cima o pedaço de madeira que havia apanhado, o pedaço partido do ancinho, e o acertava com tudo na lateral do corpo de Midnight, empurrando-o em direção ao coração dela.

Midnight soltou outro grito, debatendo-se enquanto Tana empurrava a arma mais a fundo, usando-a como se fosse uma lança. Então, abruptamente, a vampira ficou como morta. Seus olhos estavam fechados, mas a boca pendia aberta, e uma terrível careta distorcia as feições.

Tana caiu para trás, limpando a mão ensanguentada no vestido, pasma demais para processar direito o que havia acontecido. Ela sentou-se na terra, tremendo de horror e frio.

Levanta, Tana, disse a si mesma. *Levanta e cai fora daqui. Você está com o sinalizador. Vai!*

Rapidamente, sem olhar para o corpo de Midnight, Tana enfiou suas coisas de volta na bolsa e levantou-se, apoiando-se na lateral da casa de Lucien Moreau. A luz vazava para fora da janela de vidro escurecido, chocantemente brilhante. Parecia borrar sua visão.

Não pensa nisso. Vai! Continua seguindo em frente, devagar, até chegar ao portão. Você pode dormir no seu carro. Vai!

Tana deu quatro passos, cambaleando, antes de dar-se conta de qual era o problema com seu plano.

Midnight a havia mordido. Ela estava infectada. E, desta vez, não seria algo contra o que seu corpo conseguiria lutar e vencer. Não haveria como resistir, não haveria controle algum. Ela seria como Aidan, ou pior. Caiu de joelhos, e todos os seus pensamentos eram um motim de negação.

Então a porta se abriu e dois vampiros desceram os degraus. Vestiam calças jeans pretas surradíssimas e casacos escuros. Um deles estava fumando um cigarro, mas jogou-o para o lado no momento em que a viu.

— Levante-se — disse ele.

Ela começou a rir, mas o som saiu mais como se estivesse engasgando.

— Não consigo.

— Você matou uma vampira — ele a informou, apontando para uma câmera alta na lateral da casa. — Lucien vê tudo o que se passa aqui. E ele não gosta de humanos atacando os convidados dele.

— Bem, que bom, então — murmurou Tana, ainda com um sorriso largo e idiota no rosto —, porque não foi isso que aconteceu. — Sendo Lucien um vampiro, ele poderia não ver as coisas desse jeito, mas ficava difícil se importar muito com isso quando tudo doía.

Enquanto os guardas a pegavam, Tana sabia que deveria gritar, implorar, chutar ou chorar, mas não tinha mais forças para lutar. Deixou que a erguessem e carregassem de volta para a festa. Eles a levaram por uma entrada que ela não havia visto antes até uma pequena sala hexagonal, que estava vazia, exceto pelas estantes embutidas de livros que cobriam as paredes e um canapé, onde a jogaram.

Tana não sabia ao certo quanto tempo ficara ali sentada antes de Lucien Moreau entrar na sala. Ele havia trocado de roupa e agora vestia uma camisa azul com uma calça larga e cinza, parecendo tão relaxado quanto sempre. Porém, de perto, Tana notou um cheiro violento preso a ele, como de carne estragada. Agachando-se, ele pegou o maxilar dela entre três dedos e virou-lhe o rosto para um lado, depois, para o outro. Então, sorriu, expondo as presas. Ela sentiu a força de ferro na mão dele e a terrível indiferença de seu olhar, como se ela fosse um animal e ele estivesse considerando qual seria a melhor forma de abatê-la.

— Você matou uma vampira na minha festa — disse Lucien a ela. Balançou a cabeça, como se ela estivesse bem encrencada e como se fosse uma garota muito sapeca.

— Você também — disse Tana.

Se ela ia morrer, poderia muito bem morrer sendo sarcástica. Ela havia visto muitos filmes antigos e, definitivamente, essa era a saída. Como se fosse Humphrey Bogart ou Clark Gable, não ligando a mínima. Queria fazer com que Pauline e Pearl, e até mesmo seu pai, tivessem orgulho dela quando assistissem à transmissão; se ela pudesse ser um pouquinho engraçada antes, talvez a parte de sua morte fosse algo menos horrível de ver.

Um canto da boca de Lucien ergueu-se, como se talvez ele apreciasse um pouco de ousadia em sua presa.

— A festa é ***minha***!

Ela pensou nas paredes da casa de fazenda de Lance, manchadas com faixas de sangue. Pensou em Imogen, a dos cabelos cor-de-rosa, com os olhos fixos e pálidos.

— A culpa é sua — disse ela, confusa e vaga. — Você. Você é o motivo.

Ele olhou de um jeito estranho para ela.

— Eu gosto de quando vocês, humanos, não se dão ao trabalho de lamentar, mas é um pouco demais dizer que a culpa é minha.

— Então, o que acontece comigo agora? — Ela lembrou-se de garotas e garotos infectados acorrentados às paredes da sala de estar, servindo de alimento para vampiros. Talvez ela se tornasse um desses. Ou talvez ele simplesmente a matasse. Talvez ela pudesse tentar matá-lo, se ao menos conseguisse se levantar.

Lucien olhou para ela, como se estivesse pesando aquela mesmíssima pergunta.

Então ele deslizou a mão pelo maxilar dela até a garganta, inclinando a cabeça dela com uma precisão fria. Tana inspirou fundo, esperando pelo ataque, tateando nas almofadas em busca de alguma arma. Estava quase acabando, disse a si mesma.

Então os dedos dele esbarraram de leve no colar de granadas dela, e a expressão de Lucien ficou diferente.

— Isto em sua garganta é belo. Onde você o arrumou?

Ela não hesitou.

— Gavriel.

Os olhos de Lucien ficaram uma mínima fração mais abertos, analisando-a como se ele nunca tivesse se dado ao trabalho de realmente olhar para ela antes. O vampiro levantou-se e saiu, batendo a porta com tudo atrás de si. Tana foi lavada por uma onda de medo, mas sentia-se tão cansada e zonza por causa da perda de sangue que nem mesmo conseguia se aguentar acordada. Levantou-se e então deslizou para o chão.

Ela pensou em Gavriel, em como ele estivera no começo daquela noite, com as adagas curvas e a canção insana. Imaginou se ele viria cantar para ela.

Tana caiu em um cochilo inquieto, encurvada e enrolada no carpete.

Ela recobrou os sentidos deitada na pedra fria, com algo macio colocado debaixo da cabeça.

— Levanta — Valentina estava lhe dizendo, sacudindo seu ombro. — Tana, você tem que levantar.

Ela tentou abrir os olhos, mas eles pareciam grudados uns nos outros e não queriam se mexer. os braços e pernas pareciam tão pesados que ela achou que poderia afundar bem ali pelo chão.

— Ela perdeu muito sangue — disse uma voz que não lhe era familiar, a voz de uma garota. Ecoou na sala. — Ela está totalmente coberta de sangue. Não tem como sobreviver.

— Eu não acho que esse sangue seja *dela* — disse um menino.

Tana esticou os dedos e tocou em barras de aço, gélidas em contato com sua pele. Ela não sabia ao certo onde poderia estar. A sala tinha um cheiro de coisa úmida, junto com o odor vagamente mineral de porões. *Abra os olhos,* disse a si mesma, mas não conseguia.

— Alguém! — gritou Valentina. — Ela está muito doente. Alguém, por favor!

Quando Tana acordou novamente, estava deitada em uma imensa cama em um aposento parcamente iluminado. Seu braço estava acorrentado à cabeceira de latão e havia um longo fio de injeção intravenosa que ia do braço até um saco de fluido transparente pendurado em um gancho que fora de um quadro, na parede, acima de uma mesinha de cabeceira. Alguém havia tirado o quadro dali e o trouxera para baixo, apoiando a moldura dourada em uma cadeira.

Ela ainda sentia dor, praticamente no corpo inteiro.

— Quando se está em perigo, tudo se torna mais claro, não? — disse Gavriel baixinho, em um tom que a fez estremecer. Ele estava sentado do lado oposto ao da injeção intravenosa, em uma cadeira de couro ao lado de uma penteadeira, e seu rosto estava nas sombras. — Todo o resto se esvanece. O perigo é um vício terrível, mas é disso que eu gosto, da clareza de pensamento que ele provê. E você?

E, mesmo que ela o conhecesse havia menos de uma semana e muito do que realmente soubesse sobre ele fosse horrendo, ao vê-lo, Tana deixou escapar todo o ar de uma só vez. Ela se permitiu cair de volta na cama, leve com o alívio. Sabia que não deveria se sentir desse jeito em relação a um monstro, mas, naquele exato momento, não queria mais nada além de um monstro só seu.

— O que está acontecendo comigo? — ela perguntou, por fim, e depois agitou o braço, indicando o fio e os tubos. Será que havia sonhado com a voz de Valentina?

— Quem dera fossem as águas do Lete, o rio do esquecimento, entrando em suas veias. — Ele inclinou-se para a frente, de modo que a parca luz da janela escurecida mostrasse a curva de sua boca e a forma como os cílios escuros roçavam as bochechas quando ele abaixava os olhos. Parecia muito jovem e muito velho ao mesmo tempo. Então, um canto da boca vermelha se ergueu em um sorriso torto. — Mas, ah!, a resposta é meramente que você perdeu muito sangue e nós estamos lhe dando soro.

— Como aquilo que as pessoas que usam lentes de contato colocam nos olhos? — ela perguntou, percebendo que provavelmente ele não fazia a mínima ideia do que ela estava falando.

Ele pegou a bolsa dela de onde descansava ao lado da cama e chacoalhou-a com gentileza.

— Caso você esteja preocupada, está exatamente como você a deixou.

Ela assentiu.

— Obrigada. Embora eu ache que a pergunta de se algum dia eu vou usar esse sinalizador está bem no ar agorinha mesmo.

— Você deveria ter me deixado comer a garota naquele estacionamento — disse Gavriel, erguendo as sobrancelhas.

Surpreendentemente, isso fez Tana rir. Não era apenas que o que ele havia dito fosse engraçado — era o jeito travesso como ele o dissera, como se esperasse que ela entendesse a piada, como se esperasse que ela entendesse que ele estava brincando. Tana se sentiu menos bizarra por estar confortável quanto ficava perto dele ao pensar que ele sentia o mesmo, ao menos um pouco.

— Não é tão ruim assim — disse Gavriel, levantando-se e indo sentar-se na ponta da cama. O ar de diversão havia sumido de sua face enquanto ele observava a própria mão alisando as cobertas. — Você é mais nova do que eu era quando fui transformado e mais adaptável do que eu me lembro de ter sido. Você será maravilhosa.

Por um instante, ela não entendeu o que ele estava dizendo, e então ela se deu conta: é claro, ele deveria saber que ela estava infectada. Lucien havia visto a luta que ela tivera com Midnight, e Gavriel deveria ter visto aquilo também, considerando o que acabava de dizer. Certamente ele podia ver as marcas de mordida na garganta dela.

— Eu não vou ser uma vampira — disse Tana, tentando fazer com que sua voz soasse mais carregada de certeza do que realmente tinha.

Lembrou-se do som da mãe gritando do porão, pedindo sangue, disposta a afundar os dentes no braço da própria filha. Lembrou-se de Aidan lançando-se para cima dela no quarto de hóspedes de Lance quando ela desatara a mordaça. O que Tana faria, assim que a infecção se insinuasse dentro de seu cérebro, de forma que não haveria nada além da necessidade de sangue e da disposição de fazer qualquer coisa que fosse para consegui-lo? Assim que ela houvesse ficado totalmente Resfriada, Resfriada da cabeça aos pés. Então ela gritaria, soltaria ameaças e imploraria por sangue.

Seus olhos começaram a ficar marejados e ela piscou para limpar as lágrimas. Não havia chorado desde o posto de gasolina e não ia chorar agora.

— Tana — disse Gavriel, em tom de impotência.

— De quem era o colar que você me deu? — ela quis saber, limpando os olhos com a mão livre. — Lucien o reconheceu.

— Esse colar pertencia à minha irmã — respondeu ele, em uma voz tão baixa que ela teve certeza de que havia mais que apenas isso por trás da história do colar. Então ele sorriu. — Mas Katya já morreu há muito tempo, e não tenho motivos para ficar com ele quando eu mal o uso.

— Mal o usa, é? — disse Tana. — Eu aposto que granadas ficam bem em você.

Ele sorriu, distraído, parecendo estar pensando em outra época. Fosse o que fosse, isso acalmou suas feições e fez toda a sua face parecer mais suave e muito jovem.

— Ela estava com o colar em Paris, quando conheceu Lucien e Elisabet. Nós fingimos beber champanhe com ela em um salão de ópera de uma mezzo-soprano no Montparnasse. Eu imagino que Lucien se lembre do colar porque ele não tirou os olhos da garganta da minha irmã a noite inteira.

A forma casual como ele disse isso, com um afeto genuíno, fez com que Tana acreditasse que Lucien — assim como, provavelmente, Elisabet — havia sido um amigo de verdade naquela época. Tana pensou em quão divertido devia ter sido, uma vez no passado, ser vampiros e ter a eternidade estendendo-se à frente deles, um parque de diversões noturno e infindável. Eles deveriam ter se sentido como anjos todo-poderosos, olhando para o mundo do alto, de suas janelas, optando por poupar cada transeunte.

Ela gostou de pensar nisso, até mesmo enquanto seu corpo parecia pesado de exaustão.

— Eu ouvi todas as coisas que Lucien disse a você — contou Tana, forçando a mente a voltar ao presente. — Você não pode mesmo acreditar nele, pode? Quero dizer, você tem que estar um tanto quanto cético, certo?

— Você está me perguntando se eu achei que Lucien matou Elisabet porque ele não queria que ela me contasse alguma coisa? Na verdade, sim, eu pensei nisso. — Ele levantou-se e aproximou-se dela, tirando os cabelos de Tana da frente do rosto. — Mas eu e Lucien vamos resolver nossos ressentimentos depois da chegada do Aranha. E em breve contarei a você todas as minhas histórias; chega de enganos. Mas agora a noite está chegando para você. Nós teremos amanhã e amanhã e amanhã.

Tana esforçou-se para sentar-se, com a algema prendendo-a à cabeceira da cama.

— Não! Depois eu não vou ser eu mesma!

— Ah, será, sim — disse ele baixinho, caminhando até a porta. — Nós nos cultivamos debaixo de tantas ilusões em relação a nós mesmos até que somos desnudados. Estando infetados, sendo vampiros, somos sempre nós mesmos. Talvez até mais nós mesmos do que jamais fomos antes. Nós, destilados. Nós, cozidos até virar molho. Mas somos sempre nós, como sempre fomos, bem lá no fundo.

Ela parou de se esforçar para sentar-se direito, horrorizada com a lembrança do rosto de Midnight transformado pela fúria e aqueles dentes afundando em sua garganta. Horrorizada com a lembrança da voz de sua mãe no escuro. Horrorizada com o pensamento de que ela poderia ficar do mesmo jeito, ou pior, e que isso seria ela, seria realmente ela fazendo essas coisas. Mas Gavriel deveria saber da verdade; ele fora humano, estivera infectado, fora transformado.

Além disso, ela havia matado Midnight. Ela já havia feito essas coisas, já sabia que era capaz disso.

— Antes de você ir, só me diga uma coisa — falou Tana. — Diga por que você vem sendo tão legal comigo. Eu sei que foi por sua causa que Lucien me deixou viver. Ele não estava planejando me dar soro nenhum e nem me colocar em alguma cama chique antes de eu ter mencionado o seu nome. E eu não sou ninguém especial. Não estou dizendo que eu não seja inteligente, nem uma pessoa perfeitamente legal ou algo do tipo, mas não sou...

Quando ela começara a falar, ele havia andado até o meio do aposento e parara, de costas para ela. Então, foi até o pé da cama, as mãos agarrando-se ao gradil de metal. Sua face parecia uma máscara. Por fim, ele a interrompeu:

— Tana. Em toda a minha longa vida, embora houvesse muitas vezes em que rezei por isso, ninguém jamais me salvou. Ninguém, a não ser você.

Ele estava olhando para ela com uma expressão tão intensa que ela teve que se desviar daquele olhar. Não conseguia pensar em uma resposta. Sentia-se um pouco idiota por ter feito a pergunta e um pouco envergonhada com a resposta dele. Talvez fosse melhor se ele fosse embora e depois voltasse; talvez, se estivesse menos mal e menos cansada, ela se sentisse menos vulnerável.

Gavriel foi andando até a lateral da cama. Tana encolheu-se com a aproximação dele, repentinamente nervosa. Ele parecia um estranho novamente. Os olhos pareciam pretos em vez de vermelhos sob a parca iluminação do quarto, e ela pensou em como deveria ter sido debaixo de lamparinas a gás em uma cidade do outro lado do oceano.

Ele pegou a mão livre dela e ergueu-a até a boca, beijando-lhe o dorso como se fosse aquele cavalheiro cortês novamente.

— Durma, Tana — disse, colocando a mão dela de volta em cima da barriga, os dedos dele apenas um pouco mais frios do que os dela. — Durma enquanto pode.

Ele parecia querer dizer mais alguma coisa, mas então se levantou. Foi caminhando até a porta e, desta vez, Tana não o fez parar. Ela ouviu uma tranca girar do outro lado da parede.

Ótimo, pensou. *Perfeito*. Acorrentada a uma cama em um quarto trancado. Mas pelo menos, uma porta trancada poderia manter do lado de fora todo o resto do pessoal da casa de Lucien Moreau. E, pelo menos, se ela estava ali trancada, não importando quão ruim ficasse a infecção, não seria capaz de machucar ninguém.

Ela caiu pesadamente na cama, soltando um gemido, tentando esvaziar a mente. Logo estaria doente, e depois? Ela gritaria e choraria, e, ou Lucien a mataria por irritação, ou Gavriel lhe daria sangue. Seriam necessários oitenta e oito dias para eliminar o veneno pelo suor do corpo. Ninguém a protegeria de si mesma durante esse tempo. Se quisesse não se tornar uma vampira, teria que cair fora dali e encontrar algum lugar para se entocar. E, para fazer isso, precisaria estar menos cansada e dolorida. Gavriel estava certo. Ela precisava dormir, curar-se e deixar que o soro fizesse seu trabalho.

Ela não conseguia. Todas as vezes que fechava os olhos, pensava que podia sentir a infecção insinuando-se por sua pele. Não conseguia parar de se perguntar se já estava ficando Resfriada, não conseguia parar de se preocupar com o fato de que, quando acordasse, já estaria louca demais para fazer quaisquer planos que não envolvessem atacar a primeira pessoa que passasse por aquela porta. E, quando conseguiu tirar esses pensamentos da cabeça, Tana pensou em Gavriel. Parecia impossível acreditar que ele a havia pressionado junto a uma parede e que a havia beijado, o corpo dele contra o seu, suas mãos embrenhadas nos cabelos dele, e ele com a expressão de um homem completamente perdido.

Para se distrair, Tana ficou analisando o quarto em que estava aprisionada.

Havia coisas demais ali para que se tratasse de um quarto de hóspedes. Havia pilhas de livros nas mesas laterais e um cálice de vidro com um aro de algum líquido escuro e seco na base. Havia uma penteadeira de madeira nodosa, repleta de jarros abertos e escovas. Um par de longos e reluzentes brincos de ouro com pedaços de jade havia sido jogados de forma negligente em uma gaveta aberta, junto com um grande amuleto.

A porta do closet estava parcialmente aberta, e a saia de um vestido preto, visível. Virando a cabeça, Tana tentou ver melhor a pintura que havia sido colocada no chão para que o saco de soro pudesse ser pendurado no lugar. Se fizesse força puxando a mão algemada, poderia simplesmente ver a forma de um belo santo cujo corpo era perfurado por flechas nas laterais. O sangue escorria pelo pálido corpo, e a face estava voltada para o céu, em uma pose de sofrimento extático.

Então aquele era o quarto de uma mulher e, provavelmente, de uma vampira. Alguém que não o estava usando e não o usaria. Elisabet. Estes tinham que ser o quarto de Elisabet, seu quadro, assim como suas joias e vestidos. Lucien havia deixado Tana acorrentada no quarto da vampira que ele amara e que também matara.

Essa era uma descoberta sinistra, que se tornava mais sinistra ainda pela sensação de que ela, de certa forma, havia substituído Elisabet. Como se uma garota acorrentada a uma cama fosse basicamente a mesma coisa que outra garota dormindo em uma. E, não importava como se sentia quanto estava perto de Gavriel, ela seria idiota se contasse com a bondade dele, não importando o que ele dissesse ou o que ela sentisse. Ele era louco e imprevisível, isso sem falar de sua sede por sangue.

Erguendo-se de joelhos e ignorando a onda de tontura, ela puxou a algema, espremendo o polegar com força junto à palma da mão para ver se conseguia puxá-la pelo aro de metal. Ela o empurrou com a outra mão, na esperança de que quem quer que tivesse fechado a algema em volta de seu pulso o tivesse feito de forma negligente.

Sem sorte. Ela ainda estava bem presa.

Recompondo-se, tateou ao longo da corrente e em volta do aro da algema com a mão livre, verificando tudo para certificar-se de que não havia nenhum mecanismo para retirá-la dali, da forma como havia em algemas de brinquedo. Nada. Achou que essa ideia fora um tiro no escuro, mas imaginou que teria se sentindo bem imbecil se houvesse uma e ela não tivesse pelo menos tentado.

Em seguida, considerou a cabeceira de latão. Agora que estava sentada direito na cama, poderia conseguir deslizar para fora da cama e cair de pé no chão, contanto que empurrasse o criado-mudo um pouco para o lado. E, a partir dali, poderia usar a mão livre para girar e retirar uma das bolas de um dos postes da cama e soltar a algema dele sem se dar ao trabalho de tirá-la da mão.

O criado-mudo deslizou com facilidade para o lado, apenas alguns livros escorregaram e caíram no chão. Então, seus pés descalços se seguiram. Ela deu a si mesma um tempinho para se equilibrar e, então, apoiando-se, jogou o peso contra a bola de metal, na tentativa de desenroscá-la. A bola saiu do lugar, soltando um chiado de metal raspando em metal.

Em seguida, pulando para cima do estrado da cama, Tana conseguiu erguer a outra algema da extremidade do poste de metal da cama. Ela ainda estava presa pelo tubo plástico que conectava o fio de injeção intravenosa ao saco de soro na parede. Analisando-o, decidiu então que a única coisa que saberia fazer seria desatarraxar a parte que conectava o tubo à curva de seu braço. Assim que fez isso, o soro começou a vazar em cima da cama, escorregando para cima das tábuas do assoalho.

Cambaleando até sua bolsa em formato de cabeça de leão, Tana abriu-a e encontrou o sinalizador. Em seguida, esticando a mão até o medalhão de granada em volta do pescoço, ela enfiou o metal do tamanho de uma moeda de um quarto de dólar dentro dele, fechando o medalhão com força com o sinalizador dentro. Pelo menos não o perderia novamente.

Enquanto ela se agachava sobre a bolsa, viu uma caixa de madeira polida debaixo da cama. Puxando-a para junto de si, deu-se conta de que a caixa não tinha tampa. Era revestida por veludo azul e continha uma balestra e diversas adagas com lâminas de madeira. Basicamente, estacas. Estacas com cabos. O cheiro de óleo de rosas subia delas. Elisabet não devia confiar nos outros vampiros com quem vivia mais do que eles mereciam. Era tentador pegar uma das estacas, mas, se Tana andasse pelos arredores com uma daquelas coisas na mão, seria improvável que conseguisse explicar isso. Ela se forçou a ficar de pé.

Tentou não escorregar na poça de soro que ficava cada vez maior enquanto caminhava até a porta. Foi assolada por uma onda de tontura, olhou para baixo e viu que seu novo vestido branco estava coberto de terra e sangue seco. Suas sandálias já eram.

Era quase engraçada a forma como ela não conseguia usar um único traje sem arruiná-lo.

Era quase engraçada, mas não tanto.

Olhando para a maçaneta e para a tranca, Tana percebeu, com surpresa, que, embora Gavriel tivesse girado uma chave do lado de fora, o mecanismo de trava ficava do lado de dentro. Tudo que ela teria que fazer seria girar a tranca e a porta se abriria. O que fazia sentido, já que este havia sido o quarto de Elisabet. Ela poderia ter se trancado ali à noite, mas ninguém a teria aprisionado ali. O que queria dizer que Gavriel nunca havia pretendido aprisionar Tana; no mínimo, a tranca era para manter outras coisas do lado de fora.

Com esse pensamento na cabeça, ela saiu para o corredor.

A luz do dia esmaecida entrava pelas janelas fortemente escurecidas; parecia ser o mesmo tipo de vidro que havia no topo do Baile Eterno, do tipo que filtrava a luz com segurança para os vampiros. Na sua maior parte, a festa havia se apagado, embora houvesse alguns humanos ali, dormindo nos degraus ou em um banco. Tana passou por eles, e os poucos que estavam acordados nem mesmo piscaram ao ver as roupas dela, cobertas de sangue coagulado.

Seu estômago se revirou. Ela podia sentir o cheiro do delicioso e escuro sangue sendo bombeado sob pele humana, podia sentir o calor erguendo-se das pessoas enquanto passava por elas. Tana inspirou e estremeceu de fome.

Capítulo 30

Deste lado do túmulo, somos
exilados, do outro, cidadãos.

— Henry Ward Beecher

Era uma vez uma garotinha, e ela contou uma mentira ao irmão de uma amiga para que o irmão dessa amiga a levasse de carro até a rodoviária.

Ela levou consigo uma garrafa de refrigerante de laranja, cinquenta dólares (metade em dinheiro trocado), sapatilhas cintilantes e o celular.

Ele achou que estava ajudando.

Ela também.

Capítulo 31

Pois eu sei que a Morte é uma convidada divina,
Que há de beber o meu sangue assim como eu sorvo este vinho.
— William Winter

Caminhar pela casa de Lucien Moreau fez com que Tana se lembrasse, de modo inquietante, da manhã seguinte à festa de Lance. Como naquele momento, ela era a única pessoa se mexendo. A música ainda estava tocando em algum lugar, distante como a televisão havia estado naquele dia. E, ao olhar para todos os corpos que dormiam na casa de Lucien, voltaram-lhe à mente os cadáveres das pessoas de sua escola espalhados pelo chão. Mas as pessoas ali só haviam desmaiado, e agora ela era o monstro que caminhava entre elas.

Traçou um caminho pelo salão de baile com o alto teto de vidro, onde ainda havia comida em uma das mesas, apodrecendo sob a luz sombreada do sol. Os resquícios de bolos e metade de uma torta coberta de frutas brilhantes. Cortes de carne fatiada e baguetes pontudas, laranjas semidescascadas cheias de moscas zumbindo. Tigelas derrubadas com pétalas de rosas açucaradas. Embora Tana não comesse havia muitas horas, a visão daquilo tudo a deixava enjoada.

Enquanto se apoiava em uma parede, um estremecimento passou por seu corpo. Gelo cristalizando-se dentro dela.

Será que Valentina ainda estaria ali? Ela lembrava-se de acordar ao som da voz de Valentina, lembrava-se do concreto frio debaixo dela e do aço sob as pontas de seus dedos. Um porão, ela havia pensado. Mas será que essa era uma lembrança verdadeira?

Tana continuou se movendo, passando pelos aposentos aos tropeços. Havia salas de estar e toucadores, uma cozinha com eletrodomésticos reluzentes e uma copa cheia de armas antigas. Então ela deparou-se com uma alcova, cuja porta dava para uma escadaria que seguia para baixo em espiral.

Sentiu a frieza dos degraus de pedra sob os pés descalços. Sentiu aquele calafrio subindo pelas pernas e congelando sua barriga, levando uma geada até sua garganta, um gelo que nunca haveria de derreter.

Viu-se em um vasto porão. Em uma das paredes, estantes de madeira continham garrafa atrás de garrafa de vinho. Na outra, havia doze celas grandes que cheiravam a suor, calor e sangue. Nelas havia garotos e garotas, todos adoráveis e nenhum acima de vinte anos.

A maioria deles estava dormindo no chão de pedra, envoltos em cobertores, usando como travesseiros roupas enroladas ou mochilas. Alguns, isolados dos outros, usavam focinheiras. Uns poucos estavam com soros como aquele pendurado em um prego no quarto de Elisabet, dois lances de escada acima. Três garotas estavam acordadas, uma delas chorando baixinho perto de um banheiro improvisado, enquanto as outras duas jogavam dados.

Tana pensou nas garotas e garotos Resfriados que estavam acorrentados às paredes na noite anterior. A princípio, quando vira os jovens nas jaulas, ela havia pensado que eram um lote novo e que os outros estavam mortos. Porém, agora, percebia que Lucien deveria mantê-los ali por semanas, meses, por quanto tempo pudesse. Qualquer fonte de provisão de sangue era preciosa demais para ser desperdiçada. Os infectados deveriam ser aqueles com focinheiras, drogados para dormir a cada dia imersos em sonhos inquietos e banhados de vermelho.

Foi preciso um instante para que Tana se desse conta de que uma das garotas que dormiam era Valentina.

Tana aproximou-se. Ela quase podia sentir a calidez irradiando de todos eles, brilhando acima deles da forma como o calor faz com que a luz fique curva acima de uma faixa quente de estrada. As duas garotas que estavam jogando dados pareciam ter vindo da festa e ainda trajavam os vestidos de gala, mas os cabelos estavam opacos e os olhos, fundos. As duas tinham tubos hospitalares nos braços, e a pele em volta deles estava escura, ferida. Uma delas tinha um machucado perto do tubo, amarelo no meio com um círculo verde por fora e crostas pretas. Porém, naquele instante, para Tana, todas pareciam bonitas de fazer parar o coração. O cheiro do sangue erguia-se debaixo de suas peles, fazendo com que as veias de Tana cantassem de avidez.

A garota que chorava ergueu o olhar para ela. Arregalou os olhos e fungou ruidosamente, limpando o nariz na manga da roupa. Então, levantou-se e aproximou-se da beirada das barras da cela. Assim, de perto, Tana pôde ver seus longos cabelos pretos e sua pele escura.

— Como você conseguiu fugir dele? — perguntou-lhe a garota. — Ele tem câmeras por toda parte.

Tana cruzou a sala sem realmente decidir fazer isso, atraída até a garota. Ela dizia a si mesma que só queria libertar Valentina. Dizia a si mesma que nunca machucaria nenhum deles, enquanto a mente lhe provinha imagens de mordidas, rasgos e lacerações.

— Eu estava aqui? — Tana quis saber, sentindo-se um pouco zonza.

A garota assentiu, limpando as bochechas molhadas.

— Você estava tão pálida, e havia tanto sangue no seu vestido que nós achávamos que você já era. Então um dos vampiros veio atrás de você e nós tivemos *certeza* de que você já era.

Tana perguntou-se qual deles havia sido. Será que Gavriel tinha descido até ali?

— Aconteceu alguma coisa? Você está chorando.

— Eu estou *com medo* — disse a garota, irritada. — A maior parte deles queria estar aqui, mas não eu. Ele recruta pessoas na rua, oferece comida e um lugar para dormir, diz que elas podem fazer por merecer a vida eterna. Minha amiga Violet foi com ele faz um mês e eu não a vejo desde então. Eu vim até esta festa para ver se havia alguma coisa nos registros dele sobre o que aconteceu com ela, mas então eles me pegaram na sala de gravações.

O que fazia parecer como se Lucien geralmente não pegasse as pessoas de suas festas. Como se ele tivesse pegado Valentina por algum motivo — porque ela havia vindo à festa com Tana, que matara uma vampira? Porque estava em algum lugar onde supostamente não deveria estar, que nem essa garota? Tana ergueu o olhar, mirando o olho da lente. Então, deu as costas para a câmera, inclinando-se em direção às barras.

— Há uma chave? — murmurou. — Como eu posso tirar vocês duas daqui?

A garota de cabelos escuros aproximou-se dela. Uma de suas bochechas estava suja de terra. Ela acenou para que Tana se aproximasse mais, sussurrando para que não pudesse ser ouvida na gravação.

— Há duas chaves — disse ela, cujo hálito estava quente na gélida bochecha de Tana. — Uma que é da tranca na cela e a outra que destrava as dobradiças, para que as portas possam sair do lugar. Mas você não vai conseguir encontrá-las a tempo.

Seria algo tão mínimo agarrar o pulso dessa garota e puxá-lo pelas barras da cela. Afundar os dentes cegos na carne fácil. Os dedos de Tana agarraram o metal gelado, envolvendo-o como se este fosse seu desejo.

— Certo — disse Tana, forçando-se a se concentrar. Duas trancas. Duas chaves. Oito pessoas trancadas em uma cela. Oitenta e oito dias de fome, todos eles piores que este. — Eu já volto. Vou achar um jeito de tirar vocês daqui. Prometo. Diga a Valentina que eu prometo.

Ao som de seu nome, Valentina se mexeu, virando-se no sono. Tana não sabia ao certo o que ela haveria de pensar se acordasse, se ficaria com raiva ao deparar-se com Tana em um lado da cela e ela mesma do outro.

— Eu não sei quem fica com as chaves — sussurrou a garota de cabelos escuros. — Além da Elisabet. Ela desce até aqui às vezes e só fica olhando pra gente. É sinistro.

Tana forçou-se a recuar da cela e da garota, na esperança de que sua expressão não estivesse muito similar à de Elisabet. Sinistra. Faminta.

— Eu odeio dizer isso — falou baixinho a garota de cabelos escuros. — Mas você deveria cair fora daqui enquanto pode.

— Não se preocupe comigo — disse Tana, na esperança de que essa resposta fosse o suficiente.

Ela pensou em subir até o quarto de Elisabet e procurar pelas duas chaves, mas talvez não fosse precisar delas. Talvez houvesse alicates cortadores de metal. Ou talvez houvesse um machado afiado que certamente cortaria a tranca. Ela deu a volta no porão, encontrando uma porta que não conseguiu abrir e depois outra, que dava para um armário. Dentro dele havia uma diversidade de cobertores comidos pelas traças, uma cadeira quebrada e algumas ferramentas. Ela curvou-se para baixo, para dar uma olhada de perto naquilo, quando alguém a agarrou pelo braço. Ela teve tempo de se lançar para pegar no cabo de uma longa chave de fenda antes de ser forçada a ficar em pé.

Havia um vampiro parado na sua frente, os olhos vermelhos indistintos na escuridão. Ele estava com a camisa de um smoking, embora não estivesse com o casaco e a gravata-borboleta pendesse solta em volta do pescoço, apenas um tecido enrugado. Mas, mesmo ele estando morto, Tana pôde sentir o cheiro do sangue dentro dele, mágico e estranho.

Ela pensou em Midnight, lá fora, no gramado escuro. *Tana, é você?*

— Como você desceu até aqui? — Ele torceu o nariz e olhou novamente para ela, para seu pescoço. — Você está *infectada*... você não deveria...

Tana não esperou que ele terminasse a frase e não tentou responder à pergunta. Ela bateu com a chave de fenda, a fundo, no peito dele, com toda a força que conseguiu reunir, na esperança improvável de ser sortuda o bastante para acertar o coração dele. A ferocidade do ataque lançou-o para trás, junto à parede. Ela soltou a chave de fenda, sentindo-a arrastar-se pelos ossos das costelas dele, e depois o estaqueou novamente com ela.

Desta vez, ela o acertou bem na garganta. Ele fez um ruído sufocado. Suas mãos tentaram puxá-la para junto de si, o maxilar tentando morder o ar, a luz já se esvaindo de seus olhos. Ela estava conseguindo. Trouxe abaixo a chave de fenda como se fosse uma adaga, repetidas vezes, até ele parar de se mexer, até que a cabeça dele estivesse em um ângulo estranho, pendendo da carne, os ossos estilhaçados no pescoço do vampiro.

O sangue subiu em bolhas, o cheiro hipnotizando-a, até mesmo em meio ao pânico. Tana já estava operando com base no instinto, então, mal pensou antes de abaixar a cabeça. Curvando-se sobre ele como se fosse rezar, ela ajoelhou-se e lambeu a poça de vermelho que se formava no que havia sobrado da cavidade da garganta do vampiro. Minúsculos pelos faziam seu nariz coçar enquanto ela o mordia. O sangue dele era frio e espesso, deslizando pela garganta dela abaixo como se fosse mel, e o sabor produzia fagulhas na língua como se ela estivesse tragando luz.

Parecia que sua pele pegara fogo. Ela havia se transformado em papel aceso, já formando bolhas e prestes a incendiar-se e virar fumaça preta e cinzas.

O sangue dele eram tardes nubladas e limalhas de metal percorrendo e tamborilando pelas gordas raízes das veias para gotejar lentamente, como xarope, e jorrar pela boca, pelos dentes, pelo queixo.

Ela lambeu a pele dele, mordeu-o, rasgou-o com dentes cegos e lambeu-o outra vez.

O tempo passou como em um sonho, momentos juntando-se em um borrão. Quando ela voltou a si, o primeiro som que ouviu foi um resfolegar atrás de si. Ela virou-se em direção à cela. As pessoas que estavam lá dentro, Valentina, a garota de cabelos escuros e a maior parte das outras, estavam aninhadas juntas no lado mais afastado da cela. Valentina deu meio passo na direção de Tana e se encolheu novamente para trás, a coragem falhando.

Tana esticou uma das mãos pegajosas para tocar o rosto. Sua mão estava coberta de sangue, formando uma meia máscara.

Ela deveria estar com uma aparência terrível. Uma garota animalesca.

Porém, em seguida Valentina foi mesmo para a frente, caminhando até as barras, arregalando os olhos e erguendo o queixo. Era um sinal sutil, porém, claro. *Olha lá,* lhe dizia o sinal.

Tana virou-se em direção às sombras e viu o reluzir de olhos. Ela recuou, cambaleando, esticando a mão novamente para segurar no escorregadio cabo da chave de fenda, antes de ver que se tratava de Gavriel. Ele estava sentado no chão, com as pernas cruzadas. Ela não fazia a mínima ideia de quanto tempo ele estivera sentado ali, mas, ao olhar estupefato dela, ele ergueu ambas as sobrancelhas. Um sorriso divertido repuxava seus lábios.

— Eu sou um anfitrião muito ruim, forçando você a preparar seu próprio jantar — disse ele, por fim. Levantou-se e estirou uma das mãos, como se para ajudá-la a levantar-se, como se ela fosse alguma dama elegante que houvesse caído de um sofá em uma poça de lama.

Ela esticou uma das mãos para pegar as chaves do guarda, e a outra ela estendeu para Gavriel, deixando que ele a puxasse para ficar em pé.

Seus dedos estavam molhados de sangue, mas ele pareceu não notar isso.

Tana quase deu risada, mas meio que não conseguiu. Não se sentia bem ela mesma para confiar que não começaria a chorar e a soluçar em vez de rir.

— Você estava procurando por mim? — perguntou a Gavriel, para preencher o silêncio.

— Eu estava assistindo às telas em uma das salas de vídeo de Lucien. Tantas saídas e tantas entradas e uma fortaleza precisando de uma invasão. E então, você.

Ela não conseguia determinar exatamente o que havia de diferente na voz dele, porém, pela primeira vez, achou que ele estava sendo deliberadamente obscuro. Mas o rosto dele estava plácido, não mostrando nada.

— Tana — sussurrou Valentina, esticando os dedos pelas barras, para apontar para Gavriel. — Ele está...

Erguendo o olhar, Tana viu Lucien Moreau descendo as escadas. Ele estava todo vestido de creme, e seu casaco era da cor do marfim. Botões prateados percorriam a frente do casaco e desciam pelos punhos. Os sapatos eram pontudos. Ele parecia sem idade, antigo e jovem ao mesmo tempo. A pele estava pálida, mas a boca tinha um tom quase vulgar de vermelho. Ele estava belo como o diabo poderia ter sido, logo antes da queda.

Tana tinha certeza de que ele havia olhado por uma de suas câmeras, da mesma forma como Gavriel havia feito, de que ele havia ouvido por acaso o que ela falara em sussurros com a garota no porão e que vira Tana matar mais um vampiro. O coração espancava-lhe o peito.

— O que você fez? — ele perguntou em tom exigente, varrendo o ar com o braço na direção do corpo. No entanto, não estava olhando para Tana, e sim para Gavriel. Sua voz tinha o tom de reprimenda de alguém que houvesse se deparado com seu cachorro mascando o carpete. — O que exatamente aconteceu aqui?

— Ah, olá — disse Gavriel. — Não fique com raiva. E daí que ela ficou faminta e matou alguém? A cidade está cheia de humanos desesperados para serem transformados. É só escolher outro.

Tana ficou horrorizada com a forma como ele soou insensível, mesmo em sua defesa.

Lucien balançou a cabeça.

— Não seja ridículo. Ela não o matou, foi você.

Um largo sorriso estirou-se pelo rosto de Gavriel, fazendo as presas brilharem.

— Você está certo. Eu o matei e então tentei colocar a culpa nela, porque eu achei que seria engraçado. E foi engraçado, não foi?

— Celas e celas cheias de humanos e você mata um vampiro — disse Lucien, claramente exasperado. — Eu acho que é com isso que você está acostumado, mas me parece cruel alimentar a garota com sangue frio. — Ele virou-se na direção de Tana. — Venha comigo, minha querida. Primeiramente, vamos limpar você, e depois eu acho que deveríamos ter uma conversa. — Ele voltou a olhar para Gavriel. — Você não se importa, não é?

Gavriel não estava mais sorrindo.

— Se o inimigo do meu amigo é meu amigo, então certamente você deveria ser amigo da minha amiga.

O que não fazia sentido. Nem mesmo o sentido estranho das coisas que Gavriel geralmente dizia, em que as palavras se juntavam como uma charada ou um quebra-cabeças. Tana franziu o cenho. Não, isso estava errado, como se ele estivesse assumindo o papel de alguma versão exagerada de si mesmo.

— Ele nem sempre foi assim. — Lucien revirou os olhos e estendeu o braço a Tana. Era um gesto cortês, como se ela estivesse acostumada com Gavriel fazendo isso, o que a lembrava de que os dois haviam sido amigos antes e, talvez, apesar de tudo que Lucien havia feito, eles fossem amigos de novo. Ela pensou em Elisabet e na festa de Lance e em como todas aquelas mortes foram obra de Lucien. Colocou a mão no braço dele, sujando a manga da camisa do vampiro de sangue, pegajoso e meio seco, com grande satisfação.

Ele curvou o lábio enquanto eles subiam as escadas juntos.

— Você acordou cedo — disse Tana, apontando para cima, para o teto de vidro do salão de baile.

O céu estava cinzento por causa das janelas sombreadas, mas o brilho do sol era o bastante para fazê-la encolher-se. A garota imaginou como Lucien aguentava aquilo, quando ela ansiava por cobrir os olhos. Ela se perguntou se, quanto mais Resfriada ficasse, pior seria sua aversão à luz do sol.

— Tive um sono agitado — disse ele, surpreendentemente falando em tom confessional. — Elisabet estava em todos os meus sonhos.

Então ele acenou para uma vampira que parecia estar esperando por eles perto da grande escadaria de madeira que dava para o segundo andar. Ela tinha cabelos castanhos cor de mogno e estava com uma calça preta de couro e um casaco de terno desmontado, partes dele costuradas do avesso, com grandes pontos vermelhos. Um jabô de couro estava preso em seu pescoço, e as botas tinham facas no lugar onde deveriam estar os saltos. No dedo havia um anel de prata com um dente encravado. Enquanto a mulher se aproximava, ela limpou as bordas da boca, erguendo a mão, e Tana viu que o dente do anel era um molar humano.

— Marisol — disse Lucien, e a mulher assentiu levemente em reconhecimento. — Deixe a garota limpa. Depois eu quero que você a leve até mim na sala de estar. Ela pode usar qualquer coisa *dela,* apenas a deixe menos repulsiva.

A mulher olhou para Tana e fez um gesto em direção aos degraus. Elas foram juntas até o quarto de Elisabet, com Tana caminhando ao lado de Marisol, obediente. Sua pele estava tensa e seus dentes doíam.

— O banheiro é por ali. É só deixar o seu vestido destruído no chão. Eu vou achar alguma coisa para você no closet dela.

Marisol intencionalmente não mencionou a bola faltando da cabeceira de latão da cama, nem a poça de soro no chão. Ela sorria com a boca fechada, como se estivesse tentando não assustar Tana.

Tana baixou o olhar para a extensão do vestido de seda que vestia — manchas de grama e sangue, tanto sangue! Soltou um suspiro e pegou a bolsa de mão do lado da cama da forma mais casual que pôde, depois foi até o banheiro anexo.

O espelho acima das pias a refletia com detalhes assustadores. Sangue coagulado vermelho-escuro manchava o rosto e as mãos, de modo que ela parecia estar usando luvas de ópera manchadas. Ela suprimiu um soluço. Não parecia humana — parecia uma criatura saída de um túmulo.

Pensou nos três vampiros que havia visto na Praça do Suicídio e em Aidan sentado sozinho no quarto em Wormwood Court, lamentando pelo que havia feito e pelo que poderia vir a fazer. Ela se perguntou se era isso que eles viam refletido no espelho, repetidas vezes, bêbados depois de encherem a cara de sangue e jurando nunca se permitirem fugir ao controle novamente. Bêbados que ainda estavam sedentos.

A lembrança de sua mão enfiando a chave de fenda na pele do vampiro de novo e de novo veio à tona, fazendo o estômago se revirar. Ela estivera perdida em uma bruma de pânico e, depois, em um frenesi de fome. Agora, lembrando-se disso, era como se, com certeza, outra pessoa tivesse movido a sua mão. Aquilo não poderia ter sido ela, inclinando-se para cima do vampiro, rasgando a garganta detonada dele com os dentes. Aquilo não poderia ser ela refletida no espelho, com os olhos azuis assombrados em uma máscara de sangue coagulado.

Abrindo as torneiras no chuveiro, ela deixou a água escorrer tão quente quanto possível. Então, foi até a pequena janela coberta. O painel era do mesmo vidro cinza que cobria o teto no salão de baile, mas, quando ela o empurrou, a moldura deslizou para cima, revelando uma faixa de telhado e deixando que uma fenda de luz amarela entrasse no aposento. Tana colocou no balcão da pia as chaves que havia tirado do vampiro que matara, colocou seu carregador solar sobre a ardósia e plugou o fio ao celular.

Na cabine do chuveiro, ficou observando a água marrom espiralando em volta do ralo. Esfregou a pele com o sabão com aroma de lavanda de Elisabet, até mesmo passou o sabão pela língua, na esperança de se livrar do intoxicante e tenebroso sabor que permanecia em sua boca, fazendo com que se lembrasse de que desejaria aquilo de novo.

Quando saiu e se secou com a toalha, Tana viu que a tela do celular estava acesa. Ela havia recebido oito mensagens de texto. Uma de Pearl, algumas de Pauline ou de alunos da escola e muitas de números que ela não reconhecia.

De Pearl, com uma foto do pai delas à mesa da cozinha:

Tudo esquisito e um tédio aqui. É melhor vc estar se divertindo-indo-indo e me mandar fotos p eu poder ter ciúme.

De uma garota que havia se formado um ano antes: *Este é o seu número, certo? Meu irmão estava na festa? Ele está com vc? Vc viu o corpo dele? Ninguém quer nos contar nada.*

De um número que ela não reconhecia: *Vc deveria ter morrido c/ o resto.*

De outro: *Estamos interessados em uma entrevista exclusiva com você e/ou com seu amigo Aidan. 5 mil se vocês não falarem com nenhum outro repórter.*

Tana abriu as torneiras da pia para fazer algum barulho. Primeiro, ligou para o celular de Jameson, que caiu na caixa postal novamente, e ela começou a se perguntar se ele o teria perdido. Pressionando os olhos com os dedos, tentou pensar.

Então, apertou alguns botões e ligou para Pauline. O som do familiar sinal de que está chamando do outro lado fez com que seu peito doesse.

Por favor, esteja com seu celular, balbuciou Tana. *Por favor.* Instantes depois, ouviu o som de um clique quando alguém atendeu.

— Eu vou te matar se você ainda não for uma morta-viva — disse Pauline, e, ao ouvir sua voz, Tana abriu um largo sorriso, apesar de tudo. — Você está bem? Me diz que está tudo bem com você.

— Meio que sim — disse Tana, mantendo o tom de voz baixo. — Sinto muito por não ter ligado. Muita coisa andou acontecendo, e eu me esqueci de carregar o celular.

— *Muita coisa andou acontecendo?* — repetiu Pauline, aos gritos. — É, posso dizer que sim. Eu vi o seu vídeo ontem à noite. Com a garota vampira que mordeu você e... ah, meu Deus, Tana! Ah, meu Deus! Eu não consigo acreditar que você esteja me ligando e que eu esteja gritando com você.

— Eu ferrei com tudo. — Tana olhou para a face brilhante e limpa no espelho. Este era o problema com os monstros. Às vezes, eles pareciam ser exatamente como todo mundo. Mas havia algo errado com a pele dela, enrijecida como depois de uma queimadura solar. — Eu realmente ferrei com tudo e agora eu estou...

— Você não ferrou com tudo — disse Pauline. — Me escuta. Você sobreviveu. Agora só me diz... você é uma vampira?

— Não — respondeu Tana, apoiando-se no balcão de mármore da penteadeira. — Quero dizer, ainda não.

— Então você está Resfriada? Você parece ok.

— Por ora. Estou presa em um banheiro chique na casa do Lucien Moreau e preciso cair fora daqui. E é por isso que liguei. Eu preciso que você passe uma mensagem a uma pessoa.

— O quê? — Pauline soava totalmente confusa.

— Um cara chamado Jameson. Ele tem uma namorada que é uma vampira e ela mora aqui na casa do Lucien. Eu não sei o nome dela, mas a ajuda dela bem que me seria útil. Eu vou dar um número a você. Você pode, por favor, ligar para esse número até conseguir falar com ele? Em algum momento ele vai ter que atender. Diga a ele que eles pegaram a Valentina e que ela está trancafiada...

— Aguenta aí — disse Pauline. — Eu tenho que pegar uma caneta.

Tana prendeu a respiração, escutando o som do farfalhar de folhas do outro lado da linha. Isso era tão normal, tão totalmente normal ligar para Pauline para pedir que ela fizesse alguma coisa boba, como ligar para um menino, ou para ter uma conversa estimulante, ou para pedir conselhos, que Tana não conseguiu evitar a sensação de que a familiaridade era o que fazia o momento parecer mais do que surreal agora.

Tana ficou encarando o reflexo no espelho, mas, desta vez, parecia estar se vendo no espelho de uma casa de espelhos, distorcendo sua face e fazendo com que a forma do rosto tremesse. Ela precisou de um instante para se dar conta de que isso se devia ao fato de estar se vendo em meio às lágrimas nos olhos.

— Achei uma caneta — disse Pauline. — Fala.

Tana leu o número do celular de Jameson do próprio telefone.

— É *Jameson*. Diga a ele que a Valentina está trancafiada no porão da casa do Lucien e que eu vou tentar tirá-la de lá hoje à noite, logo depois que escurecer. Se, durante o dia, ele pudesse trazer algum alicate de cortar metal até a cerca da lateral da casa do Lucien, para que possamos passar por lá, seria fantástico. E, se ele não puder fazer isso, diga para ele não se preocupar. Vamos dar um jeito.

— Dizer para ele não se preocupar? — repetiu Pauline.

Do outro lado da parede, Marisol a chamou:

— Lucien está esperando. Está na hora de se vestir.

— Eu tenho que ir — disse Tana. — Diga a Pearl que eu a amo.

— *Eu* amo *você* — respondeu Pauline. — Então, fique em segurança, ok?

— Ei, como estão as coisas entre você e o David? — perguntou Tana.

— Ah, cala a boca. — Pauline deu risada e então sua voz saiu tremida.

— Não morra e eu conto a história inteira a você.

Sorrindo, Tana apertou o botão para finalizar a chamada no celular e colocou-o de volta no peitoril da janela. Então, olhou de relance no espelho. Para seu horror, os dentes da frente estavam escarlates. Ela passou a língua pelas gengivas, sentindo o sabor do sal do próprio sangue.

Talvez tivesse mordido a língua?

Inclinando-se sobre a pia e colocando as mãos trêmulas em concha, ela pegou a água da torneira, enfiou um bocado na boca, bochechou e cuspiu vermelho. Então, arreganhou os dentes para o espelho. E, sem o sangue, pôde ver que as gengivas estavam sangrando porque os caninos haviam ficado mais longos. Eles não eram tão finos e nem tão afiados quanto dentes de vampiro, mas também não eram mais os dentes de um ser humano.

— Marisol — ela chamou com uma voz alta e assustada que nem reconheceu como sendo sua.

Aidan havia bebido sangue de Gavriel e nada havia acontecido com ele. O que estaria acontecendo com ela?

Um instante depois, a vampira entrou no aposento, com as narinas dilatadas por causa do cheiro de sangue. Os olhos vermelhos analisaram o reflexo de Tana no espelho.

— O que foi?

— Olha para os meus dentes — disse Tana, com uma voz tremida, puxando a toalha em volta de si, apertando-a.

A vampira segurou a cabeça de Tana, inclinando-a para trás, e então enfiou a mão dentro da boca da garota para pressionar com um dedo as pontas dos dentes dela. Deu um passo para trás e balançou a cabeça, negando.

— Aposto que alguém te deu uma quantidade excessiva de sangue de vampiro. Você vai ficar bem. Era assim que os vampiros costumavam ser transformados, antes de o mundo cair. Eles se alimentavam de sangue de vampiro até estarem prontos. Às vezes, levavam semanas para chegar até o estágio em que você está... Você deve ter bebido um monte!

Fora um monte mesmo.

— Mas o que isso quer dizer? — perguntou Tana, levando os dedos aos dentes, inconscientemente. — Eu vou morrer? Vou ser transformada?

— Não — respondeu Marisol. — Isso só quer dizer que você está *preparada* para morrer. Vai ficar mais forte assim que estiver transformada.

Tana assentiu, tentando acalmar-se. Não havia nada de errado com ela. Não acordaria como vampira. Não hoje, de todo modo. Era apenas um sintoma da infecção. Um sintoma de que ela nunca havia ouvido falar antes, mas, ainda assim, um sintoma. *Mais toxinas,* lembrou-se da palestra na escola. *Um acúmulo de toxinas.*

— Ok — disse Tana, inspirando fundo, passando por Marisol e entrando no quarto. Ela não poderia se permitir parecer fraca. — Esquece isso. Estou bem. Vamos lá, vou exibir os meus novos dentes a Lucien Moreau.

Alguns minutos depois, não tendo gostado de nada que Marisol havia escolhido, Tana vestiu-se com a coisa menos formal que conseguiu encontrar — um vestido de couro vermelho-escuro e sem mangas — e acompanhou Marisol pelos corredores. Nenhum dos sapatos de Elisabet serviu nem um pouco que fosse em seus pés, e ela ficou obscuramente feliz com isso. Já era sinistro o bastante que as roupas dela lhe servissem tão bem. O vestido de couro abraçava-lhe o corpo, estirando-se, justo, por seus quadris. Os cabelos negros de Tana foram puxados para trás em um alto rabo de cavalo, e o colar de Gavriel ainda reluzia em sua clavícula. Conforme caminhava, sua língua investigava as pontas dos caninos mais longos.

Marisol virou a maçaneta de uma porta laqueada preta e indicou que Tana deveria entrar ali, mas não fez nenhum movimento para acompanhá-la. A porta fechou-se atrás de Tana enquanto ela cruzava o chão com o máximo de leveza que lhe era possível, com os pés descalços. Cortinas pesadas cobriam as janelas. Lucien caminhou na direção dela como se estivesse enxergando perfeitamente, mesmo em meio à escuridão. No aposento, havia duas grandes cadeiras de couro entalhadas com grifos em cada um dos quatro cantos. Tana avistou um aro porta-chaves de osso, entalhado e decorado em cima com uma imagem que ela não conseguia discernir. Havia três chaves penduradas nesse aro.

Ela havia pegado somente duas chaves do vampiro que matara; esperava que fossem as duas chaves certas.

— Você se limpou bem — disse Lucien. — Mas é mais nova do que imaginei. Quantos anos você *tem* exatamente?

Tana não sabia ao certo se deveria ou não agradecer a ele pelo elogio. Decidiu que não.

— Dezessete.

— Eu não acreditei em você a princípio — ele continuou falando. — Quando me disse que Gavriel havia lhe dado as granadas. Fiquei desnorteado em relação ao motivo pelo qual ele as daria a uma garota mortal. Ele contou a você sobre ele... sobre o colar?

— Ele me disse que pertencia à irmã dele — respondeu Tana.

Ela foi andando até uma das cadeiras, mas não se sentou nela. Lucien a assustava e a fascinava também. Ela era uma hóspede na casa dele, mas também uma prisioneira.

Lucien bufou.

— Sim, certamente que sim, mas foi então que eu soube... quando vi o colar em volta do seu pescoço. Ele veio até aqui para morrer. Deve ter vindo por isso. Esse é o único motivo em que eu poderia pensar pelo qual ele teria dado esse colar a quem quer que fosse, até mesmo a alguém por quem sentisse tal afeto inexplicável. Você sabia que a irmã dele estava usando esse colar na noite em que ela decidiu que seu irmão estava morto? Ela acreditava que Gavriel era alguma espécie de demônio, uma aparição que havia roubado o rosto dele. Ela tentou sair correndo, para fugir dele, e ele esticou a mão para segurá-la, mas tudo que pegou foi o colar, que quebrou. Ele nunca mais viu a irmã de novo.

— Isso é triste — disse Tana.

— Foi um pouco engraçado, para falar a verdade — disse Lucien. — Quero dizer, eles estavam gritando um com o outro como se fossem duas crianças imbecis e então veio um homem defender a honra dela. Eu acho que era um taxista, mas ele tinha vários amigos bem atrás dele. Imagine só, um vampiro desistindo em face de uns poucos homens sujos em uma rua. Era como se Gavriel tivesse se esquecido por completo de quem ele era.

Tana não fazia a mínima ideia do que dizer em relação a isso.

— E ele nunca tentou encontrá-la? — perguntou ela, por fim.

Lucien abriu um sorriso cheio de dentes.

— Veja bem, eu a encontrei primeiro. Essa é uma velha história, mas bem que você pode ouvi-la. Eu achei que poderia consertar as coisas entre eles, que, uma vez que ela tivesse sido transformada, Gavriel ficaria completamente feliz. Katya era esperta e apta: ela havia conseguido sair da Rússia sozinha. Então, seja como for, eu trouxe um dos meus lacaios. Ele tinha 1,83m de altura e era belo de rosto, perfeito para uma dama. Enviei meu cartão a ela, que concordou em me ver. Ela estava com uma daquelas solteironas mais velhas, destituídas de posses, que trabalhavam como acompanhantes. Eu matei-a de imediato.

Tana inspirou e exalou o ar devagar, tentando achar uma maneira de aceitar que ele acabara de anunciar, todo alegre, que havia matado uma mulher inocente uns cem anos atrás. Zonza, ela sentou-se em uma das cadeiras, decidindo que não se importava mais com os modos.

Lucien baixou um largo sorriso para ela. Ele parecia estar se divertindo, como se essa fosse uma de suas histórias prediletas que ele raramente tinha a oportunidade de contar.

— É claro que Katya ficou chateada, e ficou até mesmo mais chateada quando eu a agarrei e afundei os dentes no pescoço dela. Quando eu a soltei, ela começou a tagarelar sobre demônios, mas, fosse o que fosse que ela achasse que aconteceria, eu aposto que nunca imaginou a fome que a dominaria meio dia depois disso. Ela nunca achou que levaria um abridor de cartas até a garganta do meu pobre e arruinado lacaio. E você sabe o que ela fez depois disso? A garota idiota saiu direto para o sol enquanto se erguia dos mortos.

— Ela se matou? — Gavriel havia sorrido quando falara de Katya em Paris. Com certeza ele não teria relembrado com felicidade das circunstâncias que levaram à morte dela se soubesse disso. Mas, se Gavriel não sabia da morte da irmã, por que Lucien estaria contando isso a Tana?

— Gavriel ficou um tanto quanto incomodado quando descobriu o que eu havia feito, mesmo eu tendo arranjado a coisa toda para ele; seria uma bela surpresa, uma reunião de família. — Lucien estava balançando a cabeça, como se arrependido. — Ela era mesmo uma figura, a irmã dele. Teimosa como ele e tão melodramática quanto.

— Ele não é... — começou Tana a dizer, mas deixou a frase sem terminar. Ele *era* melodramático às vezes, e não era como se Lucien não o conhecesse havia um bom tempo, certamente tempo suficiente para fazer declarações como essa.

— Ah — disse Lucien. — Que doce! Eu tenho andado terrivelmente curioso... como você conseguiu chamar a atenção dele? Damas tentaram, mas ele vivia frequentemente tão distraído, sempre tão ocupado reprimindo surtos de vampiros e afiando suas facas. Eu acho que toda aquela caça tornou-o um pouco agitado. Um tanto quanto desagradável para quase todas as damas, exceto as intrépidas. Você é intrépida, minha querida?

Tana não sabia o que dizer em resposta a isso.

— Eu não faço a mínima ideia.

Ela se deu conta de que tudo isso era uma espécie de jogo pervertido para Lucien. Para irritá-la. Passando adiante uma história para ela que poderia ou não ser verdadeira, mas que a abalaria e a manteria desequilibrada. Lucien gostava de ser a infindável gota de água batendo na alma de alguém e desgastando-a. Lucien gostava de ver as pessoas surtarem.

— Eu suponho que isso não venha ao caso. — Ele jogou-se na cadeira em frente a Tana. — O importante é que você conseguiu fazer com que ele se importasse com você. E agora vai conseguir tudo com que sempre sonhou... tornar-se uma vampira, ficar famosa. Nada mal. Para uma vadiazinha oportunista, você com certeza entrou em um mar de rosas.

Tana encolheu-se com a forma casual como ele lhe lançou o insulto em meio a toda a sua fala extravagante.

— Ah, não. Eu estou parabenizando você. De verdade. Se eu estivesse com um drinque na mão, faria um brinde à minha admiração por você.

— Que bom que eu também não tenho um drinque — disse Tana. — Porque eu o jogaria na sua cara.

Lucien jogou a cabeça para trás e deu risada.

— Eu simplesmente amo os mortais.

— Aposto que sim — ela disse a ele, que reconheceu as palavras dela com um aceno de cabeça.

— É um tremendo alívio não ter mais que me esconder. Antes de a infecção se espalhar, nós já éramos conhecidos pelos nossos erros. *Vampyr* nos Países Baixos, *upir* na Ucrânia, *vrykolaka* na região dos Bálcãs, *penangglan* na Península da Malásia. Se fôssemos melhores em nos esconder, não existiriam palavras para nos designar, mas há uma palavra para *vampiro* em todos os cantos do mundo.

— E nada de capas pretas com forros vermelhos... bem, talvez ainda haja essas capas, mas definitivamente não do tipo com gola alta. — Provavelmente Tana deveria parar de falar assim, mas precisava provar aos dois que não estava com medo, mesmo que estivesse.

Lucien ignorou-a, não disposto a morder a isca e, definitivamente, ele não estava sorrindo.

— E agora o mundo vê as nossas verdadeiras faces. O mundo foi refeito por nós, transformado em algo glorioso, um lugar onde os homens aspiram a ser imortais. Eu gosto deste mundo e continuaria contribuindo com sua evolução, ao contrário dos vampiros ancestrais. O sonho deles de voltar aos antigos modos é como o sonho dos Romanovs[19] de voltar ao poder. Não vai acontecer, não importa o quanto eles cacarejem sobre isso em suas criptas e catacumbas. Mas, com o Aranha quase no meu portão, os nossos interesses se alinham.

— O que você quer dizer com isso? — ela quis saber.

— O que quer que o Aranha tenha feito com Gavriel, parece que deixou a mente dele insana. O que eles costumavam chamar de *manie sans délire*, em francês: insanidade sem delírios. Ele está quebrado e nós estamos sem tempo para torná-lo inteiro novamente. Ajude-me a controlá-lo e eu a ajudarei. Chega de fazer com que você beba sangue frio e morto na frente de uma jaula cheia de garotas e garotos deliciosos. Eu transformarei você, Tana. Mostrarei a você como ser uma vampira do tipo que o mundo raramente conheceu.

— Você vai fazer isso? — ela perguntou, pensando em seus novos dentes afiados, na maneira como a fome estonteante a havia desertado desde que se alimentara. Lucien deveria saber o que estava acontecendo com ela,

19. A dinastia Romanov, tzares que governaram a Rússia de 1613 a 1917. (N.T.)

como o sangue do vampiro a estava deixando mais forte, mas ele obviamente estava fingindo não saber de nada. ***Sangue frio, morto, repulsivo, não beba mais disso!*** Sabotagem disfarçada de bondade.

— Em Paris, houve uma época em que existia uma lendária iguaria, agora banida — estava dizendo Lucien. — Uma ave chamada sombria, uma criatura de aparência desinteressante, comum, com cabeça verde-acinzentada e corpo amarelo, é pega viva e forçada a alimentar-se de painço até engordar. Então ela é afogada em armanhaque[20]. Por fim, a ave é assada e comida inteira, com ossos e bico e tudo, enquanto a pessoa que a estiver comendo usa um guardanapo sobre a cabeça. Alguns dizem que isso é para manter o aroma do prato; outros dizem que é para ocultar do céu a face de quem estiver comendo, assim como sua vergonha.

— Isso é cruel — disse Tana.

— Sim — disse Lucien. — É verdade. E, ainda assim, até mesmo isso não é nada em comparação com a fineza do sangue humano. Sabe o que é bebê-lo, quente e metálico, sendo bombeado para dentro de sua boca pelas frenéticas batidas do coração de um corpo vibrante? É meio como cuspir na cara de Deus, e meio ser como ele.

Tana balançou a cabeça em negativa, a fome erguendo-se sem que ela o quisesse.

— Você faz com que isso soe como algo muito bom.

— Bem — disse Lucien, com um sorrisinho. — Se existe algo que cuspa na cara de Deus, geralmente sou a favor disso.

— O que eu tenho que fazer? — ela quis saber.

— Apenas garanta que Gavriel se mantenha fiel ao plano, até mesmo que ele se ***lembre*** do plano. Que ele decida que vai viver, no fim das contas. Que continue a se lembrar de que o Aranha é nosso inimigo e eu sou aliado dele. Está entendendo? Você pode não acreditar em mim, mas eu o amei do meu jeito. O que aconteceu com ele é culpa minha. Eu carrego essa responsabilidade, mas vai ser mais fácil tolerar isso com o Aranha morto. E vai

---

20. Armanhaque, ou Armagnac, aguardente de vinho do sudoeste da França, é uma bebida de grande qualidade produzida através da destilação de vinhos de baixa qualidade, que apresentam características adequadas ao envelhecimento. (N.T.)

ser mais fácil para Gavriel tolerar o que aconteceu com ele se você ficar ao lado dele. Visto que eu quero a felicidade dele, também devo querer a sua.

Tana assentiu devagar.

— Vou fazer o que puder — respondeu.

Ele estava mais perto do que ela esperava; Tana nem havia ouvido quando ele se movera. Ela estremeceu quando ele levou a mão em concha até a bochecha dela. Os dedos de Lucien curvaram-se de encontro à pele dela, as pontas pressionando o osso com força o suficiente para machucar.

— Bom, isso é bom. Nós nunca sabemos do que somos capazes até tentarmos.

Capítulo 32

O diabo a nós não tenta;
somos nós que o tentamos,
invocando sua habilidade
com a oportunidade.

— George Eliot

Oito anos antes, Gavriel sofrera um colapso.

Primeiro, o Aranha cortou e arregaçou a barriga dele.

Então ele tirou suas tripas e amarrou-as em volta das barras da jaula.

Pegajosas guirlandas azuis.

Eles arrancaram seus olhos cor de semente de romã.

Eles o alimentaram com sangue sujo e bílis e com sua própria pele.

Eles cortaram-no com facas, fustigaram-no com chicotes com navalhas nas pontas e enfiaram pregos enferrujados nas solas de seus pés.

Quando ele se curava, faziam tudo de novo.

Até que tudo doesse o tempo todo para sempre.

A dor era algo tão imenso e terrível e colossal que apagava os pensamentos.

E então, quando ele voltou a si, suas lembranças estavam desconexas, incoerentes.

Ele havia rasgado a garganta de alguém, mas não mais sabia ao certo de quem.

Havia sangue por toda parte; ele escorregara no sangue, coagulado como leite azedo.

Havia cabelos também, um ninho de cabelos em um ralo.

E ele se lembrava de quem havia incitado aqueles que o torturavam, a face da criatura que baixava um sorriso para ele.

Eu poderia lhes contar, pensou Gavriel. *Eu poderia lhes dar outro alguém no meu lugar.*

Alguém de quem vocês gostariam mais.

Alguém que vocês feririam mais do que a mim.

Mas não. Eles haviam tirado todos os pedaços dele.

Ele se agarraria à vingança.

Seria seu conto de fadas, sua canção de ninar, cantada suavemente por lábios esfolados.

Desafinada e demente.

Capítulo 33

Uma mulher que pensa dorme com monstros.

— Adrienne Rich

Tana desceu o corredor atrás de Lucien, passando pelas pinturas a óleo de paisagens campestres francesas e marcas de mãos sujas de sangue coagulado. Eles chegaram a uma pesada porta de carvalho. Lucien estava esticando a mão para encostar na maçaneta quando a porta foi escancarada.

Gavriel foi emoldurado pela entrada. Ele estava com a calça jeans preta e a camisa da mesma cor que havia usado na viagem pela estrada que fizera com Tana e os outros, embora houvesse uma maciez naquelas roupas que sugeria que elas haviam sido recentemente lavadas. Estava com os pés descalços. Dando um passo para trás, acenou para que os dois ali entrassem.

— Viu? Eu a devolvi — disse Lucien, dando um empurrão na parte inferior das costas de Tana, de forma a forçá-la a entrar cambaleando no aposento. — Incólume. Imaculada.

Tana franziu a testa.

— Você é mesmo de outra época, não é?

Ignorando-a, Lucien cruzou o limiar, fechando a porta atrás de si.

— Nós precisamos conversar, meu querido.

— Todos os três? — perguntou Gavriel com malícia na voz.

— Ela é sua convidada. Nós deveríamos entretê-la... e ficar de olho nela. Segundo você, ela matou dois vampiros em um único dia. Na verdade, em momento algum você deveria ter me deixado sozinho com ela. Deve ser muito perigosa.

O sorriso de Lucien não estava refletido na expressão em seus olhos. Ele sacou de um bolso um canivete dobrável com cabo de osso e começou a cutucar debaixo das unhas com a ponta dele, tirando dali fragmentos de sangue seco e pedacinhos de tecido. Ela notou que havia algo de errado com a forma como as unhas dele se curvavam, como se os dedos estivessem se afunilando em garras.

— Você está certo. Eu nunca deveria ter deixado vocês dois sozinhos — disse Gavriel, virando-se para Tana com um meio sorriso só para ela.

Mais perigosa do que o nascer do sol. Ela imaginou se Gavriel se lembrava dessas palavras. Porém, naquele instante, não se sentia nem um pouco perigosa. Sentia-se revoltada e muito, muito amedrontada.

Ela olhou em volta da sala, tentando orientar-se. As janelas eram do mesmo vidro cinza e o sol ainda ardia lá fora, fazendo com que as janelas brilhassem intensamente, embora ela não mais tivesse noção de tempo. Poderia ser fim de tarde ou começo de noite. No chão, ao lado da cama, havia uma grande bolsa de couro, com várias facas quase transbordando dela. Tana se perguntou onde Gavriel havia colocado aquela bolsa antes de seu confronto com Lucien.

O quarto era grande o bastante para acomodar a cama com dossel no centro e um canapé ao longo de uma das paredes, cujo estofamento era de um couro brilhante, reluzente, preto. Acima dele estava pendurado um quadro, a pintura de um meticuloso estudo de um coração humano repleto de vermes em uma bandeja de prata, o que fez com que Tana se lembrasse de seu professor de arte, e ela se perguntou, de repente, se essa poderia ser uma das obras dele.

Pensou que deveria tirar uma foto daquilo e enviá-la por mensagem ao sr. Olson, mas isso apenas fez com que imaginasse Lucien e Gavriel posando cada um de um lado do quadro, olhando com ódio um para o outro, e, com isso em mente, a histeria ameaçou rastejar e subir por sua garganta e sair à força na forma de risadinhas.

Essa era a pior parte. Ela poderia planejar e poderia continuar seguindo em frente, mas não conseguia se controlar quando seu cérebro era sobrecarregado de horror e ameaçava desligar-se espetacularmente, em um surto de risadas histéricas. Ela sentia como se estivesse caminhando em uma corda bamba e bem no limite daquilo com que conseguia lidar; e, se começasse a rir agora, não haveria de parar.

Lucien cruzou o quarto e jogou-se no canapé, mostrando exatamente quão confortável ele se sentia no quarto de Gavriel. O que fazia sentido, já que, no fim das contas, eles estavam na casa de Lucien. Ele continuava a cutucar embaixo das unhas com a faca, soltando os últimos pedaços do que as deixara escurecidas. Quanto mais Tana olhava para ele, mais percebia que alguns fios dos cabelos loiros dele também estavam manchados de sangue, na direção da nuca dele, onde provavelmente ele não conseguia ver. Nas câmeras, passaria como nada, um borrão.

Ela quis rir de novo, o que era ridículo, porque nada disso era engraçado.

Tana empoleirou-se no canto do colchão. Quando Gavriel olhou para ela, ela não conseguiu bem manter o olhar fixo no dele. Lembrou-se de como ele a havia observado com o vampiro no porão, como ele vira sua boca manchada e os dentes vermelhos. O que havia pensado dela? Ela havia decaído bastante em relação à garota legal que lhe oferecera uma carona no porta-malas do carro.

Não, não era engraçado, nem um pouco.

— Então — disse Lucien. — A guarda avançada do Aranha, sua *Corps des Ténèbres*, chegará aqui hoje, ao crepúsculo. O próprio Aranha virá mais tarde na noite, quando tudo estiver preparado para acomodá-lo. Nós não temos muito tempo para preparações e teremos uma única chance de fazer com que esse plano dê certo.

A forma casual como ele falou da chegada do Aranha era alarmante, como se ir e vir de e para Coldtown, para vampiros como o Aranha, Lucien ou Elisabet, fosse algo tão simples quanto cruzar qualquer outra fronteira. Ela se perguntava se as únicas criaturas que realmente ficavam presas dentro da cidade eram os humanos. Não, pensou, humanos e vampiros criados depois de Caspar.

Gavriel passou os pálidos dedos pela bagunça dos cabelos pretos, um hábito estranhamente humano. Ele parou de olhar para Tana e voltou os olhos para Lucien.

— É só me deixar chegar perto o bastante dele e eu o mato. Não tenha dúvida quanto a isso.

— As correntes teriam que ser de verdade — disse Lucien. — Ele, acima de todos os outros, sabe o que manterá você preso e ou não... eu terei que fazer uso de aço pesado, mas nós podemos soltar alguns dos elos. Entendeu? Tudo isso terá que parecer muito, muito real.

— Sim — respondeu Gavriel, tão baixinho que era como se estivesse exalando o ar. — E tem que haver algum sinal de luta. Marcas no meu corpo e no meu rosto, como se realmente tivéssemos lutado.

Lucien retraiu os lábios, deixando os dentes à mostra, em uma expressão que era meio sorriso e meio um rosnado.

— Qual é exatamente o plano? — quis saber Tana.

Lucien olhou de relance para ela, incomodado, antes que a expressão em sua face suavizasse deliberadamente. Talvez ele tivesse percebido que ela não teria como ajudar Gavriel a seguir um plano que ela não entendesse. Ou talvez Lucien houvesse se lembrado de que estava tentando fazer com que ela gostasse dele.

— Para falar a verdade, é um plano simples — disse ele, acenando com a mão na direção de Gavriel. — O Aranha está vindo até aqui para coletar o prêmio dele. Nós vamos atar Gavriel e, quando o Aranha se aproximar o suficiente dele — e ele fará isso, não conseguirá resistir a expressar sua exultação —, Gavriel se libertará das amarras e o matará.

Gavriel assentiu, concordando.

— E depois o pessoal de Lucien atacará as tropas dele.

— E assim, o novo mundo triunfa sobre o antigo — finalizou Lucien.

— Legal — disse Tana, sentindo como se devesse dizer alguma coisa, mas também como se tudo em que ela pensasse parecesse insuficiente. Aquela estranha sensação do surreal estava caindo sobre ela de novo.

Alguns vampiros iam matar alguns outros vampiros.

Lucien e Gavriel, melhores "animigos" vampiros, iam matar outros vampiros.

Tana colocou a mão na frente da boca, abafando assim um sorriso.

Era uma vez... Tana e Pauline haviam tido uma grande desavença sobre uma jaqueta de couro que Tana havia pegado emprestada, e na qual a amiga mútua delas, Ana, havia vomitado. Seguira-se uma gigantesca briga com gritos e então elas ficaram se evitando durante uma semana, comendo o almoço em mesas diferentes e chateando os amigos mútuos com infindáveis comentários maldosos. Mas então Pauline havia sido escolhida para o papel principal em uma peça e aparecera na casa de Tana para ensaiar suas falas. A briga havia acabado, simples assim.

Mas será que Gavriel se sentiria assim em relação a Lucien? Seria possível perdoar alguém que causara a morte da irmã dele, cujo colar Gavriel carregara consigo por mais de um século? Seria possível perdoar alguém que era culpado por ele ter sido trancafiado em uma cela e ter enlouquecido?

Lucien levantou-se e começou a caminhar em direção à porta.

Gavriel falou baixinho, curvando um dos cantos da boca para cima:

— Tem mais uma coisa que eu quero dizer a você.

Lucien virou-se, e algo em relação a Gavriel fez com que ficasse paralisado no lugar.

— Você não vai me trair — disse Gavriel. — Mas pode me dizer o motivo?

— Porque eu sei que você é capaz de matá-lo e eu o quero morto. — Lucien franziu o cenho, falando devagar, como se falasse com uma criança. — Sua especialidade é matar seres da nossa própria espécie. E eu quero o Aranha morto... ele odeia vampiros que se exibem diante dos mortais, vampiros como eu, que se tornaram celebridades... então, você estará me dando o que eu quero a um custo muito baixo para mim. Além disso, você é minha progênie, de quem sinto muito orgulho.

Gavriel sorriu.

— Não, você não vai me trair, porque, se fizer isso, eu contarei o seu segredo ao Aranha. Eu sei por que você me entregou a ele com tamanha rapidez. Não percebi isso a princípio, mas ficar em uma jaula durante uma década nos dá um bom tempo para pensar.

Lucien ergueu o olhar de relance para a parede, acima de uma pintura, e depois voltou a olhar para onde olhara antes. Foi somente uma troca de um instante na direção do olhar, mas, quando Tana acompanhou o gesto, viu o minúsculo brilho da lente de uma câmera.

É claro que ele estava gravando Gavriel. É claro.

Porém, isso não poderia fazer parte da transmissão ao vivo, não se Lucien estava casualmente discutindo segredos. A menos que ele estivesse traindo Gavriel da maneira mais óbvia possível: literalmente transmitindo o plano deles para o Aranha. Mas, embora a gravação fosse provavelmente ficar escondida em um cofre-forte de Lucien em algum lugar, ele parecia nervoso, como se não quisesse que fosse o que fosse que Gavriel estava prestes a dizer ficasse gravado de forma alguma.

Gavriel virou-se na direção de Tana e dirigiu a próxima parte a ela. Ele soou friamente são.

— Há muito tempo, nenhum novo vampiro podia ser transformado sem a aprovação de um pequeno número de vampiros muito velhos. Eles fingiam que estavam preocupados com a disseminação do vampirismo, mas aquilo que mais os preocupava era que alguém de sua própria progênie formasse um exército e fizesse algo contra eles. Como um Espinho, eu caçava quaisquer crias que saíam da linha. Porém, o que eu mais caçava eram erros.

"Alguns vampiros são tolos ou desleixados. Alguns são interrompidos no meio da alimentação, surpreendidos pela luz do sol, ou até mesmo perdem a luta com a pessoa atacada. Aquela vítima fica Resfriada, e então, sem saber como deve agir, se alimenta sem matar. Provavelmente *tenta* se alimentar sem matar. Porém, no processo, ela cria mais vampiros e, em pouco tempo, temos um surto."

Tana não conseguiu evitar imaginar Gavriel sendo interrompido por algum vampiro frenético, acenando com as mãos, tentando explicar os terríveis erros que ele havia acabado de cometer.

Uma risada ameaçou subir como uma bolha da garganta de Tana novamente.

— Caspar Morales era diferente — disse Gavriel. Ao ouvir o nome dele, Lucien enrijeceu-se. — Ele não se lembrava de quem o havia transformado, apenas que tivera a sensação de estar sendo seguido e então foi surpreendido, sozinho em uma viela. Ele acordou na própria casa, com as persianas abaixadas. Na parede, com sangue, alguém havia escrito "diga à Morte que mandei um alô".

— Era como se alguém o houvesse transformado por uma brincadeira de mau gosto.

Lucien permanecia muito imóvel.

— Quem faria uma coisa dessas? — ele perguntou, com voz monótona.

Gavriel virou-se novamente para ela, e Tana subitamente se deu conta de que estava desempenhando o papel do júri.

— Eu matei cinco vampiros de cabelos negros e olhos escuros no último mês e havia algo nas feições de todos eles que fazia com que parecessem, de longe, possivelmente meus parentes. Três mulheres e dois homens. Todos eles com uma história estranha sobre como foram transformados, todos com faces que me lembravam o meu irmão. A minha irmã. E as roupas que usavam, estranhamente antigas, como se alguém as tivesse arranjado para eles. As joias também. Era inquietante. Um dos garotos tinha até mesmo uma inútil e velha pistola de duelos.

"O tédio é o pior inimigo daqueles que vivem para sempre. Todos nós temos maneiras de nos divertirmos. E as de Lucien são, com frequência, como devo dizer? *Mesquinhas.*"

Tana estremeceu. O calafrio da infecção estava se insinuando novamente sob sua pele, mas ela ainda conseguia ignorá-lo.

— Tudo bem — disse Lucien. — Chega!

— Era como matar fantasmas, de novo e de novo e de novo — continuou Gavriel. — Da última vez, eu não consegui fazer isso. Deixei que Caspar se fosse. Deixei que ele fugisse, mas não fui eu que o transformei. Você fez isso, Lucien. Você transformou todos eles, para ver o que eu faria. Porque ser cruel era sua diversão. E o motivo pelo qual você não vai me trair, Lucien, é que, se fizer isso, eu contarei a minha história ao Aranha e você passará a próxima década em uma jaula ao meu lado.

Tana olhou para os dois e, por um instante, sentiu-se banhada pela atrocidade do que Gavriel havia dito. Ele estava dizendo que o fim do mundo não era um acidente: era uma piada.

— Você não tem provas — disse Lucien. — Apenas uma história.

Gavriel deu de ombros.

— Se você realmente acredita nisso, por que guardou o segredo por tanto tempo? — O corpo de Lucien vibrava com uma energia maníaca suprimida. A boca arrogante tremia.

Tana percebeu que ele estava com medo. Medo do que o Aranha faria com ele se soubesse disso, talvez medo de todos os outros vampiros ancestrais, traídos e tirados de seu velho mundo, juntando-se e dilacerando-o por completo, como haviam feito com Caspar Morales. Talvez até mesmo estivesse com medo de humanos, ou pelo menos dos governos humanos, que finalmente teriam alguém a quem culpar.

Não era de admirar que Lucien houvesse glorificado Gavriel por mudar o mundo. Todas as vezes que Lucien o louvara, ele estivera elogiando a si mesmo.

Mas sentir medo tornava Lucien perigoso. Tana podia ver a violência reprimida na face dele, podia ver o novo ódio reluzindo nos olhos vermelhos. Se Gavriel achava que mostrar a Lucien o poder que tinha sobre ele lhe garantiria sua lealdade, estava enganado.

— Eu guardei o seu segredo porque gostava de pensar em você livre — respondeu Gavriel.

Lucien cruzou o quarto abruptamente, como se não conseguisse mais tolerar ouvir mais nada. Ele abriu a porta para o corredor.

— Depois desta noite, nós dois seremos livres. Seremos livres para sempre, contanto que você não estrague tudo.

Lucien bateu a porta ao sair, fazendo a parede tremer.

Gavriel caiu no canapé e colocou ambas as mãos sobre o rosto. Então ele olhou para Tana com olhos estranhos.

— Ah, meu Deus... como você deve me desprezar.

Ela deslizou para fora do colchão, balançando a cabeça em negativa.

— Eu estou melhor agora — disse ele. — De qualquer forma, às vezes eu fico melhor. Antes, era como estar em um sonho. Eu não conseguia enxergar as coisas direito. Tudo ficava confuso e bagunçado, e agora... agora eu vejo quão horrível deve ter sido. Quão horrível tudo isso deve ser.

— O que foi que você disse: *seria preciso um rio de sangue para lavar as minhas feridas?* Eu vi um vídeo de você na outra noite. Foi como se você estivesse tomando todos os seus remédios de uma só vez. Então, acho que isso ajudou. Fico feliz. — Ela lembrou-se dele curvando-se sobre a garganta da garota, equilibrando o joelho na beirada da cadeira dela, cobrindo o corpo dela com o seu. Um estremecimento passou por Tana, e não era de medo.

— Eu disse mesmo isso? — ele quis saber. — Isso soa um pouco insano.

Tana deu risada, empoleirando-se no braço do canapé. Ele esticou os dedos frios até ela e arrastou-a para baixo, para seu lado, em um gesto surpreendentemente humano. Ela deixou-se deslizar para a almofada, encostando a cabeça no ombro dele.

— Como você está? — ele perguntou-lhe baixinho.

— Bem — disse Tana —, todas as roupas novas que eu arrumo, consigo arruiná-las em poucas horas.

O largo sorriso no rosto dele abriu-se de imediato. Seu olhar voltou-se para o vestido dela, depois desviou-se.

— Couro dá para limpar.

Descansar ali, sorrindo, com o braço dele em volta dela, era como estar em um encontro romântico muito perigoso. Ela pensou na forma como ele a havia beijado, com sangue na boca e o sol erguendo-se atrás dela, e imaginou se ele queria beijá-la novamente.

— Então você acha que esse plano vai dar certo? — perguntou de repente, desesperada para preencher o silêncio. — Você confia mesmo no Lucien?

— Como se faz para conseguir que um gato bata em um fio? — sussurrou Gavriel junto aos cabelos dela.

— Eu não sei — disse ela, estremecendo. — Arrastando o fio na frente do gato bem devagar?

— Exatamente — ele lhe disse, percorrendo com os dedos frios o arco da bochecha dela. Ele observava a própria mão com fascínio, como se estivesse surpreso com o que estava fazendo. — E, se isso não der certo, arraste o fio *por cima* do gato. Você não mostra a ele o que realmente pode fazer com o fio. Você não começa a balançá-lo no ar e nem incrivelmente rápido. Isso vem depois. Primeiro, você deixa que o gato pegue o fio. E, se o gato pegar o fio uma vez, vai querer pegá-lo de novo.

— Assim como você vai deixar o Aranha achar que pegou você? — A voz dela saiu um pouco sem fôlego.

Ele deu de ombros.

— É divertido observá-los quando o fio está no ar e eles estão à espera, com as patas fora do chão. É engraçado vê-los dançar. São capazes de colidir com paredes para pegar aquele fio de volta.

Tana afastou-se dele um instante, olhando-o com um ar sério. Ele era todo boca suculenta e olhos inundados, totalmente um belo monstro reclinando-se em almofadas de couro, mas ela havia visto a expressão na face dele antes de Lucien sair dali.

— Ele vem bagunçando a sua cabeça faz um bom tempo. Você não está preocupado com a possibilidade de ele estar te manipulando, Gavriel?

Ela ergueu o olhar de relance para o ponto brilhante onde estava a câmera.

Eles estavam diretamente debaixo dela, o que talvez significasse que eles até poderiam não aparecer no filme, mas ela estava certa de que sua voz seria ouvida. Se Lucien ouvisse isso, saberia que ela nunca tivera intenção alguma de ajudá-lo.

— Eu não sei mais ao certo se isso importa. Mas você faria uma coisa para mim? Pode trancar a sua porta hoje à noite e ficar dentro do quarto até a alvorada? Não importa o que você ouça?

Tana inspirou, trêmula. Essa era a única coisa que ela não poderia prometer a ele, não se quisesse ajudar Valentina. Não se quisesse a ajuda de Jameson.

— Ok — mentiu.

Ele pareceu aliviado, de um jeito preocupante.

— Então permita-me contar uma história enquanto esperamos pelo cair do crepúsculo. Quando eu era um garoto, havia uma mulher que cuidava de mim e do meu irmão, e ela nos contava histórias de pássaros de fogo e de bruxas, e sobre a princesa guerreira chamada Marya Morevna, com quem o príncipe Ivan se casou. Ivan estava completamente sozinho, visto que ele havia dado a bênção para que sua primeira irmã se casasse com um falcão, para que a segunda irmã se casasse com uma águia e a terceira, com um corvo.

— Elas casaram com pássaros? — ecoou Tana, não tanto pela resposta em si, mas para mostrar a Gavriel que estava prestando atenção... e para fazê-lo sorrir.

— Pássaros que às vezes eram homens — disse Gavriel. — Quando Ivan viu a ferocidade de Marya Morevna em batalha, assim como sua beleza, ele se apaixonou instantaneamente por ela. Os dois se casaram logo depois. Porém, princesas guerreiras são muito ocupadas, então, logo, Marya Morevna teve que invadir algum lugar ou batalhar com alguém, e deixou Ivan cuidando do reino dela. Ele tinha pilhas de ouro e muito bom caviar, e tudo que alguém poderia querer, exceto por uma coisa: ela implorou que ele nunca fosse até uma única câmara debaixo do palácio.

Tana pensou em seus próprios pés nos degraus empoeirados que davam para o porão e para a mãe, esperando no escuro.

— Mas ele foi até lá, não foi? — Inclinando-se na direção dele, Tana descansou a cabeça no peito dele, cerrando os olhos.

— Ele não conseguiu resistir. — O sotaque de Gavriel ficava mais acentuado conforme ele ia falando. — E lá, acorrentado com doze correntes fortes, estava Koschei, o Imortal. E Koschei disse: "Por favor, eu estou com tanta sede. Tenha piedade de mim e me dê um pouco de água. Eu estou trancado aqui há dez anos, sofrendo tormentos que você não pode imaginar. Minha garganta está tão seca."

— Essa é uma história verdadeira? — interrompeu-o Tana, pensando na própria década de tormento de Gavriel, em sua própria fome.

Mas o vampiro apenas riu.

— Uma história muito famosa, eu juro. Seja como for, Ivan era uma alma bondosa e trouxe água a Koschei, porém, a sede dele não pôde ser saciada com um único balde de água, nem com um segundo balde. No entanto, quanto Ivan levou a ele o terceiro balde de água, Koschei recuperou sua força plena e quebrou as correntes.

— O pecado da misericórdia — disse Tana.

Gavriel pareceu um pouco envergonhado e um pouco satisfeito porque ela se lembrava disso.

— Sim — disse ele baixinho, descansando os dedos frios sobre a pele do ombro desnudo dela, distraindo-a. — Ivan era misericordioso, e todo o restante da história foi como ele pagou por isso. Koschei sequestrou Marya Morevna e levou-a embora para o seu próprio palácio, deixando que Ivan corresse atrás deles. Três vezes Ivan conseguiu encontrar Marya Morevna, e três vezes conseguiu fugir com ela, mas Koschei tinha um cavalo mágico mais rápido do que o vento. Da primeira vez que Koschei pegou Ivan, por gratidão pela água que ele lhe havia dado, deixou Ivan partir com um aviso de que, se fosse pego de novo, seria cortado em pedacinhos. Da segunda vez que Koschei pegou Ivan, ele o deixou ir com o mesmo aviso apavorante.

"Na terceira vez que Koschei pegou Ivan, ele fez o que havia ameaçado. Cortou Ivan em treze pedaços com sua espada, colocou os pedaços em um barril alcatroado e jogou-o no oceano. Porém, o falcão, a águia e o corvo que haviam se casado com as irmãs de Ivan pescaram-no de volta. Eles pegaram os pedaços do corpo e dispuseram-nos no chão, como se fossem peças de um quebra-cabeça. Assim que o remontaram, eles borrifaram água em seu corpo e ele acordou novamente, como se emergindo de um profundo sono."

— Então ele era um morto-vivo? — perguntou Tana. — Como um vampiro?

— Algo do gênero. Ele acordou mais esperto também, porque desta vez foi até a bruxa Baba Yaga e ganhou um cavalo tão belo e tão rápido quanto o de Koschei. Com ele, Ivan fugiu com Marya Morevna uma última vez. Koschei perseguiu-os montado em seu cavalo mágico, mas, desta vez, quando ele os alcançou, o cavalo de Ivan atacou Koschei com um golpe potente, esmagando-lhe o crânio. Então, Ivan e Marya Morevna fizeram uma pira e queimaram Koschei até que ele virasse cinzas. E então viveram felizes para sempre, visitando cada uma das irmãs de Ivan e seus maridos-pássaros, todos os quais declararam que Ivan fizera a coisa certa ao se arriscar tanto por uma mulher tão bela e feroz quanto Marya Morevna.

— Se ela era assim tão feroz, como simplesmente não se salvou sozinha? — quis saber Tana.

— Mas esse é o ponto interessante da história, você não acha? — Gavriel fez a pergunta com uma intensidade que traía a ideia de aquilo ser apenas uma história para ele. — Eu amava essa história quando era criança, mas, conforme fui ficando mais velho, comecei a me perguntar: era justo que Marya Morevna deixasse Koschei trancafiado por longos dez anos sem nem mesmo água? E, se isso era justo para ela, não seria justo para ele sequestrá-la e levá-la até o castelo dele? Mas Ivan... ele é ***bom***. É ***gentil***. Ele daria água a um prisioneiro. E pode não saber como salvar a esposa, mas consegue fazer o impossível ao simplesmente não desistir. Ele é a parte caótica da história, porque não faz o que todo mundo espera dele.

"Quando eu era criança, pensava em mim mesmo como Ivan, mas não... você é mais parecida com Ivan do que eu jamais fui. Você esperava que eu seja bom, e, por sua causa, eu tentei. — Ele cerrou os olhos. — No final, porém, nós dois sabemos que eu serei Koschei nessa história. E é por isso que você deveria sair correndo para longe de mim o mais rápido que puder e continuar seguindo em frente. Até mesmo o meu amor é monstruoso, Tana. Eu vou continuar assustando você e...

— Você não é nenhum personagem de conto de fadas. — Ela pegou no queixo de Gavriel e virou a face dele em direção à sua, de modo que, quando ele abrisse os olhos sobrenaturais novamente, ela poderia olhar dentro deles sem se encolher de medo. Para que pudesse mostrar a ele que estava falando sério. — E eu não sou... eu nem mesmo sei ao certo o que sou, mas conheço *você*. Talvez eu não tenha passado décadas com você, como o Lucien passou, mas aposto que consigo fazer você rir mais rápido do que ele poderia.

— Ah, é mesmo? — Ele inclinou a cabeça para um dos lados, e foi difícil para ela não encarar por muito tempo a maciez da boca dele. Ela queria passar o dedo pelo contorno daquela boca.

Inclinou-se para perto dele, o coração martelando-lhe o peito, e, em vez disso, lambeu a bochecha dele. Por um instante, ele pareceu alarmado, e então, realmente riu, uma risada verdadeira, honesta, que ele não pôde evitar, pelo puro ridículo do que ela havia acabado de fazer.

— Você é você mesmo — disse Tana, com um largo sorriso no rosto. — Você é mais puramente você do que qualquer um que eu conheça. E, se você não consegue mais ver quem é essa pessoa, então se veja da forma como eu o vejo.

Gavriel balançou a cabeça em negativa.

— Você não tem como saber o que eu sou...

Ela o interrompeu, falando rápido:

— Quando eu estava prestes a completar quatorze anos, meu pai me mandou ir para um acampamento. Talvez você não saiba o que é isso, mas geralmente é algo que se faz durante algumas semanas no verão, e a gente...

Ele pressionou a mão junto ao peito, com uma afronta zombeteira.

— Eu fiquei trancafiado por dez anos, não ***dez mil anos***.

— Certo, bem, ok — disse ela. — Enfim, eu tinha umas ideias sobre quem eu era quando parti para o acampamento. Eu tinha uma centena de bichinhos de pelúcia que meus avós tinham me dado com o passar dos anos, todos empilhados em cima da minha cama. E eu tinha duas melhores amigas, a Nicole e a Amber. A Amber morava na rua abaixo da minha, e nós éramos amigas desde... basicamente, sempre. A Nicole havia se mudado para a cidade depois e ficou realmente chegada à Amber quando eu estava no hospital. Então, éramos sempre nós três, e andávamos de bicicleta pela cidade juntas, e assistíamos a filmes nos quartos umas das outras.

"Em amizades, todo mundo tem seus papéis. Eu era aquela que se preocupava que fôssemos nos meter em encrenca se escrevêssemos com canetinha no banheiro da Macy's no shopping, ou se roubássemos um par de brincos de penas de uma Claire's Boutique. Aquela que sempre fazia o que lhe mandavam fazer. A tímida. A assustada. A boazinha. Era assim que eu era com nove anos, dez, onze e doze, então, nem percebi que não era mais assim aos treze."

Ele passou os dedos frios na pele marcada pela cicatriz do braço dela e, por um instante, ela ficou enfeitiçada demais para seguir em frente com o que estava dizendo.

— Eu acho que você tinha um bom motivo para sentir medo — disse ele.

— Talvez. Mas o lance é que, quando eu fui àquele acampamento, ninguém me conhecia. E, quando voltei para casa, eu me vi diferente. Lá, eu havia sido a primeira a cruzar a nado o lago inteiro. Quando a pia estava com problemas, fui eu que separei os canos e a consertei. Eu quase matei um coitado das cabanas dos meninos que tentou nos assustar fingindo ser um vampiro.

— Aposto que sim — disse Gavriel, em um tom seco.

— Pode rir — volveu ela —, mas o lance é que eu não me conhecia, nem um pouco, até que fui acampar. Eu sabia como a Nicole e a Amber me viam. E o Lucien e o Aranha e todos os outros, eles têm medo de você, então, acham que você deve ser mesmo bem horrível. Eles acham que você não consegue sentir nada, porque eles se esqueceram de como sentir. Você é muito, muito perigoso, eu entendi isso, e tem uma tendência a ficar todo teatral e pensativo, mas não confunda isso com alguma espécie de corrupção interna. Eles veem a si mesmos em você e estão cegos.

Ele inclinou-se na direção dela, contemplando-lhe o rosto como se algum grande segredo nadasse nos olhos dela, suas mãos trazendo-o mais para perto de si, a boca se separando de leve, deixando à mostra as pontas dos caninos, enquanto ele se curvava na direção dela, com olhos velados.

— E o que você vê?

Um estremecimento passou pelo corpo dela, o frio da infecção correndo pelas veias.

Ele recuou, como se tivesse sido tostado. Os lábios ainda estavam separados e havia uma selvageria na forma como olhava para ela, como se ele fosse um animal preso em uma armadilha à espera do fustigar de um chicote.

— Não — disse ela. — Eu só estou Resfriada. Isso é da doença.

Parecia que ele não tinha certeza se deveria acreditar nela.

— Você não bebeu sangue o suficiente — disse, levando o pulso à própria boca e mordendo-o.

Com o vermelho manchando os dentes e a parte interna do lábio inferior, ele esticou a mão para ela.

— Eu não posso — disse ela, recuando, o cheiro do sangue deixando-a zonza. — Já tem algo errado comigo.

Ele franziu o cenho, analisando a face dela. Os olhos de Tana voltaram-se para o pulso vermelho dele. Ela queria beijar aquele pulso, passar a língua por ele, afundar os dentes afiados na pele dele. E uma outra parte dela estava gritando, dizendo que não podia fazer isso, que ela não era assim.

Ela abriu a boca, deixando-o ver as novas pontas das novas presas.

— Oh — disse ele, claramente surpreso, mas não *tão* surpreso assim.

— Por favor, só me diz que isso não é tão ruim assim. A Marisol disse... ah, esquece o que ela disse. Só me explica isso.

— Vou tentar — disse Gavriel, ignorando o pulso que sangrava. — Há muito tempo, nós visitávamos humanos que queríamos transformar, noite após noite, tirando sangue deles e dando o nosso a eles. Quando estavam prontos, depois que haviam se tornado algo não tão humano, nós deixávamos que eles bebessem sangue humano e se transformassem em vampiros. Você, hum, acelerou o processo bebendo tanto sangue de vampiro por conta própria.

A explicação dele era como a de Marisol, exceto que ele, obviamente, havia visto isso ser feito. *Não, sua imbecil,* ela pensou de repente, *isso foi feito com ele.*

— E agora? — perguntou Tana, as palavras *não tão humano* ecoando na cabeça.

Gavriel deu de ombros.

— Um vampiro que se alimentou de sangue de vampiro fica mais forte, só isso. A maior parte dos vampiros transformados depois que tudo ficou Resfriado é fraca, tem o sangue fraco. Eles são o que costumávamos chamar de bastardos, acidentes. Erros.

Tana passou a língua sobre as pontas dos dentes. O sangue de Gavriel escorria braço abaixo em três linhas, e ela estava tendo dificuldades para desviar o olhar. Parecia um xarope de mirtilo e morango, como em seu sonho de criancinha.

— Eu ainda estou só Resfriada, certo? Dentro de oitenta e oito dias, se eu não beber mais... eu vou ficar melhor, não vou?

A expressão na face dele lhe dizia mais do que suas palavras.

— Eu nunca vi ninguém voltar atrás assim que a transformação física tivesse começado, mas isso não quer dizer que não seja possível.

— Então também é possível que eu possa ficar Resfriada para sempre? — ela perguntou, com o coração socando o peito. — Faminta, *para todo o sempre?*

Ele ficou em silêncio por um bom tempo, o que era resposta suficiente. Então, esticou a mão para pegar uma echarpe para atar seu pulso.

Se ela continuasse Resfriada para todo o sempre, isso faria dela uma vampira viva. Uma vampira viva que nunca poderia fazer aquilo pelo que ansiava.

Logo quando a gente pensa que afundou o máximo possível, sempre há um lugar mais embaixo. Sempre há algo pior a ser temido. Não haveria nenhuma salvação? Nenhuma regra?

Eu não estou nem aí, ela decidiu. *Só desta vez, por um tempinho, não vou me preocupar e não vou me importar.* Ela pegou o braço de Gavriel e, quando ele olhou para ela, com ar questionador, surpreso, ela não conseguiu se forçar a responder. Não queria explicar a imprudência, o prazer de fazer a escolha ruim, a glória de, pelo menos desta vez, escolher seu próprio caminho para a danação. Então, em vez de falar, ela levou a boca até o pulso ferido dele, com os dentes recém-afiados penetrando na pele e fazendo com que ele, até mesmo ele, ofegasse.

Ela engoliu o sangue dele, um escuro sangue ancestral de alguma adega esquecida. Sentia-se como Perséfone no Hades, as sementes de romã estourando de encontro aos dentes, o suco rolando pela língua, e, quanto mais ela tomava, mais fome sentia. Parecia que sua pele estava acesa por dentro, o corpo inteiro tremendo com uma sensação deliciosa. Ele soltou uns sons baixinhos antes de levar a mão para cima para abafá-los, pressionando os dedos na própria boca. Puxou o sangue do pulso dele com mais força.

Por fim, ela forçou-se a recuar e ergueu o olhar para ele, oscilante. Sentia-se bêbada. Ele também não parecia particularmente sóbrio, observando-a com os olhos levemente desfocados, os lábios separados quando ele tirou a mão da frente deles, e um estremecimento percorrendo-lhe o corpo como alguma baixa corrente elétrica.

Passou pela cabeça dela que Gavriel estaria lutando com um velho vampiro em uma questão de horas e que abrir mão de até mesmo uma porção de sua força era uma ideia terrível. Mas ele não parecia se importar, com a cabeça inclinada para trás e os olhos semicerrados. Ela se perguntou se já havia bebido sangue demais dele.

— Gavriel — ela disse, sentindo a língua esquisita na boca.

— Sim? — Ele piscou algumas vezes, como se estivesse tentando se focar nela.

— Você pode me morder — disse ela. — Se quiser.

Aquilo pareceu fazer com que ele saísse do atordoamento. Ele recuou, arregalando os olhos.

Ela foi rastejando mais para perto dele, subindo de joelhos e montando em uma das pernas dele, equilibrando-se com as mãos nos ombros dele. Seu coração martelava o peito.

— Eu já estou Resfriada. Já estou condenada. Não vai fazer diferença.

— Tana... — ele protestou, parecendo estupefato. Mas ele queria, ela podia perceber que sim. Ele curvou-se em direção à garganta dela como se o zunido de sua pulsação estivesse batendo-lhe nos ouvidos, inalando o cheiro da pele da garota.

Ela fechou os olhos, preparando-se para a intensa, repentina e pungente dor da entrada das presas na pele.

— Tana — ele disse novamente, sussurrando junto à pele dela. — Tana.

— Vai logo em frente — ela falou. — Eu já estou assustada o bastante assim. Não deixe que eu me acovarde e...

Ela sentiu a pressão dos frios lábios dele na jugular. O medo afogou um soluço baixinho dela. Ele levou o pulso ensanguentado à boca de Tana, e, quando os dentes dela encontraram a ferida fresca, ele mordeu o pescoço dela. Parecia que lascas gêmeas de gelo deslizavam para dentro da garganta dela.

Tana gemeu junto à pele dele. A dor percorria-lhe os nervos. Ela sentia o puxão dos dentes dele, a onda de tudo que era cálido dentro dela sendo despejada para fora. Sentia o coração ultra-acelerado, batendo mais e mais rápido de medo. O sabor do sangue dele estava em sua língua, e picadas frias percorriam sua coluna. Os lábios pareciam amortecidos.

Seu corpo estava pressionado no dele, e uma das mãos dele estava na parte inferior de suas costas, e nervos que ela nem sabia que existiam antes contraíam-se com uma súbita euforia. O prazer se desdobrava dentro dela, sinistro e sedutor. Ficava difícil lembrar-se de respirar, era difícil fazer algo além de morder o pulso dele e afogar-se em um êxtase cíclico.

Ela se movia junto dele, como se pudesse rastejar para dentro da pele dele.

Então ele a empurrou para longe de si, indo para o outro lado do canapé. O pescoço dela ardia e ela ofegava, tentando respirar, e a sala estava voltando ao primeiro plano. Os olhos dele estavam fechados, os longos cílios pretos como fuligem roçavam as bochechas rosadas pelo sangue dela, os cachos negros dos cabelos pendendo na face, a boca pintada de vermelho. Em cada pedacinho ele era o anjo corrompido, longe do céu.

Os lábios dela se abriram, ansiosa para saborear... antes de lembrar quem era.

Fora da janela, o céu estava escuro. Ela levantou-se, tremendo.

Ele abriu os olhos vermelhos. Ela queria contar-lhe sobre Valentina e sobre como tinha que ir, como havia prometido que a ajudaria, só que agora não queria ajudar ninguém tanto quanto queria beijá-lo e talvez mordê-lo novamente também, mas principalmente beijá-lo e fazer todas as coisas que vinham depois do beijo.

Queria falar-lhe sobre tudo isso, só que aí a câmera acima da pintura, aquela que registrava tudo que eles faziam, gravaria as palavras dela também.

Só de pensar em Lucien observando-os, o olhar dela voltou-se rapidamente na direção da câmera, antes que pudesse se forçar a desviá-lo.

— Eu tenho que voltar para o meu quarto — disse ela, incapaz de olhar nos olhos dele. Ela o queria, queria ficar ali e bloquear todo o medo com o desejo. Forçou-se a dar um passo em direção à porta.

Parecia que ele queria dizer alguma coisa para impedi-la de ir embora, mas apenas ficou de pé, colocando a mão apoiada na parede para se equilibrar. O sangue escuro e azulado escorria de seu pulso.

Adeus, ela pensou. *Adeus, adeus, adeus.*

— Está quase acabado — disse Gavriel, com a voz baixa, um louco sorriso puxando para cima um dos cantos de sua boca. — Hora de lermos as entranhas do dia e profetizarmos um futuro glorioso.

Capítulo 34

A Morte não veio até a minha mãe
Como uma velha amiga.

— Josephine Miles

Quando Tana era pequena, ela não gostava quando sua mãe ia a festas. Adorava vê-la aprontando-se para as festas: amava os vestidos de seda e de chiffon, os casacos de veludo, até mesmo os terninhos engomados que acabavam de voltar da lavagem a seco com alfinetes de segurança presos neles; os brincos, colares e broches brilhantes; a magia de pintar as bochechas com rouge, delinear os lábios e escurecer os olhos com sombra, e então delineador e rímel; o borrifar do perfume pairando sobre tudo como uma nuvem doce e almiscarada, prendendo-se à pele e aos cabelos de sua mãe, conferindo a ela uma fria e remota elegância.

— Eu deveria usar as pérolas esta noite ou os pingentes dourados? — a mãe havia lhe perguntado, erguendo os dois.

Deitada em cima do acolchoado de penas na cama dos pais, Tana analisava a mãe com muito cuidado antes de fazer a escolha. Não dava para fazer esse tipo de pergunta a Pearl, porque ela escolhia as pérolas o tempo todo, por causa de seu nome. Porém, desta vez, Tana também escolheu as pérolas. Elas ficavam bonitas com o vestido da mãe.

Porém, quando os saltos altos dela estalavam no assoalho de madeira, Tana ficava nervosa em relação à noite que ela teria pela frente. A mãe poderia não estar de volta antes da hora de ir para a cama e o pai não entendia que Tana tinha permissão para ficar com a luz acesa uma hora a mais se estivesse no meio da leitura de um livro realmente bom, e, além do mais, ele se recusava categoricamente a dar uma olhada para ver se havia monstros no armário. O chá com leite que eles tomavam antes de dormir nunca estava doce o bastante, e, quando lia para Pearl, ele não fazia diferentes vozes para os personagens. Visto que ele não sabia como fazer todas aquelas coisas do jeito certo, a hora de dormir saía toda errada.

Aos dez anos de idade, ela supostamente era uma garota crescida. O pai dela lhe dizia que ela estava velha demais para usar luzes noturnas e se preocupar com monstros debaixo da cama. Quando ela tentava explicar que era o *armário* que a preocupava, ele sorria como se ela tivesse lhe contado uma piada.

Porém, se uma pessoa não acredita em monstros, então, como seria capaz de manter a gente a salvo deles?

Era assim que Tana acabava ficando acordada, esperando que a mãe voltasse para casa. Depois de uma hora, revirando-se de um lado para o outro no escuro, ela descia as escadas sorrateiramente e sentava-se à mesa da cozinha, com uma única lâmpada acesa, comendo biscoitos salgados e secos. Por um tempinho, isso era bom, mas depois, com as sombras se aproximando e seu pai e Pearl dormindo lá em cima, ela ficava com medo. A madeira da casa rangia levemente e as tubulações gemiam. Do lado de fora, o vento fazia os arbustos estremecerem e o olhar dela continuava acompanhando o movimento rápido, enquanto ela se perguntava se havia alguma coisa lá. Continuava pensando nos programas de notícias e nos ataques dos quais todos os adultos não queriam que ela soubesse.

Na hora em que os faróis dianteiros do carro de sua mãe iluminavam o gramado, Tana já havia surtado por completo, mas ela se prometia não permitir que a mãe notasse isso. Como dizia seu pai, ela era uma garota crescida.

O que ela não esperava era a aparência da mãe quando esta entrou em casa: o rosto pálido, o rímel borrado, como se ela tivesse esfregado os olhos ou chorado. Por um instante, ela só ficou encarando Tana, com a face assombrada. Em seguida, abriu um sorriso doentio, forçado, horrível.

— Ah, você ficou acordada esperando por mim, minha boa garota? — perguntou-lhe a mãe.

— Mamãe — disse Tana, cruzando a cozinha para jogar os braços em volta dela, chamando-a de algo que ela não a havia chamado fazia anos. — Mamãe, qual é o problema?

— Nada, docinho, pipoquinha, costelinha — disse sua mãe, e até mesmo a voz soou estranha. — Está na hora de ir para a cama.

Elas subiram as escadas. Tana bocejou. Estava feliz porque a mãe voltara, mesmo que algo ruim tivesse acontecido, algo que ela se sentia inadequada para entender.

No patamar da escada, a mãe se agachou e pegou Tana pelos ombros, encarando-a com uma intensidade ardente.

— Eu amo você — disse ela. — Você e sua irmã. Eu ambo muito vocês duas e nada nunca vai mudar isso.

Tana assentiu, completamente amedrontada.

— Eu faria qualquer coisa para proteger vocês — ela disse, com os olhos brilhando à parca luz. — Qualquer coisa para permanecer com vocês e ver vocês crescerem. Qualquer coisa, ok?

— Ok — respondeu Tana.

Porém, quando sua mãe a colocou na cama, inclinando-se sobre ela e pressionando a boca fria na bochecha de Tana, com o odor do perfume pairando no ar em volta delas e os cachos dos cabelos pretos da mãe pendendo soltos dos grampos, formando uma cortina, Tana decidiu que ela não *queria* crescer. Não queria ser uma garota crescida idiota demais para ver se havia monstros no armário e não queria ir a festas onde coisas horríveis aconteciam e as pessoas tinham que fingir não ter visto, nem mesmo se isso significasse usar vestidos bonitos e joias reluzentes.

Ela não queria crescer, e, ainda assim, não havia uma única coisa que pudesse fazer para impedir isso.

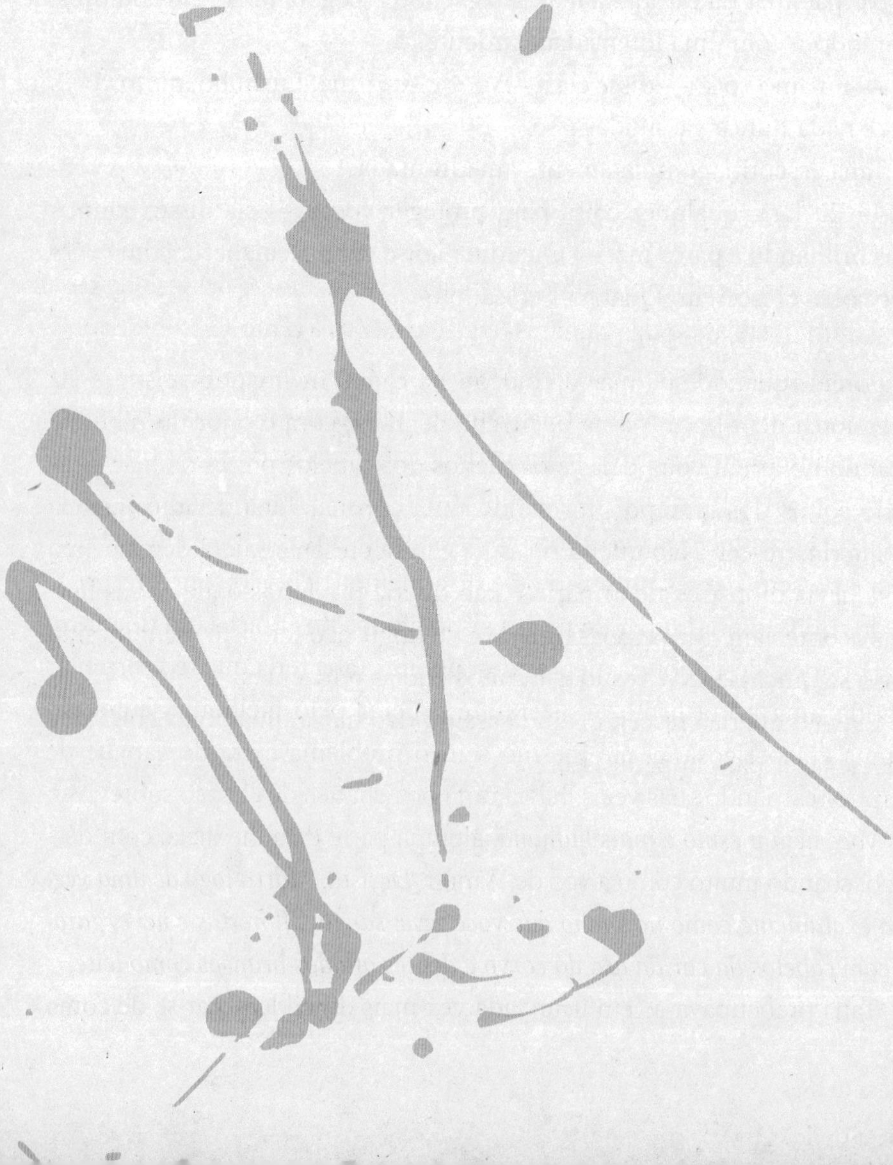

Capítulo 35

Aos vivos nós devemos respeito,
Mas, aos mortos, devemos somente a verdade.

— Voltaire

Tana desceu zonza o corredor, com as batidas de seu coração altas nos ouvidos, o cheiro do próprio sangue no nariz, um gosto metálico na boca. Sons vinham de aposentos lá embaixo enquanto as pessoas da casa acordavam, rastejando das câmaras, famintas, com a noite se estendendo à frente delas num reluzente carpete de estrelas.

Tana não queria descer sorrateiramente o corredor sozinha e não queria escapulir da aterrorizante mansão de Lucien sem se despedir uma última vez de Gavriel, mas não havia nenhum modo seguro de fazer nada sem ser ouvida. Era melhor deixá-lo com a lembrança dos dentes em sua garganta e de seus dentes no pulso dele. Era melhor deixá-lo com a recordação dos dois como um par de monstros, envoltos nos braços um do outro.

E, depois desta noite... depois desta noite, Tana teria que se acorrentar atrás de uma porta firme, resistente, e esperar pelo melhor. A autoquarentena era perigosa, e, até mesmo sem o problema extra do sangue de vampiro resfriando suas veias, havia uma boa chance de ela não sobreviver.

Você nem mesmo é mais humana, alguma parte dela lhe dizia, com desprezo, soando muito como a voz de Winter. *Desista. Morra logo de uma vez. Será exatamente como no sonho que você teve: sangue, florestas e neve, garotas com cabelos da cor da asa do corvo e dentes afiados brancos como leite.*

Tana preocupava-se em ficar cada vez mais difícil lembrar-se de como era viver sua antiga vida, mesmo que a estivesse vivendo meros dias atrás. Cada lembrança se afogara em um oceano de vermelho.

Abriu a porta do quarto de Elisabet, pretendendo pegar seu celular e o dinheiro, e então parou abruptamente quando se deparou com Marisol esperando por ela. A vampira estava sentada na alta cama, com uma das botas de salto de adaga encostada na cabeceira de latão, girando o anel de prata com o dente nos dedos, claramente entediada.

— Você demorou para voltar — disse Marisol. Tana olhou além dela e viu as cortinas de um dos cantos do quarto ondulando ao vento. A janela estava aberta e o corvo branco estava empoleirado no peitoril, olhando para ela, com o bico duro e curvo abrindo-se para gritar uma vez. Havia algo preso à perna dele, um pequeno prendedor de metal em que poderia estar encaixado um pedaço de papel, se estivesse bem enroladinho.

— O que o Lucien quer agora? — quis saber Tana, forçando-se a voltar o olhar para Marisol. A vampira devia ter notado a presença do pássaro ali. *Por que ela estava agindo com tamanha indiferença em relação àquilo?*

— Você não tem que se preocupar — Marisol deslizou para fora da cama, soltando um suspiro. — Não foi o Lucien quem me mandou vir até aqui.

O gosto do sangue de Gavriel ainda estava na boca de Tana, e ela não se sentia completamente sóbria.

— Jameson — ela entendeu, falando o nome dele em voz alta. — Você é a...

— Mãe dele. — Marisol sorriu, como um gato diante de um canário, resistindo a batê-lo de um lado para o outro. — Ele me pediu para ajudar a salvar uma garota, então, aqui estou eu, *ajudando*.

— Ah! — disse Tana, dando-se conta do que ele não havia falado quando mencionara ter crescido em Coldtown: nada sobre a mãe dele, nada sobre os pais dele, nada mesmo. E então ela não conseguiu deixar de pensar na própria mãe, em como ela poderia ter sido exatamente como Marisol. — *Ah!* Valentina ficaria tão feliz. Talvez ela ficasse feliz o bastante para esquecer-se da forma como Tana havia arregaçado a garganta de um vampiro com uma chave de fenda bem na frente dela.

— Vá em frente — disse Marisol. — A mensagem na perna do pássaro é para você.

Tana foi andando até Gremlin. O pássaro ficou parado, não bicou seus dedos, deixando que puxasse o fino pedaço de papel do receptáculo de aço preso à sua perna.

Confie nela, era o que dizia a mensagem. *Confie em mim.*

Tana soltou um suspiro.

— Há outra coisa. — Marisol pulou para fora da cama. Seus olhos escarlates olhavam além de Tana, analisando o quarto, como se estivesse procurando por câmeras. — Sua amiga queria que Jameson te passasse uma mensagem. Uma garota da sua cidade natal está aqui em Coldtown. Pearl. Isso significa alguma coisa para você?

O mundo estremeceu. A negritude inundou as bordas da visão de Tana. Ela sentiu como se estivesse caindo, como se estivesse caindo sem parar e nunca fosse parar de cair.

Não, não podia ser! Não!

— Eu acho que o nome dela era Pearl. Ou era Perla? Outra amiga sua está tentando encontrá-la. — Marisol fez um gesto vago de exasperação. — Eu não sei. Não sei por que qualquer um de vocês vem até aqui.

— É a minha irmã caçula — disse Tana, e um pouco de sua fúria, voltada para o universo, para si mesma, para Pearl, transbordava em sua voz. — Ela tem doze anos. Ela veio até aqui porque...

Ela veio até aqui por minha causa. Por causa daquela mensagem idiota que mandei a ela.

Ela veio até aqui porque Lucien a convenceu de que ele era inofensivo e perigoso de um jeito excitante ao mesmo tempo.

Ela veio até aqui porque queria fazer parte do show.

Marisol pareceu ficar momentaneamente abalada com a menção da idade de Pearl, e depois ressentida, como se Tana a houvesse forçado a sentir algo que ela não queria sentir.

Ignorando a vampira, Tana dirigiu-se ao banheiro para pegar o celular, com o pálido corvo pulando atrás dela. Verificando as mensagens de texto, ela viu uma nova mensagem de Pauline: *Meu Deus. A sua irmã ñ está em casa. Ela enviou um SMS a seu pai faz 1 h dizendo q ia morar c vc e aparecer na tv. Liguei 16x p ela, mas ela ñ atendeu. Liguei p todos os seus amigos. Ela se foi.*

Freneticamente, com as mãos tremendo, Tana apertou o botão para ligar para a irmã. O celular nem mesmo chamou; foi direto para a caixa postal. Fechando os olhos, contou as vezes que inspirou e expirou o ar, tentando achar alguma maneira de se acalmar.

ONDE ESTÁ VC AGORA???? Tana enviou essa mensagem de texto à irmã, mas o tempo foi passando sem nenhuma resposta imediata. Enfiando o celular no sutiã que pegara emprestado, onde ela poderia senti-lo vibrar junto à pele se recebesse alguma mensagem, resistiu à necessidade premente de socar o balcão com os punhos.

Se Mamãe estivesse viva em Coldtown, eu poderia ter vindo até aqui procurando por ela também.

— Só vou te ajudar com a garota, a Valentina. Entendeu? — perguntou Marisol. — Nenhum dos guardas ou funcionários vai estar nos postos de sempre esta noite, mas isso não quer dizer que possamos bancar as idiotas.

— Vamos libertar qualquer prisioneiro lá embaixo que queira vir com a gente. — Tana não reconheceu a própria voz, férrea e gelada. — Todo mundo que encontrarmos. E vamos fazer isso rápido.

Rápido, rápido, para que ela pudesse sair e encontrar a irmã.

— Já estou me arriscando muito por sua causa — respondeu Marisol. — Você vai fazer exatamente o que eu disser, senão eu...

— Você não é *minha* mãe — interrompeu-a Tana, andando até a cama. Pegando a bolsa, jogou todo o conteúdo sobre os lençóis. Enfiou o dinheiro no sutiã ao lado do celular e abandonou o resto. — E não precisa ajudar, se for demais pra você. Vou dizer ao Jameson que você foi fantástica. Ele não precisa saber que você não quis se incomodar.

O olhar de Marisol se aguçou.

— Eu não fui sempre... não fui uma boa mãe. Então, se meu filho me pede para fazer uma coisa, eu faço, não importa quão estúpida pareça pra mim. O Jameson me diz para ajudar a tirar daqui essa garota de quem ele gosta, então eu ajudo. O Jameson me diz para encontrar com ele no portão, então é lá que vamos encontrá-lo. Se nos separarmos, ele sugere que a gente se encontre no Baile Eterno, e por mim tudo bem, também. Ele acha que podemos nos misturar à multidão e que as câmeras vão impedir que o pessoal do Lucien faça algo muito horrível.

Marisol não pareceu concordar com ele, mas suas palavras passaram por Tana sem surtir efeito. Os pensamentos haviam retornado a Pearl, vagando pelas ruas à noite. Por um único e esperançoso momento, lembrou-se de um dia, na terceira série, quando a classe inteira havia sentado na grama logo ao lado do trepa-trepa e a sra. Lee havia cochichado para Rachel:

— A hora de comer é mais tarde.

E Rachel cochichara para Lance, que cochichara para Courtney, que cochichara para Pauline, que cochichara para Marcus, que cochichara para Tana:

— É hora de comer mais carne — o menino havia dito, com hálito de chiclete de hortelã, e Tana ficara orgulhosa, pois tinha certeza de que passara a mensagem adiante perfeitamente. Na hora em que a frase chegara ao último aluno, porém, saíra ainda mais deturpada.

Talvez isso tivesse acontecido agora. A mensagem ficara confusa. Marisol havia entendido mal. Pearl não estava realmente em Coldtown.

Mas, no fundo do coração, Tana sabia que estava.

O corvo branco grasnou, olhando pelos arredores com olhos sinistros. *Ache Pearl,* Tana queria ordenar a ele, mas sabia que Gremlin não a entenderia e, de qualquer forma, ele só daria ouvidos a Jameson. Não, ela teria que fugir de Lucien primeiro e depois pensar no que faria a partir de então.

O que você vai fazer?, perguntou-se em uma censura. *Você vai encontrá-la e daí, faminta do jeito que estará, o que vem depois? Você vai beber o sangue dela rapidinho, antes que alguém mais faça isso?*

Os olhos de Tana ardiam enquanto ela se ajoelhava e esticava a mão para pegar a caixa embaixo da cama de Elisabet. Ela prendeu com tiras uma das facas de madeira na coxa, amarrando-a ali com dois cadarços das botas. Então, enfiou as chaves do guarda em um dos punhos cerrados e pegou para Marisol uma balestra do compartimento debaixo da cama de Elisabet, do qual cada flecha era feita de jacarandá e espinheiro.

— Ok, você aponta essa coisa para mim e vamos esperar que todo mundo ache que eu sou alguma prisioneira que você está conduzindo pela propriedade.

Isso realmente revelava algo em relação a como deveria ter sido morar com Lucien Moreau, o fato de que todas as armas de Elisabet eram do tipo usado contra outros vampiros. Este deveria ser um lugar muito diferente quando todas as câmeras eram desligadas.

E, por algum motivo, esse pensamento fez com que ela se desse conta, com uma horrível certeza, de que sabia aonde Pearl iria uma vez que tivesse cruzado o limiar e entrado em Coldtown. Ela iria direto até Lucien. Afinal, ele era o vampiro-celebridade predileto de Pearl, e ela havia dito que apareceria na TV. Tana fechou os olhos e, pela primeira vez desde que acordara em meio a cadáveres na casa de fazenda de Lance, pela primeira vez desde o arranhão dos dentes em sua perna, Tana abandonou a esperança de que conseguiria sair dessa. Talvez pudesse encontrar Pearl a tempo e dar a ela o sinalizador, mas não havia mais saída para Tana.

Haveria apenas o que ela fizesse antes de morrer.

Marisol lançou a Tana um olhar avaliador, como se algo em toda a maneira de ser da garota houvesse mudado. Franzindo o cenho, a vampira foi andando até a porta, e seus movimentos eram fluidos quando ela virou a maçaneta ornamentada. Descalça, Tana foi descendo as escadas com ela.

O cheiro de sangue e de suor era pungente em seu nariz, e ficou mais pungente ainda quando a porta do porão foi aberta. Ninguém pareceu notá-las passando, especialmente quando Marisol apertou a mão em volta da parte de cima do braço de Tana.

— Aja como uma prisioneira — disse-lhe a vampira, arrastando-a como se fosse bagagem, com uma das flechas da balestra pressionada nas costas dela, de um jeito que, de repente, pareceu realista demais.

No fundo da escada ela viu as jaulas, iluminadas por uma lâmpada bruxuleante no centro da sala. Valentina estava sentada junto à parede dos fundos, ao lado de um garoto com uma calça branca manchada e suspensórios pretos sobre o peito nu, e a garota de cabelos escuros com quem Tana havia falado antes. Eles forçaram-se a ficar de pé. Valentina deslizou os dedos em volta das barras, apertando os olhos para enxergar em meio à escuridão. Conseguia enxergar com perfeição. Podia ouvir a aceleração dos corações dos prisioneiros também, a maré cálida do sangue deles batendo de encontro às margens em sua mente. Pensou na multidão de pessoas em pé no teatro na frente de Gavriel, em todas as pessoas que ele havia mordido, e se perguntou se uma fome como a dela algum dia poderia ser saciada.

— Tana, você a encontrou! — disse Valentina, olhando para Marisol. — É *ela!* Como você...?

— Esta é a *mãe* do Jameson — apressou-se a dizer Tana, ignorando a visão vermelha, ignorando o tamborilar em resposta de seu próprio coração. — E ela vai nos ajudar a sair daqui.

Marisol franziu o cenho, claramente confusa com a ênfase que Tana havia colocado na palavra *mãe.*

Valentina ficou encarando Marisol e não parecia ser capaz de tirar os olhos dela.

Tana ajoelhou-se e deslizou uma das chaves para dentro de cada tranca, movendo-a para cima e para baixo e para os lados. Depois de um instante, a chave girou com um pesado clangor metálico.

— Ei! — disse um dos prisioneiros, um garoto de peito côncavo. — O que você está fazendo? Você não deveria fazer isso!

Enquanto Tana tateava para encaixar a segunda chave, alguém começou a descer as escadas.

— Quem está aí? — gritou um guarda. — O que está acontecendo?

— Elas estão nos soltando! — gritou uma das garotas antes que Valentina a agarrasse, pressionando uma das mãos em sua boca.

Tana reclinou-se junto à parede, deslizando para a mão a longa adaga de madeira de Elisabet. Ela podia visualizar a forma como a adaga afundaria na pele do guarda se ele descesse as escadas, a forma como ela dilaceraria o coração dele. Matar Midnight havia sido difícil, mas ela pensou no outro vampiro que estaqueara neste mesmíssimo lugar e não estava mais certa de que algum dia seria novamente tão difícil fazer algo do gênero. Seus lábios se retraíram, deixando à mostra os dentes, em um rosnado silencioso.

Marisol ergueu o olhar para cima das escadas, olhando para o guarda, jogando os cabelos para trás e sorrindo.

— Eu estou levando alguns dos prisioneiros lá fora, até lá atrás, para lavá-los com uma mangueira. Você não pode esperar que o Lucien os sirva cobertos de terra.

Tana olhou para o sorriso de Marisol. Ela era boa em fingir sentimentos, de um jeito perturbador. Tana se perguntou o que haveria acontecido que fizera com que Marisol abandonasse o filho anos antes... Será que ela temera drená-lo? Transformá-lo? Seria mais fácil estufar-se de sangue e abrir mão de todo o resto?

Eu tenho uma amiga que mora na casa do Lucien, era o que Jameson havia lhe dito. Ele não havia chamado Marisol de mãe, nenhuma vez, nem mesmo no bilhete em que dizia a Tana para confiar nela.

Eles não são humanos, lembrou-se Tana. *Eu mesma não sou mais completamente humana.*

O guarda pareceu engolir essa explicação, mas deu mais um passo para perto delas.

— Precisa de ajuda? — ele perguntou a Marisol.

Tana apoiou-se para virar. Ela tentou se concentrar num ponto na lateral do esterno do vampiro, onde ficaria o coração dele.

— Não — disse a vampira. — Mas ache para mim algum lugar onde eu possa colocá-los lá em cima. Sofás ou... eu não sei... uma mesa longa o bastante para exibi-los deitados nela.

— Certo, ok — respondeu ele. — Mas nós devemos estar fora daqui antes de o Aranha chegar. Lucien quer apenas um número mínimo de pessoas... os lacaios dele e um ou dois guardas. Charles será o único cuidando das câmeras. Então, se você vai deixá-los preparados, não tem muito tempo.

— Tempo é a única coisa que qualquer um de nós tem — replicou Marisol, com um dar de ombros.

— Faça como quiser — o guarda lhe disse, e Tana ouviu os passos dele, que se retirava.

Um número mínimo de pessoas? Lucien havia prometido a Gavriel que seu pessoal estaria lá para derrubar a *Corps des Ténèbres* do Aranha. Não apenas ele devia estar mentindo, mas parecia claro que todo mundo na casa sabia que ele estava armando para cima de Gavriel. Até mesmo Marisol deveria saber disso.

Tana queria enfiar com tudo a faca de madeira no coração de Lucien, queria ficar olhando o profundo sangue azul borbulhar. Como ela ia avisar Gavriel?

E o que Gavriel estaria pensando, ao permitir que Lucien o acorrentasse e o arrastasse de volta perante o monstro que o havia aprisionado por uma década? Será que ele achava que nada poderia tocá-lo agora? Será que acreditava no poder da própria loucura para levá-lo adiante? Será que a cabeça dele estaria tão nebulosa com poemas e planos que não havia lugar para dúvidas?

Tana tinha que contar isso a ele antes que o Aranha chegasse, antes que fosse tarde demais.

Marisol girou a segunda chave, oscilando a porta e olhando para os prisioneiros, sorrindo... um sorriso com presas.

— Vocês vão vir comigo como bons meninos e meninas, não vão?

Os humanos olharam uns para os outros com olhos velados.

— Venham conosco — Marisol disse aos prisioneiros. — Aquela foi só uma história que eu inventei para o guarda grande e malvado. De qualquer forma, não seria mais fácil escapar do lado de fora? Vocês não querem vir comigo?

— Não — disse um deles, o garoto magro com as costelas salientes e olhos úmidos, da cor de chá fraco. — Eu sabia que você estava mentindo. Lucien está nos mantendo a salvo. Estamos fazendo por merecer o nosso lugar.

Marisol encolheu os ombros magros e sorriu na direção de Tana.

— Nós fizemos a oferta. Você não pode pedir mais do que isso.

Tana agarrou a carne fria do ombro da vampira.

— Espere. — Ela virou-se para o garoto. — Por favor... por favor, vem com a gente. Você tem que saber que isto aqui é uma prisão. Você deve saber que ele nunca vai...

— Cala a boca — disse o garoto, cruzando os braços.

— Deixe-os — disse Marisol a Tana, com um sorriso presunçoso no rosto. — Eles fizeram uma escolha.

Porém, alguns deles, com rostos marcados pela vergonha, saíram da jaula. Outros ficaram quietinhos junto do garoto, determinados.

Apenas as garotas e os garotos amordaçados não se mexeram. Estavam como que dormindo, mas se mexiam. Valentina chacoalhou um deles, mas os cílios apenas estremeceram. Os olhos nem mesmo se abriram.

— Eu acho que eles estão drogados — disse Valentina.

Marisol ergueu ambas as sobrancelhas.

— Satisfeita?

— Não há mais nada que possamos fazer, Tana. — Valentina olhou de relance em direção às escadas.

— É — respondeu a garota de cabelos escuros. — Está na hora de cair fora daqui. Sair correndo. Meu Deus, eu nem achei que a gente conseguiria chegar até este ponto.

Tana sabia que elas estavam certas. Não poderia se preocupar com as pessoas que elas estavam deixando para trás, não agora. Não com Pearl em algum lugar lá fora. Nem com Gavriel prestes a ser traído.

— O que há de errado com a sua boca? — perguntou o garoto de suspensórios a Tana. — Você está bem?

Tana tocou o lábio e percebeu que os dentes recém-afiados deviam ter aberto a pele. Ela nem mesmo havia notado isso.

Valentina apoiou-se pesada no braço de Tana enquanto saía da jaula, claramente enrijecida e dolorida. O calor de sua pele fez com que Tana se encolhesse de prazer.

Marisol conduziu-os escada acima e em meio a uma série de aposentos mobiliados de forma elaborada. Havia uns poucos vampiros ali, juntos, conversando. Nenhum deles parecia armado para uma luta com os devotados servos de um vampiro ancestral. Enquanto Marisol e os outros moviam-se com cautela pelo salão de banquetes com domo de vidro, Tana ouviu a voz de um vampiro ecoar pelas paredes:

— Vocês aí! Parem! Parem onde estão!

Com isso, os prisioneiros se puseram a correr em direção à porta, escancarando-a e correndo pelo gramado coberto de orvalho sob o luar. Eles espalharam-se por ali, com Tana, Valentina e Marisol saindo atrás deles. A lua estava alta no céu, brilhante e cheia, como uma fruta que ficara pesada demais para o galho que a suportava.

Havia apenas um único guarda posicionado no portão. Ele veio correndo para interceptar o garoto de suspensórios, mandando-o parar. Marisol atirou no guarda com a balestra, derrubando-o no gramado com uma única flecha. Tana parou de correr, pasma.

Você matou dois deles!, Tana gritou para si mesma. *Você não tem o direito de ficar chocada com a morte.*

Atrás dela, mais um vampiro saiu da casa, correndo atrás deles. Marisol girou a balestra no ar.

— Vamos! — gritou Valentina, frenética, empurrando-a em direção a um buraco cortado na cerca de ferro, cujas barras estavam arregaçadas.

Jameson estava do outro lado, segurando um lança-chamas de aparência surrada e apontado em direção à casa. Ele acenou para os outros prisioneiros passarem.

Tana seguiu depois, com Valentina bem atrás dela.

Jameson agarrou Valentina pelo ombro assim que ela estava longe da cerca, segurando-a com força e olhando para ela de forma com ar devorador.

— Eu teria ido por você — ele disse, não fazendo muito sentido. — Você deveria ter me dito e eu teria feito no seu lugar, fosse o que fosse.

— Não foi assim — respondeu Valentina, claramente não sabendo ao certo o que ele achava que havia acontecido.

Por um instante, Tana achou que Jameson fosse beijar Valentina, mas ele deixou a mão cair, virando-se na direção da mãe enquanto ela se abaixava por entre as barras e tirava o lança-chamas do ombro dele.

— Obrigado — disse ele. — Então, deixe-me adivinhar... você vai voltar direto para Lucien?

— Não esta noite — disse a mãe dele, olhando de relance para trás, para a casa, que reluzia com luz escura. — Esta noite eu vou ficar com você, menino.

Acima das cabeças deles, circulava no ar o corvo branco.

Tana pensou em Pearl, no gramado no último dia de verão, com os cabelos claríssimos emaranhados porque ela chorava se alguém tentasse penteá-los, girando e girando até ficar tão zonza que caiu em uma pilha de pés descalços e dentes-de-leão e vestidos de verão.

Pearl, que provavelmente estava indo direto ao lugar de onde Tana estava fugindo. Se Tana saísse, fazendo uma busca rápida pelas ruas, chamando o nome de Pearl enquanto a irmã estivesse indo direto até Lucien... se algo de ruim acontecesse, Tana se odiaria eternamente.

Ela lembrou-se de um episódio, tarde da noite, de um daqueles programas no History Channel com um bando de professores falando sobre monstros. Era uma daquelas lembranças que vinham com a sensação da piniquenta manta de lã tecida com padrões geométricos sobre as pernas de Tana quando ela estava sentada no sofá; o cheiro da pipoca de micro-ondas; e Pearl estirada no velho tapete, empilhando LEGOs. *O monstro é maior do que o ser humano. Ele representa abundância, excesso de abundância*, dizia o homem de cabelos brancos, empurrando os óculos mais para cima no nariz. *Ele tem montes de olhos, braços extras e dentes demais. Tudo em relação ao monstro é muito e demais.*

Era assim que ela se sentia bem naquele momento. Como se houvesse muito dela, como se sua pele estivesse apertada com tanta abundância. Sentia-se madura a ponto de estourar.

E lembrou-se do que Gavriel havia lhe dito quando ela acordara algemada a uma cama. *Estando infetados, sendo vampiros, somos sempre nós mesmos. Talvez até mais nós mesmos do que jamais fomos antes. Somos sempre nós, como sempre fomos, bem lá no fundo.*

Talvez esta fosse quem Tana sempre fora. Sempre empurrando toda aquela abundância bem para o fundo de si, onde ninguém teria de vê-la.

E, uma vez que tivesse encontrado Pearl, quanto tempo passaria até ela se tornar o monstro que sua mãe fora? Quanto tempo antes de a infecção embrenhar-se tão a fundo em seu sangue a ponto de ela não conseguir pensar em nada além de como se aquecer outra vez? Quanto tempo antes que Pearl fosse apenas pele macia e um coração batendo? Tana ainda poderia ser ela mesma, mas seria ela faminta, um eu que ainda não conhecia. Ela mesma com as linhas de freios cortadas. Um eu no qual ela não confiava que fizesse nada além de matar.

— Me dá a balestra — disse Tana, com o máximo de calma que conseguiu. — Eu vou voltar lá dentro.

— O quê? — Valentina girou na direção dela. — Não!

— Eu tenho que ir.

Tana sacou o celular, abrindo as fotos e seguindo até uma da irmãzinha, um ano antes, com marias-chiquinhas nos cabelos.

— A Pearl está a caminho daqui; ela é assim. Eu preciso que vocês me façam um último favor. Por favor, encontrem-na.

Marisol começou a apresentar objeções, mas Jameson apenas assentiu.

— Sim, é claro. Sua amiga Pauline disse que Pearl não poderia ter entrado aqui antes de hoje. Ela pode até nem mesmo ter passado pelo portão ainda. Deixa com a gente. Encontrar pessoas perdidas é a minha especialidade.

Tana entregou o celular a ele.

— Por favor, por favor, mantenham-na a salvo.

Ele assentiu, olhando de esguelha para a mãe. Em seguida, tirou o próprio celular do bolso de trás da calça, entregando-o a Tana.

— Toma. Eu ligo assim que soubermos de alguma coisa.

Ela enfiou o celular no sutiã, cheia de gratidão.

Valentina olhou para trás, para a casa.

— Só não se arrisque lá dentro — disse ela. — O vampiro antigo e insano não precisa da sua ajuda.

Mas e se ele precisasse?

Nunca mais, Tana havia prometido a si mesma. Não importava o que acontecesse, ela nunca mais permitiria que alguém levasse a melhor sobre ela. Nunca mais. Chega de erros.

— Cansei de acreditar que as coisas vão se resolver sozinhas. Eu mesma vou matar Lucien Moreau — disse Tana, tomando a balestra com as flechas de madeira das mãos de Marisol e colocando-a no chão, de modo que pudesse soltar o fecho do colar de granadas de Gavriel e tirá-lo do pescoço, com a moeda para sair de Coldtown segura ali dentro. — Quando vocês encontrarem a minha irmã, entreguem isto a ela por mim.

Valentina pegou o colar e prometeu que faria isso.

Tana testou o peso da balestra, passando o polegar pela madeira macia e pelo metal frio enquanto os observava indo embora, Marisol deslizando sombras adentro, como se ela mesma fosse uma sombra.

Eu mesma vou matar Lucien Moreau, repetiu Tana, e desta vez ela se permitiu terminar o pensamento. *Eu mesma vou matar Lucien Moreau... ou morrer tentando.*

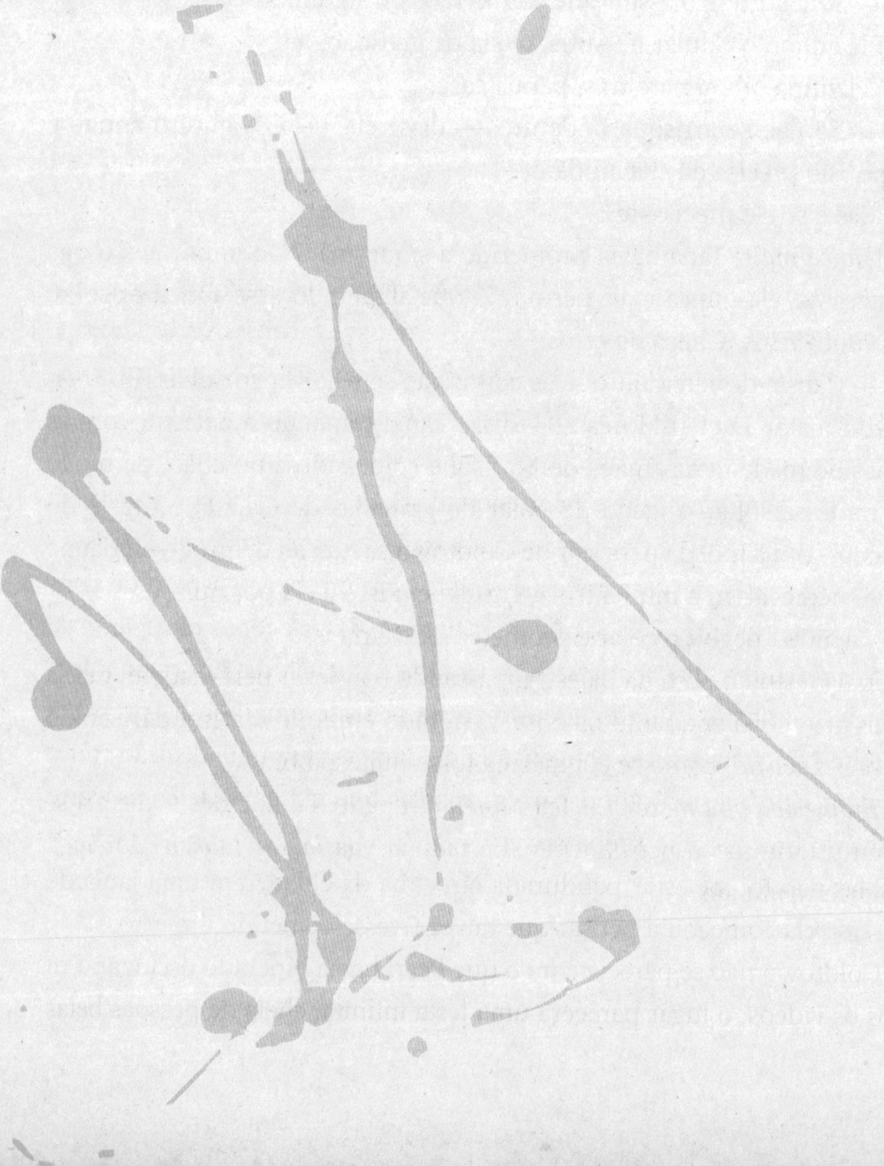

Capítulo 36

Homens mortos não mordem.

— Theodotus

Quando Pearl saiu do ônibus, ela pegou um táxi e, quando o táxi a deixou sair, passando por um posto de controle com um guarda detestável, a motorista olhou para ela por um bom tempo.

— Que tal se eu levar você de volta, menina? — perguntou-lhe a mulher, inclinando-se para fora da janela. Tinha uma cabeleira escura e trançada de modo a parecer que estava usando uma coroa. — Não cobro nada. Agora que você já viu isso daqui, não precisa ficar em um lugar desses. Eles vão comer uma coisinha como você e ainda vão ficar com fome.

— Não, obrigada — disse Pearl, entrando no edifício. Ela já havia ignorado um monte de ligações de casa, então não deixaria que uma estranha a abalasse.

Não se sentiu nervosa até estar sentada em um banco áspero de concreto, assinando formulários que continham palavras como *abrir mão de todos os direitos* e *ameaça nacional*. Uma vez que ela dissera estar infectada, eles a enfiaram prédio adentro como se fosse uma bomba prestes a explodir. Ninguém tentou convencê-la de que essa era uma decisão ruim. Ninguém nem mesmo olhou para as marcas que ela havia feito na parte interna do braço, como preparativo.

Mas não foi até estar pendurada em cima da cidade em uma jaula de ferro que ela começou a pensar que talvez tivesse cometido um erro.

Coldtown não se parecia com o que Pearl havia esperado do lugar. Em todos os vídeos, o lugar parecera uma festa infinita, cheia de pessoas belas e bem-vestidas, mas as ruas eram, em sua maioria, vazias e forradas de lixo. E a cidade era grande, realmente grande, com edifícios estirando-se em direção às muralhas mais afastadas. Pearl começou a se perguntar se talvez não fosse tão fácil se achar por ali como ela havia pensado.

Depois que vira a luta de Tana com a garota de cabelos azuis na casa de Lucien Moreau, depois de assistir ao vídeo em que a garota afundava as presas no pescoço de Tana, Pearl fora direto para os fóruns dos fãs. Havia muitos garotos nojentos bancando os pervertidos, falando sem parar de como haviam curtido assistir à luta das meninas. Ela ignorou-os e escreveu seu próprio post, em que perguntava se a irmã estaria bem. Durante uma tensa hora, não recebeu nenhuma resposta.

Enquanto estava sentada na cama, atualizando o navegador, continuava pensando no que sua avó e seu avô haviam lhe dito, sobre como era seu trabalho cuidar de Tana, algo que Pearl não poderia fazer se elas não morassem no mesmo lugar. Se ela tivesse ido até Coldtown com Tana, as duas poderiam ter ficado em um dos velhos armazéns perto da água. Teriam saído com Aidan e ido a festas em vez de ir à escola, e o que acontecera com Tana nunca teria acontecido, porque Pearl teria dito à irmã que aquela garota era encrenca. Mas talvez agora fosse tarde demais para fazer alguma coisa.

Então, por fim, um dos moderadores do fórum enviou uma mensagem particular a ela. O nome dele era Nicholas, e ele disse que sua irmã estava bem, mas que, se ela fosse a Coldtown, Lucien estava interessado em conhecê-la. *Não conte a ninguém*, ele escreveu. *Pense em como sua irmã vai ficar surpresa.*

E foi nisso que ela pensou durante toda a viagem até lá. Tudo que tinha que fazer era dar um jeito de chegar à casa de Lucien Moreau. Ela imaginava que isso seria fácil; pensou que só teria que perguntar às pessoas certas e eles lhe mostrariam o caminho.

Enquanto caminhava pelas ruas, porém, ninguém parecia seguro o bastante para que ela se aproximasse da pessoa. Um grupo de estranhos magros e sujos estava parado em volta de uma lata de lixo em chamas, cozinhando algo em gravetos longos e aplainados, e a comida lembrava muito insetos. Parecia mais provável que eles roubassem as coisas de Pearl em vez de ajudá-la.

Porém, ela havia visto muitas transmissões da casa de Lucien, e algumas delas continham tomadas externas. Tudo que Pearl teria que fazer seria encontrar a parte de Springfield em que ficavam as grandes e antigas mansões. Tinha certeza de que reconheceria a casa quando a visse. Revigorada por essa ideia, começou a marchar na direção da área da cidade onde as luzes eram mais brilhantes.

— Ei — disse uma voz, e ela se virou. Uma garota com cabelos loiros encaracolados e um vestido de verão detonado estava apoiada em uma parede de tijolos, com uma bolsa jogada por cima de um dos ombros, fumando um cigarro que fedia a algum tempero. — Você precisa de um lugar para ficar?

— Não exatamente — respondeu Pearl, sentindo-se tímida. — Eu estou procurando pela minha irmã e...

— Eu tenho um amigo que conhece muita gente — disse ela, desgrudando-se da parede. — Não é seguro nas ruas por aqui. Todos nós viajamos em um grande grupo. Fugindo de casa, como você, certo? Você deveria vir comigo.

Pearl não havia pensado em si mesma como uma fugitiva. Afinal, não era como se ela não soubesse aonde estava indo. Não era como se fosse ficar sozinha. E havia um quê de assustador em relação àquela garota, algo que não estava certo no jeito como ela falava, como se todas aquelas palavras fossem ensaiadas.

— Obrigada — respondeu Pearl —, mas eu tenho que ir encontrar a minha irmã.

— Meu amigo ia gostar muito de você — disse a garota, com um sorriso no rosto que parecia largo demais para ser verdadeiro. — Venha jantar com a gente. Você deve estar com fome, certo?

— Não, eu... — começou Pearl a dizer quando a garota loira segurou com força em seu braço, afundando os dedos nele.

— Ok, chega de ser legal. — A garota começou a arrastá-la por uma viela. — Você vem comigo.

Pearl tentou se soltar com um puxão, arranhando os dedos da garota, que enfiou a mão na bolsa e tirou de lá uma faca com a outra mão, do tipo de faca de fatiar legumes, normalmente usada em cozinhas. — Eu *disse* que não ia ser legal.

Pearl gritou.

As pessoas que estavam perto da lata de lixo ergueram os olhares de relance por um breve instante, mas nenhuma delas se mexeu.

A garota apontou a faca para o peito de Pearl, fazendo com que ela ficasse abruptamente quieta.

— Vamos lá — disse ela. — Não aja como um bebezinho.

— O que vai acontecer comigo? — perguntou Pearl baixinho, com a voz trêmula.

A garota loira não lhe respondeu. Estava olhando adiante de Pearl, arregalando os olhos. De repente, soltou o braço de Pearl e começou a correr.

Pearl não havia achado que era possível ficar mais assustada, mas o que havia deixado aquela garota horrorizada tinha que ser algo muito, muito ruim. Ela se sentiu zonza de temor, como se fosse desmaiar caso se virasse.

Pressionou os olhos e fechou-os. Em seguida, inspirando fundo, girou e abriu-os, preparada para gritar, com a garganta já rouca do tanto que gritara antes.

Aidan estava sorrindo para ela, com os cabelos soltos caindo sobre os olhos cor de rubi, os dentes afiados, evidentes, enquanto ele cruzava o asfalto remendado.

— Eu venho procurando você por toda parte — disse ele.

Atrás de Aidan, das sombras, vinha um segundo vampiro.

Capítulo 37

Eles não fazem drama e nem se casam,
Na cidade dos mortos,
Na cidade onde passam as horas dormindo.
— *Richard Eugene Burton*

Segurando a balestra junto ao peito, Tana foi cruzando o gramado sorrateiramente em direção à casa de novo. A mansão parecia vazia sem os festeiros barulhentos saindo pelas portas, mas as janelas de vidro escuro da propriedade brilhavam com a luz. Enquanto subia os degraus até a porta lateral no longo pórtico que cercava a casa, ela viu uma câmera oscilando lentamente para o pátio vazio. A luz na câmera brilhava vermelha: não estava gravando.

Tana abaixou a cabeça para passar debaixo dela mesmo assim. Sugando o ar, virou a maçaneta na porta e se esgueirou para dentro.

Todos os caçadores de vampiros deviam ter começado assim, com uns parcos suprimentos e um sério ressentimento. Ela pensou na irmã, Pearl, em algum lugar dessa lúgubre cidade fortificada, e estava determinada a guardar esse ressentimento com mais força do que qualquer um deles já tivera.

Aos dez anos de idade, Pearl havia começado a assistir a programas de caça a vampiros de forma obsessiva depois de uma onda de pesadelos tão ruins que ela acordava gritando. Assistir às festas de Lucien fora algo que viera depois. Ele deveria ter parecido seguro, preso por trás dos altos portões de Coldtown, visto somente através de uma tela de computador. Aperte o botão de pausa e ele para. Aperte o *play* e ele sorri. Veja-o olhando através da tela como se ele pudesse ver totalmente dentro da sua alma minúscula e machucada.

Todos nós acabamos nos sentindo atraídos por aquilo que tememos, atraídos para a busca de uma forma de nos colocar a salvo de alguma coisa rastejando para dentro dela, amando-a, tornando-nos aquilo que tememos. Porém, o verdadeiro Lucien era o motivo pelo qual o mundo havia caído, ele era a causa das mortes de todo mundo na casa da fazenda e estava prestes a entregar Gavriel para uma criatura ancestral e terrível. A única forma de alguém estar a salvo dele seria matando-o.

Passando sorrateiramente pelos aposentos vazios, tudo que ela viu se mexer foram câmeras montadas no alto, em paredes recobertas com seda, todas as câmeras com as luzes piscando vermelhas.

Por fim, Tana ouviu vozes, ecoando pelos corredores. Vinham do imenso salão de baile com teto de vidro. Ela foi se aproximando, agachando-se do lado de fora das portas duplas e espiando lá dentro. Três vampiros de Lucien estavam lá, todos vestindo robes pretos, arrumando uma grande mesa no meio do salão, junto com duas cadeiras. Atrás dela estava Gavriel, nu até a cintura, os braços e pernas afastados uns dos outros por barras prateadas e atado com pesadas correntes. Longas marcas azuladas em forma de cruzes marcavam seu peito. O sangue escuro havia secado em um padrão, como se fosse um mapa, sobre a barriga.

Tudo deve parecer muito real.

Lucien andava de um lado para o outro, vestindo creme e branco, os cabelos de um dourado claro puxados para trás.

— O que deu na sua cabeça para libertar aqueles prisioneiros? — ele gritou de repente.

Gavriel olhou para ele, e sua face era insondável.

— Eu não libertei ninguém, infelizmente. Até mesmo quando eu me soltei, encontrei novas correntes.

— Assim como você não matou aquele guarda. Sua garota fez isso também, imagino. E *onde está ela agora?* — Lucien limpou uma das mãos suja de sangue na perna da calça, não parecendo notar a mancha.

Gavriel não disse nada.

— O Aranha vem enviando pessoas atrás de mim, sabe? Assassinos. Covardes, tolos recém-transformados, sem nem mesmo uma década de existência. Atrás de *mim*. Por causa do show. Porque ele acha que é um embaraço desfilar por aí na frente dos humanos, como se ser um vampiro fosse ser cidadão de algum país banhado a sangue e ele fosse o ministro da propaganda política. Bem, agora todos saberão como eu limpei a sujeirinha dele.

— É isso que eu sou? — perguntou-lhe Gavriel, com a voz baixa. — A sujeira dele?

Lucien ergueu o olhar para ele, surpreso, como se não tivesse se lembrando de que Gavriel estava ali.

— Não. Você é meu — disse Lucien depois de uma pausa de um instante. — Eu o criei e você é meu. Minha sujeira.

Tana não sabia ao certo o que aquilo queria dizer, mas era sinistro como o próprio inferno. Ela pressionou o ombro junto à parte de trás da porta. Seu coração espancava o peito e ela tentava reunir coragem.

Todo plano é um castelo de cartas. Mude uma coisa, uma variável, e a coisa inteira vem abaixo. Então, imagine que Tana atirasse em Lucien. E então, o que aconteceria? O pessoal de Lucien tentaria pegá-la, Gavriel tentaria se livrar das correntes, e talvez os dois fossem bem-sucedidos ou um deles conseguisse ou nenhum dos dois obtivesse sucesso algum.

Não há saída, ela lembrou-se. *Há apenas o que você fizer antes de morrer.*

Os dedos de Tana coçavam no gatilho da balestra.

— Eles estão aqui — disse um dos vampiros de Lucien. A *Corps des Ténèbres* está aqui.

A mão de Tana estava mais firme do que deveria, e ela sentiu a balestra leve nos braços, com sangue de vampiro correndo pelas veias. Pensou em todas aquelas horas que passara jogando dardos com Pauline no boliche, pensou em como havia aprendido a mirar do jeito certo.

— Liguem as câmeras — gritou Lucien, erguendo uma das mãos como se estivesse conduzindo uma orquestra. Em volta de todo o salão, as luzes vermelhas estavam ficando verdes. — Eu quero que o mundo veja isso.

Ela visualizou aonde a flecha deveria ir. Viu isso na mente. Então, tudo que tinha que fazer era ficar firme e girar. Atirar. Em seguida, ficar de pé e sair correndo.

Não ficar ali para ver se ele havia sido atingido. Não ficar ali para ver se ele havia caído, e certamente não ficar para ver se a flecha de madeira havia acertado Lucien no coração e o havia matado. Não ficar para observar a cena com uma sensação de triunfo, nem se vangloriar, nem pela satisfação de saber que havia tirado aquela expressão presunçosa da cara dele. Ficar firme. Girar. Mirar. Atirar. Correr.

Ela olhou para Gavriel, que ainda estava com o sangue incrustrado no pulso onde ela o havia mordido, a cabeça virada para um dos lados, de modo que ela podia ver o rosto dele apenas de perfil, as têmporas, os cabelos caindo sobre o rosto e os abatidos olhos vermelhos. Ele pendia de correntes prateadas que cercavam seus braços e pernas. Talvez ela o estivesse salvando. Talvez.

Sua chance era agora.

Ela sugou o ar e girou no corredor, erguendo a balestra. Deu dois passos em direção a Lucien, apoiou-se e atirou.

A flecha saiu voando. Tana teve um momento para ver Gavriel erguendo a cabeça, arregalando os olhos. Ela teve um instante para ver Lucien se virar, curvando a boca em um rosnado. Os guardas começaram a ir na direção dela, inumanamente rápidos, e ela esqueceu-se do que havia dito a si mesma. Ficou paralisada, segurando a respiração e esperando para ver se havia acertado.

Lucien ergueu o braço para golpear a flecha no ar, mas foi lento demais. A flecha rasgou o tecido da manga do casaco e atingiu-o no peito. Sua boca abriu-se, deixando as presas à mostra, em um grito quase cômico de surpresa. Cambaleando para trás, ele caiu, apoiando-se em um dos joelhos. Sangue escuro ensopava sua camisa branca.

Ela quase riu alto.

Os três guardas vestidos de preto de Lucien estavam quase chegando perto dela. Por fim, alguns segundos tarde demais, muito tarde demais, ela virou-se e pôs-se a correr, com os pés descalços batendo no chão lustrado de madeira, uma pulsação devoradora zunindo dentro dela. Tana podia ouvir os guardas bem atrás dela, com os robes ondeando no ar como cortinas em um vento forte. Correndo na direção da porta da frente, ela enrijeceu-se como aço para lançar-se com o ombro para cima da porta, quando a mão de alguém pegou na parte de trás de seu vestido. Ela foi puxada para trás.

Tana deu um giro com a rapidez de uma chicotada, batendo a balestra com tudo no vampiro mais próximo de si como se fosse uma maçã. Ela acertou o rosto de uma mulher, que deu risada, com as presas longas, afiadas e muito brancas contrastando com o batom vermelho. Ela enfiou os dedos nos cabelos de Tana, afundando as unhas na cabeça dela enquanto marchava com ela pela sala, e depois a jogou com tudo de encontro ao batente de uma porta.

O mundo virou um borrão.

Tana olhou ao seu redor, para os outros dois guardas, cercando-a como tubarões.

Da outra sala, uma voz estava gritando para que eles parassem imediatamente. Soava como a voz de Gavriel, mas deveria ser Lucien quem estava falando. Tateando, Tana tentou recarregar a flecha na balestra até que ela foi arrancada de sua mão. A lâmina de metal e madeira estava dentro do alcance, presa com tiras em sua coxa, mas ela não esticou a mão para pegá-la até que sua cabeça houvesse ficado completamente desanuviada.

— Entregue-a para mim — disse uma vampira vestida de cinza, cujo sotaque alemão dificultava o entendimento das palavras. Uma das vampiras da *Corps* do Aranha. Eles estavam se reunindo em volta dela, todos vestindo o mesmo uniforme cinza e largo.

O guarda de Lucien soltou-a, e dois membros das tropas do Aranha a agarraram. Seus dedos eram frios encostados nos braços desnudos de Tana.

— Ah, isso é esplêndido — disse Lucien, enquanto ela era arrastada de volta para o salão de baile com domo de vidro. — Sua garota idiota, triste e louca!

— Ele vai trair você! — ela gritou para Gavriel.

Gavriel ficou observando Tana com impassíveis olhos vermelhos e não disse nada. Um de seus braços estava livre das correntes, como se ele tivesse tentado chegar a ela a tempo. Tana esperava não ter colocado Gavriel mais em perigo ainda. Depois de um instante, o olhar dele voltou-se para a mulher de sotaque alemão que segurava o braço de Tana. Algo se passou entre eles que Tana não conseguiu acompanhar.

Lucien puxou a flecha de madeira para fora do peito e jogou-a no piso de mármore, manchando os ladrilhos de vermelho-escuro.

— Verdadeiramente um deleite. Solte-a, por favor.

Tana sentiu mãos soltando-a, e, sem o apoio delas, sentiu-se envergonhada ao descobrir que estava desorientada, e de um jeito alarmante.

— Venha aqui, minha querida iludida — disse-lhe Lucien. — Foi Gavriel que fez você fazer isso? Talvez ele não goste muito de você, no fim das contas.

— Ninguém me mandou fazer isso — disse Tana, permanecendo onde estava. — Eu quis matar você por contra própria.

Lucien abriu os braços, dando risada.

— Bem, venha então. Mate-me. Ou não, vamos esperar até que o Aranha tenha chegado aqui e poderemos fazer uma apresentaçãozinha de gladiadores para ele. Você acha que ele gostaria disso? Se esperássemos, você teria alguns instantes para se recompor.

Tana deu um passo sem firmeza na direção dele. Sua cabeça girava. Os guardas moveram-se com rapidez também. Ela havia visto Gavriel soltar-se das pesadas correntes que o atavam no quarto de hóspedes da casa da fazenda, libertar-se do porta-malas de metal do carro dela. E, se Lucien era o criador dele, isso queria dizer que ele era ainda mais velho do que Gavriel, mais poderoso do que ele. Ela não poderia lutar com Lucien em um combate mano-a-mano. Até mesmo jogar a faca na direção dele seria inútil. Ele não seria surpreendido, não quando ela estava parada, em pé bem na frente dele, e ele teria um bom tempo para esquivar-se do golpe.

— Lucien — disse Gavriel —, se você está propondo um duelo, eu creio que ela possa escolher a arma. Espero que ela escolha a mim.

Tana ergueu o olhar e viu, mais uma vez, que uma das mãos dele estava livre das correntes. Apesar da mente anuviada e do medo que lhe apertava o peito, não conseguia deixar de pensar que havia alguma coisa estranha ali. Se ao menos conseguisse saber o que era...

As correntes. Esse era o problema. Lucien havia *enviado* Elisabet para pegar Gavriel, havia enviado a vampira com correntes que definitiva e absolutamente deveriam aprisioná-lo. Só que não dera certo. Ele estivera fraco depois que eles fugiram da casa de fazenda de Lance; estivera faminto e queimado pelo sol, porém, ainda assim ele havia feito aquelas correntes de ferro em pedacinhos, ainda havia arrombado o porta-malas do carro dela como se fosse feito apenas de papel grosso.

Lucien deveria saber quão forte era Gavriel, se ele mesmo fosse mais forte.

As correntes eram falsas esta noite, mas não naquela época.

— Você realmente não sabia que ela estava vindo até aqui, sabia? Para *salvá-lo* — disse Lucien, girando de frente para Gavriel. Ele enfiou a mão nas dobras do casaco e removeu dali uma lâmina longa e fina, tão brilhante quanto as escamas de um peixe. — Você viu? Ela quase acertou meu coração.

— Então você estaria perfeitamente seguro — disse Gavriel. — Já que não tem um.

— *Doeu* — disse Lucien com petulância, esfaqueando a barriga de Gavriel, repetidas vezes, com a faca fazendo um som horrível quando raspou uma das costelas. — Viu? Isso *dói*.

Gavriel emitiu um som baixinho como estivesse se asfixiando. O sangue manchou sua boca. Lucien devia ter acertado um pulmão.

— Mas não há nada de que você goste mais do que quando dói um pouco, não é? — perguntou Lucien.

A boca de Gavriel ergueu-se em um sorriso voluptuoso.

— É claro que há. Eu gosto quando dói muito.

Lucien esfaqueou-o mais uma vez, torcendo a lâmina em volta das tripas de Gavriel. Este soltou um gemido.

— Isso é o que você ganha por voltar até aqui, achando que vai se vingar de mim. De *mim*, seu *criador*!

— Quanta coragem — sussurrou Gavriel, com aquela luz de demência nos olhos, o sangue escorrendo de um canto da boca.

Afastando-se deles, Tana percebeu uma coisa: Gavriel havia chamado a atenção de Lucien e atraído sua fúria deliberadamente. Mas o que ele estava fazendo? Lucien havia dito que o Aranha enviara assassinos atrás dele. Poderia o Aranha haver decidido libertar Gavriel e deixar que ele pagasse sua dívida matando Lucien? Mas, então, por que o Aranha viria? Por que não ficar em Paris e deixar que o trabalho fosse completado sem nenhum perigo para ele mesmo?

A cabeça dela girava. Havia algo que Tana não estava captando. Ela sentia isso da forma como a gente sente quando tem uma palavra bem na ponta da língua.

Lucien deixara a faca onde estava, completamente enfiada na barriga de Gavriel, até o cabo, e andava de um lado para o outro no chão de mármore. Lucien parecia transcendente de fúria, como se estivesse aceso por dentro.

Um dos guardas vestidos de cinza, um vampiro de pele escura e maçãs do rosto largas, deu um passo à frente.

— O Aranha está quase à sua porta — ele informou a Lucien. — Eu sugiro que você se prepare.

Lucien olhou para eles como se houvesse se esquecido do grupo dos guardas, como se houvesse esquecido a chegada iminente de um vampiro ancestral, esquecido quaisquer barganhas.

Gavriel esticou a mão para pegar no cabo da faca enfiada no próprio estômago e puxou-a para fora. Então ele olhou de relance para Tana e abriu um largo, estranho e conspiratório sorriso, como se eles estivessem partilhando algum segredo.

— Tana, vá!

E, simples assim, todas as peças do quebra-cabeça se juntaram na mente de Tana. Ela começou a rir, aquela risada nervosa e louca que estivera segurando desde que acordara em uma banheira para se deparar com uma casa cheia de cadáveres. A risada lunática de alguém que achara tudo muito difícil e complicado de entender desde o começo.

Lucien olhou para ela com o cenho franzido. Ela estava rindo tanto que o próprio vampiro começou a sorrir, desconfortável.

— O Aranha está aqui — ela conseguiu dizer, cuspindo, acalmando-se por fim. — Ele já está aqui, não está? Este tempo todo ele estava aqui.

Com um puxão, Gavriel soltou o braço esquerdo, libertando-o das correntes, e os aros das algemas penderam em volta do pulso como se fossem braceletes. Ele ergueu a adaga, manchada com o próprio sangue, e passou a língua pela lâmina.

— Ela é bem mais esperta do que você, Lucien.

— Como você...? — perguntou-lhe Lucien. — Que história é essa de que "o Aranha está aqui"?

— O Aranha está morto — disse Gavriel, cuja boca se curvava em um largo e aterrorizante sorriso. — Ele está morto. Morto há semanas. Morto quando eu deixei Paris. Foi assim que escapei. Eu o matei.

Lucien balançou a cabeça, olhando para Gavriel, perplexo, e não entendendo o que estava acontecendo.

— Não. Isso não é possível. Ele é ancestral. Você não pode tê-lo matado. Você é só... você é...

— Eu sou o Aranha agora — disse Gavriel.

Os membros vestidos de cinza da *Corps* seguravam os três guardas de Lucien. Com rapidez e eficiência, lâminas de madeira foram enfiadas em seus corações. Eles caíram, um atrás do outro, com sons ocos, nauseantes.

— Foram precisos dez anos para que a minha oportunidade surgisse. E ele me deixou um legado poderoso: seus segredos, repetidos na minha frente, seus cofres-fortes e suas contas bancárias, e todas as coisas que faziam dele o Aranha, operando nos bastidores. Porém, o maior legado que ele me deixou foi o sangue. Estou muito mais forte do que você se lembra. Muito, muito, muito mais forte.

Lucien olhou para ele, e o horror pleno por fim se mostrou em sua face. Ele olhou ao redor do salão de baile, vazio, exceto pelos guardas do inimigo e das câmeras de vídeo olhando para baixo, para ele. As câmeras que estavam registrando tudo isso.

— Quando você soube? — Gavriel perguntou a Tana, como se estivesse tendo uma conversa normal com ela.

— Na verdade, só agorinha mesmo — respondeu ela.

— Alguma vez cheguei a contar a você como eu a conheci? — perguntou Gavriel a Lucien. Seu peito era uma bagunça de sangue escuro. Ele mal parecia notar as feridas, nem mesmo se encolheu de dor ao dar uns passos pelo chão de mármore. Ela pensou no que Jameson havia falado sobre corvos que deixavam as formigas picarem suas asas porque haviam ficado viciados no ardor do ácido. Imaginou se alguém poderia ser ferido com tanta frequência a ponto de sentir falta disso.

Lucien não lhe respondera, mas a arrogância havia desaparecido de sua face.

Gavriel sorriu, fazendo um gesto casual com as mãos enquanto falava, com a faca que segurava cortando o ar.

— Depois que o Aranha foi morto, eu ainda não fui eu mesmo por um bom tempo. Parece que acordei, deitado no chão frio, cercado pelo que havia sobrado daqueles que haviam me capturado. E eu me dei conta de que, com o Aranha morto, eu comandava todos os recursos dele. E então pensei em você, Lucien.

"Pus os pés no porto de Boston antes de permitir que eu mesmo me curasse, meio ensandecido e meio morto de fome. Acho que fiz parecer muito mais que eu realmente estava fugindo. E você enviou Elisabet atrás de mim de imediato, assim que soube que eu havia chegado, não foi? Bem na época em que você enviou uma carta ao Aranha jurando que me capturaria novamente.

"Elisabet e seus ignorantes me alcançaram ao lado do Rio Blackstone. Eu havia me esquecido de como ela era bela. — Gavriel sorriu com a recordação. — Ela me prendeu em uma armadilha com facilidade. Eu estava exausto e não tinha motivo nenhum para lutar muito, afinal, ela pretendia me trazer bem para o seu lado. Para falar a verdade, envolto em correntes de aço, jogado na traseira da limusine de janelas pretas deles, eu dormi como não havia dormido em uma década.

"Quando acordei, eles estavam me arrastando em direção a uma casa de fazenda. Fazia tanto tempo que não saíam de Coldtown que decidiram fazer um banquete. Elisabet e os outros estavam bêbados de sangue, empanturrados e lentos, rindo do que haviam feito. E eles me levaram para o quarto dos fundos, faminto como eu estava, para me mostrarem um garoto, que já havia sido mordido. Eles o haviam atado à cama e me acorrentaram de modo que ele ficasse simplesmente fora do meu alcance. Ela disse que, se eu me comportasse, poderia tê-lo pela manhã. Então eu me sentei e fiquei olhando enquanto ele se contorcia.

"'Você ainda está aí?', ela havia me perguntado, batendo com os nós dos dedos na minha cabeça, antes de ir se ajeitar no porão. 'Você se lembra de todos os bons momentos que tivemos?'

"Eu não respondi.

"Eles cobriram as janelas e me deixaram ali, com o cheiro do sangue do garoto preenchendo os meus pensamentos. Eu fiquei observando-o, lembrando-me do motivo pelo qual eu precisava esperar que escurecesse, mas os motivos faziam cada vez menos sentido na minha mente estragada. Foi então que Tana entrou. — Gavriel olhou para ela. — E ela elaborou um plano para salvar o garoto... e para me salvar. Você consegue imaginar isso, Lucien? Quem no mundo permitiria que eu fosse salvo?

— Ninguém com algum bom senso — respondeu Lucien. — Mas por que você foi com ela? Estava sendo trazido diretamente até mim por Elisabet. Era esse o seu plano, não era? Por que sair em uma viagem tortuosa pela estrada com um par de adolescentes?

Gavriel deu de ombros, abrindo um sorriso bem largo e terrível.

— Eu gostei do jeito como eles olhavam para mim. Gostei de dirigir. E quis ver o que aconteceria.

— Você é louco — disse Lucien. — Você é mesmo insano.

— Sou mesmo — volveu Gavriel. — E estou aqui para me vingar de você. Eu só peguei o caminho mais longo.

— Então me mate. — Lucien abriu com força a camisa, deixando à mostra a pálida pele branca. — Mate-me.

Gavriel deu um passo mais para perto dele e hesitou.

Lucien era seu criador, o mantenedor das lembranças das pessoas e dos lugares que se foram fazia tempo, o monstro que vira em Gavriel um talento para a monstruosidade. Tana pensou no que Lucien havia dito da última vez que eles estiveram nesta sala, com as armas na mão. *Todo herói é o vilão de sua própria história.* Ela apostava que, naquele exato momento, prestes a matar seu criador, Gavriel se sentia bem vilanesco.

E, naquele meio segundo de hesitação, Lucien lançou-se para cima de Tana. Ele segurou-a pela garganta, erguendo-a bem alto do chão. Ela estava sufocando, em pânico, golpeando o ar. Vira pessoas fazerem isso antes em filmes, mas nunca imaginara o quanto seria doloroso. Não conseguia respirar, sua traqueia estava sendo esmagada para dentro. Lucien sorria.

— Atire essa faca e eu quebro o pescoço dela — disse Lucien, devagar. — Qualquer movimento do seu pessoal e eu quebro o pescoço dela. Diga alguma coisa espertinha e eu quebro o pescoço dela.

Gavriel assentiu, pressionando as mãos juntas como se em prece.

— O que você gostaria que eu fizesse?

Não, pensou ela, mas não conseguia falar, pois estava sendo asfixiada. *Não o deixe ir. Minha irmã. Minha irmã não está a salvo.*

Tana podia sentir os olhos saltando das cavidades, os braços se debatendo e as pernas chutando o ar. Ele a ergueu ainda mais alto, com um sorriso cruel no rosto enquanto ela lutava para pegar a adaga na coxa, fechando a mão em volta do cabo.

Lucien observava Gavriel com grande satisfação.

— Pegue o seu pessoal e saiam da minha casa. Todos vocês, se você quiser de volta esta criatura lamurienta. Saiam daqui!

— Nós vamos embora — disse Gavriel, acenando para os membros de sua *Corps*, vestidos de cinza. Eles começaram a se mover em direção às portas duplas. — Mas coloque-a no chão. Ela é humana. As gargantas deles são frágeis, e, se ela morrer, você não terá muito com que barganhar.

Lucien colocou os pés de Tana no chão, com a mão ainda no pescoço dela. Tana tinha apenas uma chance. Ele não sabia quanto sangue de vampiro havia dentro dela. Não sabia quão rápida ou o quão forte ela era.

Tana sugou o ar, inspirando uma única vez ao mesmo tempo que enfiava a faca no peito dele, em cima, logo abaixo da costela. A faca entrando nele fez um som similar ao de papel rasgando.

Lucien arregalou os olhos.

— Por favor — disse ele, e as palavras saíram tão baixinho que ele mais pareceu estar só respirando. — Pare. Eu posso sentir a ponta junto do meu coração. — Naquele instante, soou como o homem que deveria ter sido algum dia. Apenas um pouco mais velho do que ela e amedrontado. — Por favor, eu lhe darei qualquer coisa.

— Diga a eles o que você fez — falou Tana, acenando com o queixo em direção às câmeras. — Conte ao mundo o que você fez.

Lucien cerrou os olhos e começou a falar.

— Caspar Morales. Fui eu. Eu o transformei. — Em seguida, ele abriu os olhos cor de rubi e fixou o olhar em Tana. Olhava-a como se ela fosse a única coisa que importasse no mundo inteiro, como se fosse a única coisa que ele amara na vida. — Perdoe-me e eu farei com que cada sonho impossível que você já teve se torne realidade. Você acha que ninguém pode saber o que você quer, mas eu já sei o que é. Existem aqueles que você ama e pelos quais teme. Existem aqueles que você ama e que não merecem esse amor. E ninguém viu quão incrivelmente especial você é, a forma como você reluz, como uma chama luminosa.

Ela sentiu como se sua mão estivesse na maçaneta da porta da adega, com os pés preparados para descer novamente os degraus empoeirados. Pensou em Gavriel, dirigindo o carro pela noite cálida de verão, com o vento nos cabelos enquanto ela lhe dizia que a misericórdia nunca poderia ser algo ruim e ele respondia: ***Este é o mundo que eu refiz com a minha terrível misericórdia.*** Ela pensou em seu pai erguendo uma pá.

Tana pensou em todas essas coisas enquanto enfiava a faca de madeira no coração de Lucien Moreau.

Fissuras pretas apareceram na face dele, espalhando-se por todo o corpo e, um instante depois, a pele dele rachava e se partia como pedra molhada.

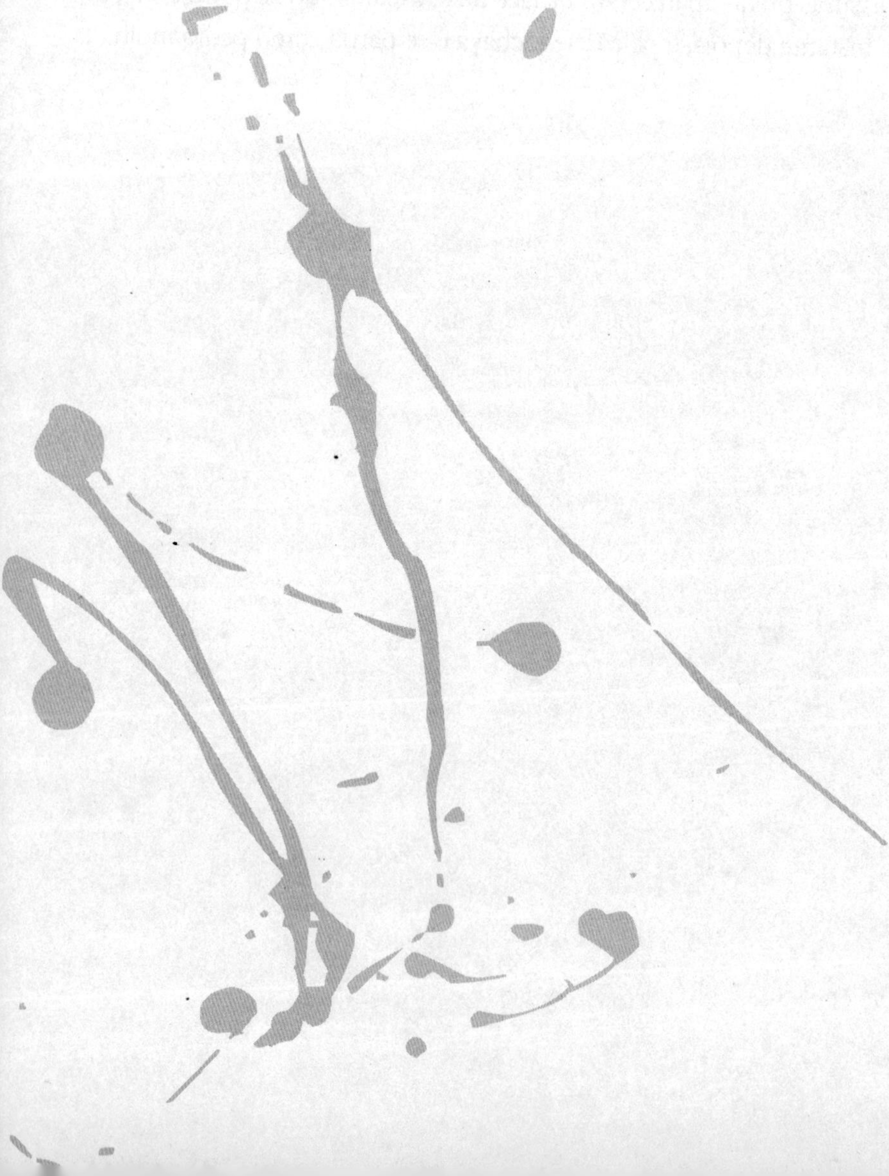

Capítulo 38

** Este será o último post do blog sobre o diário de Bill Story. Ele teve o sangue drenado por dois vampiros recém-nascidos apenas umas poucas horas depois de redigir este post. Porque sou amiga dele, ele confiou sua senha a mim, para a eventualidade de não voltar algum dia. Bill nunca pretendera ser o jornalista de uma zona de guerra, mas assumiu o posto com entusiasmo e dedicação depois de ter ficado preso na Coldtown de Springfield. E, embora a morte dele seja uma terrível tragédia, eu acredito que ele tenha ficado feliz por haver morrido como vivera: em busca de uma história. A falta de Bill será realmente sentida por seus amigos, pela comunidade dos que buscam a verdade a que ele pertencia e pelo mundo.*

— MG

Amanhã eu devo ter algumas gravações realmente interessantes a postar. Uma das minhas vizinhas, uma jovem que atende pelo nome de Christobel (talvez por causa do poema de Coleridge intitulado *Christabel*, embora a diferença na grafia faça com que eu duvide que ela conheça o poema), me pediu emprestados alguns equipamentos. Ela tem uns novos hóspedes na casa dela, incluindo outra jovem, que se autodenomina Midnight e deseja gravar a própria transformação em vampira. Se eu emprestar a ela aquilo de que precisa e lhe mostrar como colocar tudo em funcionamento, ela prometeu que posso ser uma das testemunhas e até que eu mesmo posso fazer algumas filmagens. Trata-se de uma oportunidade rara, que me deixou surpreso ao ser oferecida a mim de bandeja depois de eu haver passado anos tentando encontrar alguém disposto a me deixar filmar essa mesma coisa.

Por que eu quero fazer isso? Em primeiro lugar, porque há muito poucas filmagens da transformação na esfera pública, embora eu tenha certeza de que há rolos e mais rolos delas escondidos em algum lugar em laboratórios dos governos. E, é claro, é provável que isso traga muitas visitas ao blog. Mas eu tenho que admitir para mim mesmo (e para vocês, porque sou um jornalista meio que confessional) que aquilo que estou mais ansioso por ver é o momento exato da transformação: a centelha, se quiserem chamá-la assim, da transformação. E estou ansioso para vê-la com os meus próprios olhos.

A grande pergunta dos vampiros, a pergunta que assombra tanto governos como indivíduos, a pergunta que fica como uma pulga atrás da minha orelha toda noite quando vejo seus olhos vermelhos observando os cidadãos de Coldtown da forma como gatos famintos olham para peixes em um balde é: *O que são eles?* São doentes ou demoníacos? São humanos que ficaram doentes, merecendo cuidados médicos e hospitalares, como alguns argumentaram? Ou serão eles os corpos de nossos entes queridos animados por alguma força sombria que nós buscamos destruir? Vivendo aqui em Coldtown, eu tentei observar e documentar o nosso novo mundo, mas falhei em responder a essa pergunta básica. Eu falhei até mesmo em decidir por mim mesmo.

Talvez seja loucura pensar que eu vá ser capaz de dizer algo significativo apenas observando uma garota humana transformar-se em vampira. Afinal, estarei longe de ser o primeiro a ver isso acontecer. Os cientistas observaram o vampirismo, até mesmo passaram por isso. Mas eu ainda quero poder olhar nos olhos desta mulher quando ela se erguer dos mortos. Quero usar algo completamente diferente de instrumentos e monitores: eu quero usar o meu instinto. Quero ver se acredito estar olhando nos olhos da mesma pessoa.

Existe algo de fácil em relação à ideia de que o vampirismo seja algum tipo de doença: então eles não têm como evitar senão nos atacarem, não podem evitar cometer assassinatos e atrocidades, é somente às vezes que eles conseguem se controlar. Eles estão doentes; não é culpa deles. E existe algo até mesmo mais fácil em relação à ideia de invasão demoníaca, *alguma coisa* forçando nossos entes queridos a fazer todos os tipos de coisas terríveis. Ainda assim não é culpa deles, só que agora podemos destruí-los. Mas a terceira opção, a possibilidade de que haja algo de monstruoso dentro de nós que possa ser liberado, é a mais perturbadora de todas. Talvez sejamos apenas nós, nós com uma fome extrema, nós com alguns assassinatos acidentais no histórico. A humanidade, sem as rodinhas extras da bicicleta, derrapando por uma colina íngreme. A humanidade, livre das amarras da consequência e com o dom do poder. A humanidade, afastada de todas as coisas humanas.

E então, prezados leitores, a resposta que espero ter amanhã não será uma resposta científica. Eu espero ser capaz de decidir por mim mesmo: quando nos transformamos, existe algo que é empurrado para dentro de nós ou está mais para algo dentro de nós que foi liberado?

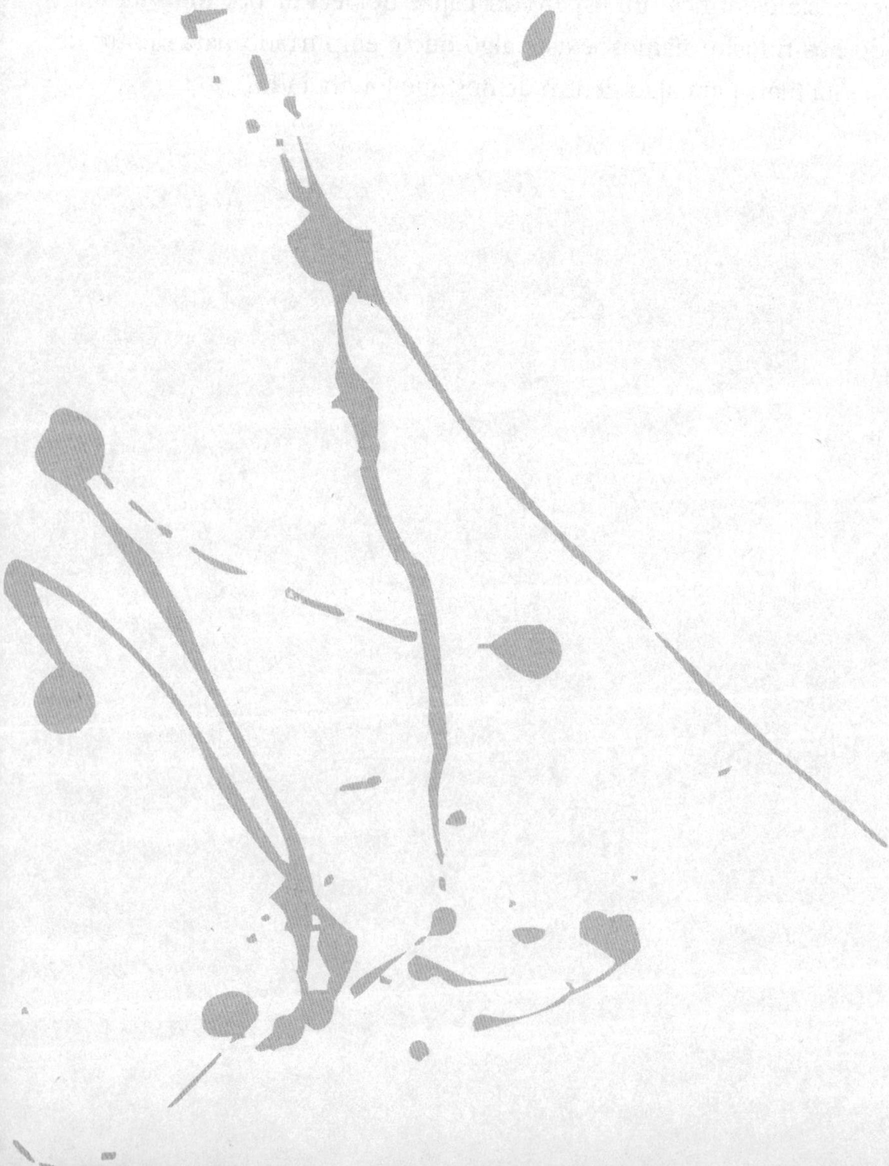

Capítulo 39

A morte é algo muito temeroso e insípido, e
meu conselho a vocês é que não sejam nada que tenha
a ver com ela.

— W. Somerset Maugham

Tana saiu andando do salão, empurrando e passando pelos guardas da *Corps des Ténèbres*, e dirigiu-se à porta da frente. Ela virou-se para trás uma vez, para olhar para Gavriel, que estava parado, em pé no centro do chão, como uma estátua de mármore pintada de vermelho, mas a cabeça latejava e o pescoço estava dolorido e, quando ela abriu a boca para falar alguma coisa, Tana estava sem palavras. Aquilo tudo era demais. Ela havia se empanturrado de horror, e tudo que podia fazer era sair daquela casa cambaleando e tatear dentro do vestido de couro em busca do celular de Jameson.

O ar fresco roçava sua pele.

Pearl. Tana tinha que encontrar a irmã, mas, se Pearl a visse agora, ela gritaria, gritaria sem parar.

O sangue era tão pegajoso.

Gavriel não a havia chamado, não havia saído do lugar.

Mas então, bem, ela quase havia arruinado a vingança dele antes de tê-la roubado para si mesma; talvez ele estivesse feliz porque ela se fora.

Venha até o Baile Eterno, dizia a mensagem no celular de Jameson. *Nós estamos com ela.* Tana seguiu caminhando pelas ruas de Coldtown, sem sentir nada.

O lugar era fácil de achar, até mesmo tão desorientada como ela estava. As pessoas não se importavam em lhe dizer por onde deveria ir, aparentemente não se incomodavam com o fato de que o rosto da garota estava manchado de sangue, não se importavam que as mãos estivessem escuras de sangue. O comportamento casual das pessoas era horripilante, mas não tão horripilante quanto quão fácil tinha sido enfiar uma faca no coração de um vampiro que suplicava pela vida.

Tana encontrou o lugar, a igreja em domo com janelas de vitrais pintadas de preto ao longo dos primeiros andares. Luzes estroboscópicas iluminavam os painéis no domo. As portas, cobertas com pôsteres feitos com estêncil cor-de-rosa, eram pintadas com o mesmo preto de piche das janelas. Havia música tocando lá dentro, e umas poucas pessoas sentadas nos degraus, fumando e conversando. Uma garota com cabelos verdes presos em uma dúzia de tranças erguia uma câmera de vídeo para entrevistar uma mulher mais velha com longos cabelos brancos e olhos vermelhos reluzentes. Tana reconheceu-a com uma sombria pontada de surpresa como a velha senhora do Last Stop.

O porteiro puxou para o lado a corda de veludo, acenando para que Tana passasse à frente de uma pequena fila de pessoas esperando para pagar para entrar, nem mesmo se dando ao trabalho de tirar a pulsação dela. Talvez as regras fossem diferentes para pessoas que usavam como acessórios uma grande quantidade de sangue azulado em seus vestidos vermelhos.

Então ela estava lá dentro, em meio à multidão que dançava. A música socava o ar, e um carpete de pessoas enchia o salão, girando e balançando ao som da música. Garotas e garotos dançavam em jaulas que se erguiam do teto em movimentos repentinos, de fazer parar o coração, como em uma montanha-russa, fazendo todo mundo gritar. E, acima disso tudo, havia câmeras como as que ela havia visto na Praça do Suicídio, como aquelas na casa de Lucien Moreau, observando tudo com olhos desprovidos de misericórdia, transmitindo a coisa toda ao vivo.

Havia um bar ao longo de uma das paredes que servia álcool de barris de destilação de cobre. A bebida vazava para dentro de canecas diferentes umas das outras. Nas beiradas externas, alguns jovens passavam pontas de baseado uns para os outros, e o pesado odor de haxixe competia com o cheiro de podridão no tempero do ar.

Em um dos cantos havia o que restara de um antigo confessionário;

jovens esperavam em uma fila para sentar-se nele, puxar as cortinas e contar seus pecados de forma anônima para uma câmera. Havia uma garota na fila, cujas lágrimas escorriam pelas bochechas. Atrás dela, a pista de dança estava cheia de pessoas se jogando de um lado para o outro, pulando e girando. O cavernoso Baile Eterno era estranhamente familiar: Tana o havia visto antes nas telas dos computadores de amigos e em pôsteres em armários. Agora, movimentando-se com a multidão, aquilo parecia irreal, como se fosse o set de um filme.

Tana suspeitava que Pearl deveria adorar isso.

Um calafrio passou por seu corpo; depois, outro. Tana analisou a multidão, tentando encontrar a irmã ali. Seu olhar esbarrou com uma silhueta familiar, cujas costas estavam pressionadas junto aos pilares de suporte da escadaria. Por um bom tempo, ela analisou a jaqueta militar azul-marinho dele, com as mangas arrancadas, a cinta-liga com meias brancas opacas e grandes botas pretas, o cintilante delineador azul. Ele tinha algo preso ao braço que parecia um tubo hospitalar para punção de sangue. Tana percebeu que aquele era Rufus, cujo suor formava um traço descendo pelo pescoço enquanto dançava. Até onde ela podia ver, ele estava sozinho. Um garoto de olhos vermelhos e uma garota loira estavam ajoelhados na frente dele, alternando-se para beber do tubo preso a seu braço. Tana sentiu uma agitação no estômago, meio de repulsa e meio de fome.

Ela foi a passos incertos apoiar-se no corrimão de uma escada de metal corrugado que dava para um segundo andar cujo cordão de isolamento estava solto, inspirando uma vez atrás da outra, até ter certeza de que não vomitaria e nem atacaria ninguém. Tinha que encontrar Pearl, tinha que se conter por tempo o bastante para levar a irmã de volta ao portão.

E, horrivelmente, naquele instante, ela pensou em Gavriel olhando para ela enquanto saía do salão de baile com teto de vidro. Gavriel, que havia parecido completamente insano, mas que sabia exatamente o que estava fazendo o tempo todo. Gavriel, que havia colocado sua vingança de lado por um tempinho para seguir em uma aventura com ela.

Tana balançou a cabeça, o que foi um erro. Isso fez com que a cabeça latejasse pior do que nunca.

— Tana — disse alguém, e então Valentina estava lá, ao lado dela, pressionando uma caneca em sua mão. Ela havia trocado de roupa, puxado os cabelos para trás, lavado o rosto e tirado toda a maquiagem. — Ah, que bom, Tana, você está bem. Você voltou.

Ela bebeu automaticamente, o álcool descendo e fazendo arder a garganta dolorida.

— Veja quem nós encontramos — disse Valentina, e Aidan surgiu por detrás dela, com seu sorriso inocente e afiado. Pearl estava sentada no ombro dele, como se fosse muito mais nova, com as pernas desengonçadas de garota de doze anos balançando sobre o peito dele. Em volta do pescoço dela estava o pesado medalhão de granadas. Ela abriu um largo sorriso para Tana, e sua expressão foi ficando menos iluminada quando ela viu o sangue manchando a face da irmã e escurecendo o vermelho de seu vestido.

— E aí, pipoquinha? — disse Tana baixinho, exatamente como sua mãe costumava fazer.

— Não me chame assim — respondeu Pearl, sua dignidade claramente ofendida. Ela estava usando uma cintilante blusa preta, calça jeans e seu par predileto de botas azuis de caubói. Os olhos estavam delineados com lápis preto.

Tana virou-se para Valentina, pegando na mão dela e pressionando-a.

— Obrigada. Eu não tenho como lhe agradecer o suficiente...

A garota balançou a cabeça.

— Não, espera. Foi o Aidan que a encontrou.

— Aidan?

Tana ergueu o olhar para ele, descrente.

— Eu a avistei perto dos portões — contou o rapaz. — Ela estava bem apavorada.

Pearl olhou para ele sentindo-se profundamente traída.

— Eu tinha um plano...

— O Aidan era o único de nós que a conhecia pessoalmente — disse Valentina. — E o único que não era um completo estranho para ela.

Tana assentiu, esticando a mão para Pearl, com o olhar fixo em Aidan.

— Obrigada.

— Quando a Pauline me ligou, eu imaginei que eu devia uma a você. Talvez eu lhe deva mais do que uma.

Aidan curvou-se para baixo, de modo que Pearl pudesse descer de seus ombros. Ela foi para os braços de Tana, dando um abraço apertado na irmã. Tana pôde ouvir a batida como a da asa de um passarinho e o cheiro doce do sangue sob a pele da menina, mas, se Aidan podia aguentar isso, então ela também poderia. Pressionou a boca nos cabelos de Pearl e sorveu o cheiro dela, memorizando-o.

— Eu só queria estar aqui com você — disse Pearl, cujos ombros estreitos tremiam. — Eu queria ajudar. Eu não sabia...

— Está tudo bem — sussurrou Tana, abraçando-a ainda mais apertado. — Vai ficar tudo bem.

— Nós vimos você — disse Aidan, apontando para uma das telas suspensas nas vigas de metal. — Quero dizer, não tudo, mas... com o Lucien, no fim.

Ela olhou para eles.

— Vocês viram o que aconteceu?

— Lucien Moreau está morto — disse Valentina, falando mais alto do que a música. — Nós vimos *isso*. Não conseguimos ouvir tudo, mas parece que ele ficou maluco.

— Mas *você* estava incrível — afirmou Aidan, e, pela primeira vez, quando ele sorriu, os olhos vermelhos e dentes afiados pareciam uma parte normal dele. — Belo vestido.

— Eu sinto muito, Tana — disse Pearl, cujos dedos afundavam-se no braço de Tana. — Eu achei que ele... eu realmente não sabia.

— É claro que você não sabia. — Tana puxou a irmã para o lado de modo que pudesse conversar com ela com um pouco de privacidade. — Eu também não sabia. E é por isso que você tem que sair de Coldtown. Eu posso te tirar daqui, mas você tem que me prometer que nunca mais vai voltar. Nunca mais.

— Mas ninguém sai daqui — respondeu Pearl, espantada.

— Bem, você vai sair — volveu Tana. — Agora mesmo.

Pearl olhou para a irmã por um bom tempo.

— O Aidan me prometeu que a gente poderia se divertir esta noite. Se eu posso sair, não vou poder sair de manhã?

Tana desferiu a Aidan seu olhar mais feroz. Ele deu de ombros, de forma elaborada.

— O que eu poderia fazer? — ele perguntou, como se não fosse um vampiro assustador. — De qualquer forma, você não acha que é um pouco injusto ela ter vindo até aqui e não ter uma história para contar às amiguinhas dela? Você sabe que eu tenho uma queda por uma garota fofinha com grandes olhos suplicantes.

Pearl abafou o riso.

Tana meio que não confiava em si para falar nada. Por um bom tempo, ficou olhando para os balanços, onde garotas e garotos pintados com cores brilhantes estavam pendurados acima da multidão, para as luzes piscantes e para o domo rachado bem acima deles. Era belo, à sua maneira.

— Tudo bem — disse Tana. — Mas você vai voltar ao portão logo antes da alvorada. Promete? Vamos levar você até lá.

Pearl assentiu.

— Eu posso dançar mais um pouco com o Aidan? Ele vai me proteger dos outros vampiros.

Ele sorriu aquele sorriso charmoso dele. Uma face como a de um querubim iníquo, era isso que ela havia pensado antes de Aidan ter sido transformado, e isso era até mesmo mais verdadeiro agora. Ele poderia ser um monstro, mas também era Aidan, e Aidan não machucaria Pearl.

— Claro — disse Tana. — Só não o deixe exausto.

— Eu sou um morto-vivo — ele informou a Tana. — Eu nunca vou morrer de cansaço.

Tana ficou observando enquanto eles giravam na multidão, os cabelos de Pearl voando atrás dela como um estandarte escuro.

— Você está bem? — perguntou Valentina.

Tana balançou a cabeça em negativa, tentando sorrir para tirar a pontada mordaz disso, mas o sorriso saiu um pouco doentio. Era estranho que tudo estivesse acabado e fosse a mesma coisa que antes e, ao mesmo tempo, que tudo estivesse totalmente mudado.

Era estranho pensar que, gostando ou não, este era o seu novo lar.

— Eu vou até o bar — disse Tana. — Vou ver se consigo limpar o rosto com um guardanapo úmido ou algo do gênero. Isso vai fazer com que eu me sinta um pouco mais humana.

Valentina assentiu, e Tana foi empurrando as pessoas em meio à multidão para chegar até o bar. Duas vezes, alguém parou para cumprimentá-la batendo a palma aberta na dela, ou para lhe oferecer uma rodada de drinques em sua honra. Uma vez, alguém a parou para lhe oferecer um gole de sangue de seu tubo hospitalar. Ela se empurrou para longe deles, tonta. Supunha que Lucien não fosse tão popular em Coldtown quanto havia sido na televisão.

Avistando Jameson sentado em uma das pontas do bar, Tana dirigiu-se até ele, que a saudou com sua xícara quando ela chegou perto o bastante para se apoiar no balcão de concreto.

— Parabéns — disse ele, fazendo um sinal para chamar o barman. Um instante depois, Tana estava com outra caneca à sua frente, entregue por uma mulher com *dreadlocks* vermelhos cor de maçã, que claramente não se importava com identidade.

Em um pulo, Tana sentou-se em uma banqueta.

Ele bateu na caneca dela com a sua, em um brinde, e anunciou:

— Você é famosa. Sabe disso, certo? E vai ficar até mesmo ainda mais famosa depois desta noite.

Ela virou a maior parte do conteúdo do copo, encolhendo-se. Em seguida, virou o restante sobre o rosto. Aquilo ardia, mas ela imaginou que isso significava que o álcool estava desinfetando-a, como era de esperar.

— Você tem algum lenço de papel para eu me limpar? — perguntou.

Ele enfiou a mão nos bolsos e tirou de lá um lenço de pano masculino e antiquado. Ela pegou-o e limpou o rosto com ele, deixando-o em um tom de um vermelho muito escuro.

— Sinto muito por arruinar isto daqui.

— É pra isso que ele serve. Olha, eu estava falando sério sobre você ser famosa. Uma de apenas dois sobreviventes do que eles estão chamando de Tragédia ao Pôr do Sol — disse ele, não soando muito sóbrio. — A garota que veio de carro com um amigo infectado e um vampiro até Coldtown e os entregou. A garota que matou uma vampira em frente às câmeras. Ah, é, vídeos de você têm estado em todos os noticiários e em todos os blogs, a gravação de você lutando na terra, ao lado das latas de lixo, com aquela garota, Midnight, é particularmente popular. E agora... você matou Lucien Moreau. Você deveria cobrar para dar entrevistas.

— Eu estava preocupada que a Pearl fosse ficar enfurecida — disse Tana. — Ela adorava o programa do Lucien.

Jameson deu risada.

— Você tem que me trancafiar — disse ela. *Tem que me trancafiar e jogar a chave fora.*

— E quanto à sua irmã? — ele perguntou.

— Ela vai para casa, e, se algum dia eu a vir de novo, sei o que devo fazer.

Ele a olhou, avaliando-a de forma tal que fez com que ela se lembrasse, de um jeito alarmante, da mãe dele.

— Eu sei de um lugar. Nós podemos ir até lá pela manhã. — Então ele ficou hesitante. — Você tem certeza disso? Tem certeza de que não quer ser uma vampira? Você está aqui em meio a um oceano de pessoas que te dariam o sangue delas. Que diabos, eu te dou o meu sangue se você quiser se transformar!

— Você acha que eu deveria? — ela perguntou, descansando a cabeça no balcão do bar. O ar estava quente com o calor de corações pulsantes e bombeando sangue, um calor que se erguia da pele humana. Só de inalá-lo ela se sentia tonta. Era tentador. Ceder. Desistir.

— É difícil não querer isso por aqui. Eles estão no topo da cadeia alimentar. Os mais altos predadores.

— Então por que você não se transforma? Por que não pede pra sua mãe te transformar?

— Eu sou contraditório — disse ele, bufando de desdém e olhando para a pista de dança. Ela seguiu o caminho do olhar dele e viu que estava observando Valentina enquanto ela conversava com um garoto que trajava um longo casaco de couro. Aidan e Pearl ainda estavam girando em círculos insanos. — Às vezes eu não sei o que quero.

Tana gostava da sensação do concreto fresco sob a bochecha. Era áspero e liso ao mesmo tempo, da forma como ela imaginava que poderia ser a sensação das escamas de um dragão.

— Ela é bonita.

Ele soltou um suspiro.

— É.

— Ela me disse como você foi ótimo... salvando-a e o amigo dela e tal.

Agora ele estava com um largo e melancólico sorriso no rosto, balançando a cabeça em negativa.

— Ah, agora eu estou vendo aonde você quer parar com isso. Pode parar.

— Você não gosta dela? — perguntou Tana. Então, desejou não ter feito essa pergunta, porque, se ele dissesse alguma coisa horrível sobre Valentina, ela acabaria odiando-o.

— É claro que eu gosto dela — respondeu ele, como se achasse difícil imaginar como alguém não gostaria de Valentina. — E, se você contar isso a ela, eu vou fazer com que você lamente muito por ter aberto a boca. Olha, a Valentina é... é difícil explicar. Ela está aqui por um motivo, e por um motivo apenas, o mesmo motivo pelo qual as pessoas abrem mão de vidas seguras e normais para virem até aqui... para serem vampiros. Ela não está procurando alguém como eu. Ela pode levar para casa um cara comum caso se sinta solitária, mas não fica a sério com nenhum deles. Ela está procurando alguém como o seu amigo lá.

Garotos são tão idiotas, pensou Tana.

— Você deveria dançar com ela.

Ele encolheu-se, como se ela tivesse sugerido que ele esfaqueasse os próprios pés.

— Eu realmente não danço, e ela estava *aprisionada* faz pouco tempo... talvez ela não esteja muito a fim de dançar.

Tana deu de ombros, deslizando para fora da banqueta.

— Vamos perguntar a ela.

— De jeito nenhum — disse Jameson.

— Ah, então você vai simplesmente ficar aqui sentado, nas sombras, observando-a como um doido — disse Tana. — Certificando-se de que ela não se meta em mais encrenca.

— Se ela se meter em encrenca, não há muito que eu possa fazer, há? — Ele tomou mais um gole da caneca à sua frente. Havia uma faixa azul em volta da caneca, que estava rachada em um dos lados. Parecia ter sido colada às pressas, porque ainda havia uma linha de um material transparente endurecido, como uma cicatriz mal curada.

— Ela achava que a sua mãe era sua namorada — contou Tana, que fez um gesto para Valentina, vago o bastante para significar qualquer coisa, e depois apontou para Jameson. Ele parecia alarmado. — E ela queria salvá-la, porque isso era uma coisa que ela poderia fazer por você. Foi assim que ela acabou sendo aprisionada na casa de Lucien. Eu aposto que ela não contou isso a você.

— O que você está fazendo? — ele perguntou, segurando no braço de Tana com força suficiente para machucar.

— Se você soubesse o tipo de semana que eu tive e que tipo de semana estou prestes a ter, então você saberia que é simplesmente melhor vir comigo. — Com isso, ela arrastou-o para fora da banqueta em que ele estava sentado e levou-o para o meio da multidão.

Jameson desferiu um olhar assassino para Tana, mas se permitiu ser puxado. Valentina viu os dois se aproximando e pareceu, na verdade, mais aterrorizada do que ele. Pearl saiu correndo em direção à irmã, porém, ávida para dançar mais, acenando para cima, para as câmeras suspensas, como se estivesse acenando para todos os amigos lá em sua cidade.

— Isso não vai mudar nada — disse ele, baixinho.

E então eles estavam dançando juntos, todos os cinco, com o suor escorregadio nos braços e pernas e a música zunindo nas cabeças. Até mesmo Jameson estava sorrindo enquanto Valentina girava ao redor dele, e os dedos dele ficaram por um instante longo demais nos quadris dela, e o olhar dele voltou-se para baixo, a timidez colorindo suas bochechas. Aidan girou Pearl nos braços, erguendo-a no ar e fazendo-a rir.

Tana dançou até que a dor na cabeça se esvanecesse, até que os seus pés descalços doessem de socar o chão, até que o corpo estivesse gloriosamente exausto e, com todos os movimentos, ela sabia que havia ganhado o dia porque sobrevivera a ele. De alguma forma, Valentina persuadiu Jameson a ficar na pista de dança. Ele estava com as mãos em volta da cintura dela e a cabeça dela estava curvada na direção dele como uma flor se curva ao sol. E Tana finalmente entendeu como a selvageria do Baile Eterno era a selvageria do pesar, a intoxicante dança do carnaval, onde as pessoas deixavam a si mesmas para trás e tornavam-se algo diferente por uma noite, na esperança de que a velha pele ainda servisse quando voltassem a ela pela manhã.

A forma como eles arranjaram as coisas foi que Pauline concordou em sair do acampamento, ir de carro até o portão e pegar Pearl do lado de fora. Tana e Aidan acompanharam Pearl até lá, pelas ruas serpeantes e em meio ao lixo, passando pelos corpos e enxames de baratas. A aurora ainda não ardia no horizonte, mas o ar já estava mudado, com o vento trazendo os cheiros cálidos do dia antes da luz do sol em si.

Tana segurava a mão de Pearl na sua. A irmã estava ficando sonolenta, cambaleava um pouco, com as pálpebras caindo enquanto a excitação da noite anterior se esvaía.

— É culpa minha que você vá ficar presa aqui para sempre — disse Pearl em uma voz sussurrada. — Eu estraguei tudo.

Tana inspirou fundo e então balançou a cabeça.

— Eu posso não conseguir sair daqui, mas será porque talvez não consiga me livrar do Resfriado. E, se isso acontecer, então eu posso me despedir de você pessoalmente. E, se eu ficar melhor, então vou dar um jeito, ok?

Pearl parecia muito cética, mas assentiu.

— Ok.

— E você tem que se despedir da Pauline por mim. Dê um grande abraço nela e faça com que ela acredite que eu estou bem.

— Ela vai ver clipes das transmissões — disse Pearl, com um tom de voz de alguém que se sentia obrigada por honra a declarar o óbvio.

— Bem, então — disse Tana, percebendo que a irmã estava certa —, será mais importante ainda que você a convença de que eu estou bem. Eu não pareço bem?

— *Acho* que sim — disse Pearl.

Tana deu um empurrão no ombro dela, fazendo com que ela abrisse um largo sorriso. Elas caminharam um pouco em silêncio. Então, enquanto passavam pela placa escrita à mão de *Uma Dose de Depresso*, Pearl ergueu o olhar para Tana e piscou. — Havia um garoto vampiro no Baile Eterno que disse que conhecia você.

— Que garoto? — quis saber Tana.

Pearl balançou a cabeça, levando a mão ao colar de granada.

— Ele disse: "É uma honra e um deleite conhecer você, e é uma tragédia que você esteja aqui" ... Ele tinha um jeito estranho de falar, mas parecia ser legal. Ele começou a me passar uma mensagem para você, mas acabou mudando de ideia.

Tana tentou se convencer de que a decisão de Gavriel de não lhe repassar uma mensagem não queria dizer nada. Porém, visto que ele mesmo não havia falado com ela, era difícil acreditar nisso.

Aidan ergueu as sobrancelhas para Tana, mas permaneceu de boca fechada.

Então estava na hora de abaixar-se e abraçar Pearl mais uma vez, de dizer a ela que a amava, de sorver da calidez da pele dela e de ouvir o ribombo de seu coração, antes de deixar que ela se fosse, por fim.

Ficar vendo Pearl entrar sozinha em uma daquelas oscilantes jaulas de ferro foi a coisa mais difícil que Tana já havia feito na vida, mas ela a fez. E fez uma nova promessa a si mesma.

Ela era a garota que voltara atrás para fazer o impossível. Do lado de fora da casa de fazenda de Lance, quando tudo o que quisera fazer fora sair correndo, ela se forçara a voltar atrás por aquela janela quebrada. Quando conseguira escapar do aposento com a claraboia, ainda havia voltado por Aidan. Ela até mesmo havia voltado e matado Lucien Moreau. E, se Tana fora capaz de voltar atrás e fazer todas aquelas coisas loucas e impossíveis, então talvez fosse louca o bastante para seguir em frente e salvar a si mesma também.

Na manhã seguinte, Jameson trancafiou-a no celeiro de uma casa vitoriana abandonada, junto com jarras de plástico de leite contendo água fervida, algumas latas de comida, um abridor de latas, aspirinas, um punhado de cobertas e o que quer que houvesse sobrado das coisas que ela havia comprado dentro das muralhas. Tana prendeu uma algema a um dos pulsos e prendeu a outra a uma corrente que ela havia aferrolhado a um cano. Quando entregou as chaves a Jameson, estava à beira de pedir que ele esquecesse a coisa toda, que a deixasse sair, só que Tana tinha certeza de que ele quebraria a promessa e faria o que ela estava pedindo.

Oitenta e oito dias. Três trancas na porta. Cinquenta e três elos na corrente. Uma lâmpada sem lustre oscilando no teto.

Ela dormiu por um tempinho, um sono intermitente, em seu ninho de cobertas. Então, comeu feijão frio com uma colher de plástico. Por fim, decidiu que estava na hora de ajustar a câmera antes que não conseguisse mais fazer isso. Suas mãos já estavam tremendo quando ela enfiou a primeira das baterias na traseira da velha câmera de vídeo de Midnight. Na hora em que ela terminou de colocá-la no tripé e plugá-la ao roteador que comprara de algum adolescente conhecido de Jameson, precisou cortar a base da palma da mão com a borda irregular de uma lata e sugar um pouco do próprio sangue para se fortalecer para o que viria em seguida. Então, ligou a câmera e sentou-se no chão, com as pernas cruzadas.

Erguendo o olhar para a lente preta brilhante da câmera, ela começou:

— Oi, meu nome é Tana Bach. Eu tenho dezessete anos, e alguns dias atrás houve uma festa e... não, isso não vem ao caso, se você está assistindo a isto, então é bem provável que já tenha ouvido falar sobre o que aconteceu lá. Olha, eu só quero agradecer a todo mundo por todos os e-mails legais e pelos posts no mural e por essas coisas todas. Obrigada também à misteriosa e talvez até mesmo legítima empresa de produção que quer me filmar matando vampiros, mas isto aqui é o que vou fazer pelas próximas doze semanas e meia, então, se quiserem transmitir alguma coisa, transmitam isto.

"E, pai, se você estiver assistindo a isto, não fique tão zangado com a Pearl, ok? É bem glamouroso ser um vampiro. Faz sentido que alguém deseje isso. Então, dê um tempo a ela, ok? Só te resta uma filha agora. E, Pauline, obrigada por salvar o meu lamentável rabo. Eu deveria ter ligado para você mais cedo.

"E, para todo o resto do pessoal, acho que eu deveria mostrar a vocês algo que não seja o glamour. É assim que a gente se livra da infecção pelo suor. Eu tenho um bocado de água e algumas latas de creme de milho e vou gritar e implorar e vomitar as minhas tripas. As correntes que estão me mantendo presas são muito boas..."

Tana estava inspirando para dizer mais alguma coisa quando ouviu o som inconfundível de uma das trancas da porta sendo girada.

— Ei! — disse ela. — Quem está aí?

A segunda tranca foi girada, ecoando no espaço vazio.

— Jameson?

O coração dela batia com força enquanto puxava a corrente, percebendo a vulnerabilidade da posição em que estava.

— Bem — disse ela para a câmera. — Alguém está vindo me visitar no meu quarto secreto onde supostamente eu deveria ficar entocada sozinha para a segurança de todo mundo. Eu espero que eles não...

A porta abriu-se e Gavriel entrou no aposento. Ele olhou ao redor, absorvendo o ambiente. Estava vestindo uma calça jeans e uma camisa preta, quase exatamente a mesma roupa que usara quando ela o conhecera. As únicas diferenças eram que ele estava com pesados anéis de prata nos dedos, reluzindo com lápis-lazúli e hematita, e com uma bolsa de couro jogada por cima do ombro. Ele parecia tão estranhamente belo como sempre, suas feições só um pouquinho grandes demais para a face. Cruzando a sala, ele desligou a câmera de vídeo dela.

— Oi — ela disse, incapaz de conseguir falar mais do que isso.

Ele fechou a porta e sentou-se na terra ao lado dela.

— Ouvi dizer que você abriu mão do seu sinalizador.

Ela deu de ombros, tentando parecer casual, como se não estivesse acorrentada à parede de uma sala, como se ele não fosse o cara mais assustador na cidade, como se ela não houvesse matado o criador dele.

— Acho que eu tenho que ser realista em relação às minhas chances. Você sabe quantas pessoas conseguem ir até o fim com a autoquarentena? Os números são baixos. Eu posso cortar tanto a minha própria pele para beber o meu próprio sangue a ponto de os cortes infeccionarem. Ou eu posso me esquecer de comer comida normal e acabar morrendo de fome. Ou posso jogar toda a minha água fora quando estiver tendo um ataque. É melhor dar o sinalizador a alguma criancinha, certo?

— Sua irmã — disse ele.

Tana assentiu.

— Minha irmã.

Gavriel cerrou os olhos, os cílios pretos como fuligem roçando as bochechas.

— Eu vou ficar com você.

— O quê? Não — disse ela, automaticamente. — Não! Isso é loucura!

— Eu sou louco — lembrou ele.

Disse isso como se estivesse declarando um fato, pura e simplesmente, o que quase arrancou uma risada dela. Tana inspirou fundo para encobrir o impulso de rir.

— Olha, você entende como eu vou ficar? Eu vou vomitar e provavelmente vou fazer xixi nas calças, isso sem mencionar os gritos. — Suas mãos começaram a tremer novamente, mas ela pressionou uma na outra entre os joelhos, na esperança de esconder quão doente estava. — Eu não quero que você me veja assim.

— Tana, quando você foi embora na noite passada, eu achei que não tinha nenhum direito de ir atrás de você, direito algum nem mesmo de implorar pelo seu perdão. E eu ainda acho isso... então, não estou aqui para ser perdoado pela minha arrogância ou pelo que aconteceu por causa disso, embora esteja profundamente arrependido, e sempre estarei. Mas deixe-me ficar sentado aqui com você por esta longa noite. Eis uma coisa que eu posso fazer. — Ele enfiou a mão na sacola e tirou dali uma estranha reunião de mangás, cópias rasgadas em brochuras de livros clássicos e modernos e uma pequena pilha de revistas amassadas. — Veja, eu até mesmo trouxe algumas cosias para ler em voz alta. Eu não sabia ao certo do que você gostava, então há um pouco de tudo.

— *Por quê?* — ela exigiu saber, pois, de todas as coisas que ele poderia estar fazendo, não fazia sentido que fosse até ali para fazer isso. Lucien estava morto, e ela sabia que, para alguns vampiros, sempre haveria como entrar e sair de Coldtown. Gavriel poderia estar a caminho de um castelo nos Alpes e bebendo de garotas meio afogadas em vinho tinto. — Eu achei que provavelmente você estivesse irritado. Quero dizer, você veio de longe para matar Lucien e, por minha causa, não conseguiu fazer isso.

— Não, Tana. Na verdade, embora você deva lamentar por ter feito isso, eu certamente não lamento por você ter dado aquele golpe. — Ele fez uma pausa, parecendo enrijecer-se como aço, e então começou a falar muito rápido: — Eu amo você, veja... e eu temo que não haja forma de dizer ou demonstrar isso que não seja terrível, exceto vindo até aqui. Se você quisesse, eu mataria o mundo inteiro por você. — Ele pareceu notar a expressão que passou pela face dela, antes de se apressar a continuar: — Ou não, obviamente. Mas acho que eu poderia ler em voz alta para você — ele pegou uma velha edição da revista *Rolling Stone* da pilha, erguendo-a vagamente — e ficar aqui sentado com você. Como uma pessoa normal que amasse você poderia fazer, se você estivesse com uma doença normal. E, visto que não está com uma doença normal, eu sou simplesmente a pessoa certa para o que você tem.

Ela começou a dar risadinhas, incapaz de se conter. Ele nunca dizia nada que ela esperava ouvir, nunca, e isso não era nem um pouco diferente. Pigarreando, ela tentou encontrar as palavras certas.

— Eu preferiria que você não matasse todas as pessoas do mundo, sim, isso é verdade. E eu também tenho sentimentos por você. Sentimentos grandes, esquisitos, loucos. É uma coisa rara encontrar alguém que consiga me ver como eu sou, ainda mais que espie dentro das partes sombrias de mim que até mesmo eu não quero ver. Você fez isso, e também riu das minhas piadas. Então, eu estou assustada, porque você não apenas não é *humano*, você não é como *ninguém*. Não existe ninguém como você em todo o mundo e é você que eu quero. Eu quero você e eu odeio querer as coisas e eu odeio especialmente admitir que as quero.

A boca de Gavriel curvou-se em um sorriso feliz e cheio de esperança.

— Então eu posso ficar?

Ela sentiu-se cheia de pânico.

— Não, não, não, você não pode ficar. Se você ficar, vai me deixar sair. Eu vou implorar e implorar, e você vai me deixar sair.

— Não vou, não — disse ele, aproximando-se mais dela. — Você não me pediu para deixá-la sair do quarto de Elisabet, quando estava algemada à cama. Você conseguiu se soltar sozinha em vez de simplesmente pedir isso a mim. Lembra-se disso? Você não achou que eu fosse soltá-la naquele momento.

— Isto aqui é diferente. Além do mais, eu provavelmente estava errada.

— Shhh, Tana — disse ele, acariciando os cabelos dela. — Ah, minha doce Tana. Lembre-se de que eu ainda sou um monstro. Eu posso ouvir você gritar e chorar e implorar e ainda assim não a deixarei sair.

A voz de Gavriel fez com que Tana estremecesse com uma deliciosa combinação de nervosismo e calma. Lembrou-se da gravação que havia visto dele muito tempo antes de os dois se conhecerem, aprisionado e insano debaixo de um cemitério em Paris, banhado em sangue e cortado em mil lugares. Se alguém sabia o que era ficar sozinho e sentindo dor, esse alguém era Gavriel. Pela primeira vez desde que ele entrara na sala, ela começou a acreditar que poderia não ter que passar por isso tudo sozinha.

— Você não pode me deixar beber o seu sangue. Não pode me morder. Mesmo que eu implore, mesmo que eu suplique e ameace e minta. Você tem que me prometer. É a única maneira de eu melhorar.

— Eu juro. — Ele estava com os olhos vermelhos fixos nos dela. — Solenemente, eu juro.

Ela relaxou junto a ele, inalando o cheiro de fumaça e alvejante e os fracos traços de sangue coagulado. Sentiu o ombro dele muito sólido junto à sua bochecha, o roçar dos cabelos pretos como o nanquim, muito finos.

— Você não vai mesmo me deixar sair?

— Permita-me explicar a você como a minha vida inteira me preparou para este momento. Eu estou acostumado com garotas gritando, e seus gritos... seus gritos serão mais doces do que os gritos de amor de outro alguém.

Ela quase deu risada, porque essa era uma coisa perfeita a dizer tanto quanto era perfeitamente horrível.

— Ok — disse ela, sonolenta e com frio, sentindo os tremores começando a voltar. — Você pode ficar. Eu quero que fique. Por favor, fique. — Ela cerrou os olhos e fez a única pergunta que tivera medo de fazer esse tempo todo. — E se eu não voltar atrás? Se eu não for mais humana?

Ele sorriu; ela pôde sentir o sorriso na própria pele.

— Então caçaremos vampiros juntos e você beberá o sangue deles.

— A Dama ou o Tigre — disse ela, pensando no jogo de beber que havia jogado na casa da fazenda, pensando na história que nunca terminara, pensando em uma moeda girando sem cair, nem cara, nem coroa.

— Minha dama, o tigre — ele disse a ela, e levantou-se para ligar a câmera.

Agradecimentos

Este livro é uma carta de amor a todos os livros de vampiros que li e reli quando adolescente. A Les Daniels, por sua série de Don Sebastian de Villanueva; a Anne Rice, por suas crônicas vampirescas; a Tanith Lee, por *Sabella, or the Blood Stone;* a Poppy Z. Brite, por *Lost Souls;* a Nancy A. Collins, por *Sunglasses After Dark;* a Sheridan Le Fanu, por *Carmilla;* e a Suzy McKee Charnas, por *The Vampire Tapestry.* Obrigada também por *Vampires and Vampirism*, de Dudley Wright, que peguei na biblioteca e foi um dos primeiros livros de folclore que eu li.

Obrigada a Sarah Rees Brennan, Robin Wasserman e Cassie Clare, por lerem o começo deste livro quando todas nós estávamos juntas no Goult. Não há nada como começar um livro no sul da França para se sentir decadente.

Obrigada aos companheiros de jantar Holly Post, Jeffrey Rowland, Jeph Jacques, Cristi Jacques, Elka Cloke, Eric Churchill, Elias Churchill e Jonah Churchill, por surgirem com uma excelente guinada na história, e também por pagarem a minha refeição, apesar de eu chegar atrasada ao restaurante.

Obrigada a Chris Cotter, por fazer a internet em Coldtown funcionar.

Obrigada a Bill Willingham, por sua generosidade.

Obrigada à Classe da Clarion de 2012 (Carmen, Christopher, Danica, Daniel, Deborah, Eliza, Emma, Eric, Jonathan, Joseph, Lara, Lisa, Luke, Pierre, Ruby, Sadie, Sam e Sarah), por me aguentar escrevendo o final deste livro sendo que eu era metade de sua equipe de âncoras de duas semanas. Obrigada também pela garrafa de uísque, pela cigarra e pelo dedo de polvo. Eu os achei muito úteis durante o meu próprio workshop.

O que me leva a agradecer ao meu pessoal do workshop. Obrigada, Kelly Link, Gavin Grant, Ellen Kushner, Delia Sherman, Sarah Smith,

Cassie Clare (sim, ela teve que ler isso de novo) e Josh Lewis, por me darem a confiança de mostrar ao mundo aquilo que eu criei.

Obrigada a Steve Berman, por ler este livro inteiro em uma única noite, de modo que pudesse falar sobre o final comigo na manhã seguinte.

Obrigada a minha editora fabulosa, Alvina Ling, e a sua fabulosa assistente, Bethany Strout, por captarem todas as coisas das quais eu achei que poderia sair ilesa, e por seu insight em muitas das coisas que eu nem mesmo havia considerado.

Obrigada a meu agente, Barry Goldblatt, por acreditar neste livro.

Obrigada ao punhado de participantes no retiro de mentores da SCBWI de Nevada, por me deixarem ler os primeiros capítulos para eles.

E, por fim, obrigada ao meu marido, por deixar que eu lesse a coisa toda para ele em voz alta. Ele disse que, desde que me conheceu, achava que eu, em algum momento, escreveria um livro sobre vampiros. Aparentemente, ele estava totalmente certo.